O ORFANATO DA SRTA. PEREGRINE PARA CRIANÇAS PECULIARES

O ORFANATO DA SRTA. PEREGRINE PARA CRIANÇAS PECULIARES

RANSOM RIGGS

3ª EDIÇÃO

TRADUÇÃO
EDMUNDO BARREIRO E MARCIA BLASQUES

LeYa

Título original: *Miss Peregrine's Home for Peculiar Children*

Este livro foi revisado segundo o Novo Acordo Ortográfico da Língua Portuguesa.

Publicado a primeira vez em inglês pela Quirk Books, Filadélfia, Pensilvânia.
Este livro foi negociado pela Ute Körner Literary Agent, S.L., Barcelona
www.uklitag.com.

Preparação de texto: Bruna Gomes
Revisão: Márcia Duarte, Vivian Miwa Matsushita, Thais Sayão e Iraci Miyuki Kishi e Alessandra Miranda de Sá
Adaptação de projeto gráfico: S4 Editorial e Vivian Oliveira
Adaptação da capa original: Vivian Oliveira

DADOS INTERNACIONAIS DE CATALOGAÇÃO NA PUBLICAÇÃO (CIP)
(Câmara Brasileira do Livro, SP, Brasil)

Riggs, Ransom
O orfanato da srta. Peregrine para crianças peculiares / Ransom Riggs; Tradução de Edmundo Barreiro e Marcia Blasques. – 2. ed. – São Paulo: Leya, 2015.
336 p. : il.

ISBN 978-85-441-0455-2

Título original: *Miss Peregrine's Home for Peculiar Children.*

1. Literatura americana 2. Ficção americana I. Título II. Barreiro, Edmundo III. Marcia Blasques

15-0789 CDD 823

ÍNDICE PARA CATÁLOGO SISTEMÁTICO
1. Ficção: Literatura americana

LEYA EDITORA LTDA.
Av. Angélica, 2318 – 13º andar
01228-200 – Consolação – São Paulo – SP
www.leya.com.br

Nem o sono, nem a morte;
Vive quem parece morto.
A casa em que nasceste,
Amigos de tua primavera,
Velho e moça,
A labuta diária e seu pagamento,
Estão todos desaparecendo,
Fugindo para fábulas,
Não podem ser detidos.

Ralph Waldo Emerson

PRÓLOGO

Eu tinha acabado de aceitar que minha vida seria apenas comum quando coisas extraordinárias começaram a acontecer comigo. A primeira delas foi um choque terrível e, assim como qualquer coisa que muda você para sempre, dividiu minha vida em duas partes. Antes e depois. Como muitas das coisas extraordinárias que viriam, ela envolveu meu avô, Abraham Portman.

Na minha infância, vovô Portman era a pessoa mais fascinante que eu conhecia. Ele tinha crescido em um orfanato, lutado em guerras, cruzado oceanos a bordo de navios a vapor e desertos a cavalo. Foi artista de circo, sabia tudo sobre armas, defesa pessoal e sobrevivência na selva, e falava pelo menos três línguas além do inglês. Tudo parecia absurdamente exótico para uma criança que nunca saíra da Flórida, e, sempre que o via, eu implorava que me contasse mais de suas histórias. Ele sempre me atendia e as contava como se fossem segredos que só pudessem ser confiados a mim.

Quando fiz seis anos, decidi que a única maneira de ter pelo menos metade da excitação da vida de meu avô seria me tornar explorador. Ele me encorajava passando tardes ao meu lado debruçado sobre mapas-múndi, planejando expedições imaginárias com trilhas marcadas por alfinetes vermelhos e me contando sobre os lugares fantásticos que um dia eu iria descobrir. Em casa, mostrava minhas ambições desfilando com um tubo de papelão que servia de telescópio e gritando "Terra à vista!" e "Preparar um grupo de desembarque!", até que meus pais me expulsassem para o quintal. Acho que estavam preocupados que meu avô me contaminasse com algum delírio incurável do qual jamais iria me recuperar — que essas fantasias de alguma forma estivessem me infectando contra ambições mais práticas —, por isso um dia minha mãe sentou comigo e me explicou que eu não podia me tornar um explorador, porque tudo no mundo já havia sido descoberto. Isso me deixou triste, e depois com raiva. Eu tinha nascido no século errado, e me senti traído.

Pior ainda foi quando me dei conta de que as melhores histórias do vovô Portman não tinham a mais remota possibilidade de ser verdadeiras. As histórias mais exageradas sempre eram sobre sua infância, sobre como nascera na Polônia e com cinco anos de idade fora mandado para um orfanato no País de Gales. Perguntei a ele muitas vezes e de diversas maneiras por que ele teve de se separar dos pais, e sua resposta era sempre a mesma: porque os monstros estavam atrás dele. A Polônia simplesmente estava infestada deles.

— Que *tipo* de monstros? — eu perguntava, com os olhos arregalados. Isso se transformou numa espécie de brincadeira entre nós.

— Daqueles terríveis e corcundas, com pele podre e olhos negros — respondia ele. — E caminhavam assim! — Então ele vinha para cima de mim com passos pesados e meio trôpegos, como um antigo monstro de cinema, até eu começar a correr, rindo.

Toda vez que ele os descrevia, acrescentava algum novo detalhe assustador: fediam como lixo podre; eram invisíveis, exceto por suas sombras; tinham tentáculos retorcidos escondidos na boca que podiam se projetar em um instante e puxar você para dentro de suas mandíbulas poderosas. Não demorou muito para eu começar a ter problemas para dormir: minha imaginação hiperativa transformava o chiado de pneus sobre o asfalto molhado em respiração ofegante do lado de fora de minha janela, ou as sombras sob a porta em tentáculos cinzentos e retorcidos. Eu tinha medo dos monstros, mas ficava empolgado em imaginar meu avô lutando contra eles e sobrevivendo para contar a história.

Ainda mais fantásticas eram suas histórias sobre o orfanato em que viveu no País de Gales. Era um lugar encantado, contava ele, projetado para manter as crianças protegidas dos monstros, em uma ilha onde o sol brilhava todos os dias e ninguém jamais adoecia ou morria. Todos viviam juntos em uma casa grande protegida por uma ave velha e sábia, pelo menos era isso que dizia a história. À medida que crescia, comecei a ter minhas desconfianças.

— Que *tipo* de ave? — perguntei a ele certa tarde, quando tinha sete anos, encarando-o com ceticismo sobre a mesa de jogos na qual ele estava me deixando ganhar no Monopoly.

— Um falcão grande, que fumava cachimbo — disse ele, folheando seu minguado maço de dinheiro azul e laranja.

— Você deve achar que eu sou muito burro, vovô.

— Eu nunca pensaria isso de você, Yakob. Mas, se não acredita em mim, é problema seu. — Eu sabia que o havia ofendido porque o sotaque polonês do qual ele nunca conseguiu se livrar totalmente tinha saído de seu esconderijo, então *não* virava *non*, e *problema* virava *prroblema*.

Sentindo-me culpado, perguntei:

— Mas por que os monstros queriam machucar você?

— Porque não éramos como as outras pessoas. Éramos peculiares.

— Peculiares como?

— Ah, de várias maneiras — disse naturalmente, como se estivesse discutindo a previsão do tempo. — Havia uma garota que podia voar, um menino que tinha abelhas vivendo dentro dele, um irmão e uma irmã que podiam erguer facilmente pedras enormes.

Era difícil saber se ele estava falando sério. Por outro lado, meu avô não era um piadista. E franziu o cenho ao ler a desconfiança em meu rosto.

— Tudo bem, você não precisa acreditar só porque estou dizendo. Tenho fotos. — Ele afastou a cadeira dobrável e entrou em casa, deixando-me sozinho na varanda fresca e protegida por tela. Um minuto depois, voltou com uma velha caixa de charutos nas mãos. Inclinei-me para a frente quando ele se sentou e pegou quatro fotos amassadas e amareladas.

A primeira era uma fotografia desfocada do que pareciam roupas sem gente dentro. Ou isso, ou a pessoa não tinha cabeça.

— Claro que ele tem cabeça! — disse meu avô, sorrindo. — Só que você não pode vê-la.

— Por que não? Ele é invisível?

— Nossa, olha só esse cérebro! — Ergueu as sobrancelhas como se eu o tivesse surpreendido com meus poderes de dedução. — O nome dele era Millard. Um garoto engraçado. De vez em quando ele dizia: "Ei, Abe, sei o que você fez hoje", e ele dizia aonde eu tinha ido, o que tinha comido, se tinha enfiado o dedo no nariz quando achava que ninguém estava vendo... Às vezes ele seguia as pessoas, tão silencioso como um camundongo, sem roupas para não ser visto, e ficava só olhando! — Ele sacudiu a cabeça. — Impressionante, não é?

Ele me passou outra foto.

— Então? O que está vendo? — perguntou após me dar alguns instantes para observá-la.

— Uma garotinha?

— E?

— Ela está usando uma coroa.

Ele tocou a parte de baixo da foto.

— E os pés dela?

Olhei aquela fotografia mais de perto. Os pés da menina não tocavam o chão. Mas ela não estava pulando, parecia estar flutuando. Fiquei de queixo caído.

— Ela está voando!

— Quase — disse ele. — Está levitando. Só que não conseguia se controlar muito bem, então tínhamos de amarrá-la com uma corda para impedir que saísse voando.

Meus olhos estavam grudados naquele rosto moreno de boneca.

— É de verdade?

— Claro que é — retrucou com rispidez e tomou a foto de mim, substituindo-a por outra, esta de um menino erguendo uma rocha. — Victor e sua irmã não eram muito espertos — disse ele. — Mas, rapaz, como eram fortes!

— Ele não *parece* forte — disse eu, enquanto avaliava os braços magros do garoto.

— Acredite em mim, ele era. Uma vez estávamos pescando e encalhamos perto da praia. Ele levantou o barco inteiro e o tirou de lá. E eu estava dentro!

Mas a foto mais estranha era a última. Vovô Portman entregou-a a mim e demorei para entender o que era: a parte de trás de uma cabeça com um rosto desenhado nela.

Fiquei olhando fixamente para a última foto enquanto o vovô explicava:

— Ele tinha duas bocas, está vendo? Uma na frente e outra atrás. Por isso ficou tão grande e tão gordo.

— Mas é de mentira! — disse eu. — O rosto está só pintado.

— Claro, a *pintura* é falsa. Era para um número de circo. Mas estou dizendo a você, ele tinha duas bocas. Não acredita em mim?

Refleti sobre aquilo, olhando para as fotos e depois para meu avô, fitando seu rosto tão sincero e franco. Que motivo teria ele para mentir?

— Eu acredito em você.

E acreditava mesmo, pelo menos durante alguns anos, apesar de fazer isso principalmente por conta própria, do mesmo jeito que outros meninos de minha idade queriam acreditar no Papai Noel. Agarramo-nos a nossos contos de fadas até que o preço por acreditar neles se torna alto demais, como aconteceu comigo no segundo ano durante o intervalo, quando Robbie Jensen puxou minhas calças para baixo diante das meninas dizendo que eu acreditava em fadas. Acho que ele fez aquilo só porque eu repetia na escola as histórias de meu avô; mesmo assim, naquele momento humilhante, senti, com um nó no estômago, que o apelido de Fadinha iria me assombrar por anos, e, com ou sem razão, fiquei com raiva dele por isso.

Vovô Portman foi me buscar na escola naquela mesma tarde, como costumava fazer quando meus pais estavam trabalhando. Subi no banco do carona de seu velho Pontiac e declarei que não acreditava mais em seus contos de fadas.

— Que contos de fadas? — disse ele, observando-me por trás dos óculos.

— Você sabe. As histórias. Sobre as crianças e os monstros.

Ele pareceu confuso.

— Quem falou alguma coisa sobre fadas?

Contei a ele que uma história inventada e um conto de fadas eram a mesma coisa, que contos de fadas eram para bebês que molhavam as calças, e que sabia que suas histórias e fotografias eram falsas. Eu esperava que ele ficasse com raiva ou começasse uma discussão, mas em vez disso ele disse apenas "Tudo bem", engatou a primeira no Pontiac, pisou no acelerador e nós arrancamos com o carro. E isso foi o fim de tudo.

Acho que ele percebeu que esse momento estava chegando. Um dia eu iria crescer e isso acabaria acontecendo, mas ele parou de falar no assunto tão rapidamente que me deu a sensação de que sempre tinha mentido para mim. Não podia entender por que ele havia inventado tudo aquilo, por que me enganara, querendo me fazer acreditar que coisas extraordinárias eram possíveis quando não eram. Só alguns anos mais tarde finalmente meu pai me explicou. O vovô tinha contado a ele algumas dessas histórias quando ele era criança, e elas não eram exatamente mentiras, mas versões exageradas da realidade, porque, na verdade, a história da infância do vovô Portman não tivera nada de conto de fadas, mas sim de história de terror.

Meu avô foi o único membro de sua família que escapou da Polônia antes do começo da Segunda Guerra. Ele tinha doze anos quando seus pais o entregaram nos braços de estranhos e enviaram o filho caçula em um trem para a Inglaterra sem nada além de uma mala e a roupa do corpo. Era uma passagem só de ida. Ele nunca mais veria a mãe, nem os irmãos mais velhos, nem os primos, nem as tias e os tios. Todos eles estariam mortos antes de seu décimo sexto aniversário, assassinados por monstros dos quais ele escapara por tão pouco. Mas não eram o mesmo tipo de monstro com tentáculos e pele podre, com o qual a mente de um menino de sete anos podia lidar. Eram monstros com rosto humano, em uniformes impecáveis e que marchavam em fileiras cerradas, tão despreocupados que não se percebia o que eram até ser tarde demais.

Da mesma forma que os monstros, a história da ilha encantada também era a verdade disfarçada. Em comparação com os horrores da Europa Continental, o orfanato que recebera meu avô devia parecer um paraíso, e assim ele transformou suas histórias: um paraíso seguro, de verões sem fim e anjos da guarda e crianças mágicas que, é claro, não podiam voar *de verdade* nem ficar invisíveis ou erguer pedras. A peculiaridade que as fazia ser caçadas era apenas o fato de serem judias. Eram órfãos de guerra, levados até aquela ilhota por uma maré de sangue. O que os tornava fabulosos não era o fato de terem poderes milagrosos. Escapar dos guetos e das câmaras de gás já era algo milagroso por si só.

Depois disso parei de pedir a meu avô que me contasse histórias, e acho que no fundo ele ficou aliviado. Um ar de mistério passou a envolver os detalhes dos primeiros anos de sua vida. Eu não tocava no assunto. Ele havia passado pelo inferno e tinha direito a seus segredos. Senti vergonha de ter inveja de sua vida, levando em conta o preço que ele pagara por isso, e tentei me convencer da sorte que tinha pela vida segura e nem um pouco extraordinária que eu nada fizera para merecer.

Então, alguns anos mais tarde, quando eu tinha quinze anos, ocorreu algo extraordinário e terrível, e a partir daí tudo se dividiu apenas em Antes e Depois.

CAPÍTULO UM

Passei a última noite do Antes construindo uma réplica do edifício Empire State em escala 1/10.000, com caixas de fraldas geriátricas. Era algo bonito, de verdade, com um metro e meio na base e mais alto que as prateleiras; embalagens grandes como alicerces, médias para o terraço panorâmico e pequenas empilhadas meticulosamente para formar sua espiral icônica. Ficou quase perfeito, não fosse por um detalhe crucial.

— Você usou SuperSeca — disse Shelley, avaliando minha habilidade com expressão fechada e cética. — A promoção é da Segura e Seca. — Shelley era a gerente da loja, e os ombros curvados e a expressão severa faziam parte de seu uniforme tanto quanto as camisas polo azuis que todos tínhamos de usar.

— Achei que você tinha dito SuperSeca — disse eu, porque ela tinha feito isso.

— Segura e Seca — ela insistiu, balançando a cabeça com pesar, como se minha torre fosse um cavalo de corridas aleijado e ela, a portadora de uma pistola com cabo de madrepérola. Houve um silêncio breve mas estranho, durante o qual ela continuou a sacudir a cabeça e a olhar de mim para a torre e da torre para mim, enquanto eu a encarava sem expressão, como se não fizesse ideia do que ela, agressiva e passivamente, sugeria.

— Ahhhhh! — exclamei por fim. — Você quer, então, que eu faça tudo de novo?

— É que você usou a SuperSeca — respondeu.

— Tudo bem. Vou começar agora mesmo. — E com o bico do meu tênis preto do uniforme tirei uma única caixa da base da torre para, no instante seguinte, toda aquela magnífica estrutura desmoronar em cascata ao nosso redor, um verdadeiro *tsunami* de fraldas que se espalhou pelo chão, rolando entre as pernas dos clientes assustados. Uma das embalagens deslizou para tão longe que chegou até a porta automática, que se abriu e deixou entrar uma lufada do calor de agosto.

O rosto de Shelley ficou da cor de uma romã madura. Ela devia ter me demitido no ato, mas eu sabia que não teria tanta sorte assim. Estava tentando ser demitido do Smart Aid desde o começo do verão, mas isso se revelou praticamente impossível. Eu chegava tarde, sempre, e com as desculpas mais esfarrapadas; cometia erros grosseiros na hora de dar o troco; e guardava as mercadorias nas prateleiras erradas, empilhando loções entre os laxantes e misturando anticoncepcionais com xampu de bebê. Raras vezes eu me dediquei com tanto afinco a um propósito, mas, por mais incompetente que eu fingisse ser, Shelley teimava em me manter na folha de pagamento.

Deixe-me explicar melhor minha afirmação anterior: era praticamente impossível que *me* demitissem do Smart Aid. Qualquer outro funcionário teria ido para o olho da rua por uma única de infração menor. Foi minha primeira lição de política. Há três Smart Aid em Englewood, a pequena e sonolenta cidade onde moro, 27 no condado de Sarasota e 115 em toda a Flórida, espalhados por todo o estado como uma doença incurável. O motivo por eu não conseguir ser demitido é que meus tios eram donos de toda a rede. O motivo que me impedia de pedir demissão é que trabalhar no Smart Aid como primeiro emprego era uma longa e sagrada tradição familiar. Tudo o que consegui com minha campanha de autossabotagem foi um conflito com Shelley que eu não podia vencer e o ressentimento de meus colegas de trabalho, que, convenhamos, ficariam ressentidos comigo de qualquer jeito, porque, independentemente de quantas pilhas de produtos eu derrubasse ou de quantos trocos de cliente errasse, um dia eu iria herdar uma parte considerável da empresa, e eles não.

***

Caminhando com dificuldade entre as fraldas, Shelley se aproximou, enfiou o dedo em meu peito e estava prestes a dizer algo muito sério, tenho certeza, quando o sistema de alto-falantes a interrompeu.

— Jacob, chamada na linha dois; Jacob, linha dois.

Ela me encarou enquanto eu me afastava, deixando seu rosto de romã em meio às ruínas de minha torre.

***

Na sala dos funcionários, um lugar úmido e sem janelas, encontrei a assistente de farmácia, Linda, comendo um sanduíche de pão de fôrma sem casca diante do brilho vivo da máquina de refrigerante. Ela indicou com a cabeça o telefone preso à parede.

— Na linha dois, é para você. Não sei quem é, mas parece *surtado*.

Peguei o fone que pendia do aparelho.

— Yakob? É você?

— Oi, vovô Portman.

— Yakob, graças a Deus! Preciso da minha chave. Onde está minha chave? — Ele parecia nervoso, sem fôlego.

— Que chave?

— Pare de brincadeira! — repreendeu-me. — Você sabe que chave.

— Você provavelmente guardou em outro lugar.

— Seu pai fez isso com você — disse ele. — Pode me contar, ele não precisa saber.

— Ninguém fez nada comigo. — Tentei mudar de assunto. — Você tomou seu remédio de manhã?

— Eles estão vindo atrás de mim, entendeu? Não sei como me encontraram depois de todos esses anos, mas conseguiram, e o que eu devo fazer? Lutar contra eles com uma porcaria de faca de pão?

Não era a primeira vez que eu o via falar assim. Meu avô estava ficando velho e, para dizer a verdade, começava a ficar senil. No início, os sinais de seu declínio mental eram sutis, como esquecer de fazer compras ou chamar minha mãe pelo nome de minha tia. Mas ao longo do verão a demência que o minava tomou um rumo cruel: as histórias fantásticas que inventara sobre sua vida durante a guerra — os monstros, a ilha encantada — tornaram-se completa e opressivamente reais para ele, que estava especialmente agitado nas últimas semanas. Meus pais temiam que ele se tornasse um perigo para si próprio e consideravam seriamente a ideia de mandá-lo para um asilo. Mas, por algum motivo, eu era o único que recebia dele esses telefonemas apocalípticos.

Como sempre, fiz o possível para acalmá-lo.

— Você está em segurança. Está tudo bem. Vou levar um vídeo para a gente ver mais tarde, o que acha?

— Não! Fique onde está! Aqui não é seguro!

— Os monstros não estão atrás de você. Você matou todos eles na guerra, lembra? — Eu me virei para ficar de frente para a parede, tentando esconder de Linda a minha parte daquela conversa bizarra. Ela me lançava olhares curiosos enquanto fingia ler uma revista de moda.

— Não todos — respondeu. — Não, não, não. Eu matei muitos, é verdade, mas sempre havia mais. — Eu podia ouvi-lo andando pela casa, abrindo gavetas, batendo nas coisas. Estava completamente surtado. — Mas fique longe daqui, está me ouvindo? Vou ficar bem, é só cortar a língua deles e furá-los bem nos olhos! Se ao menos eu conseguisse achar aquela maldita *CHAVE*!

A chave em questão abria a porta de um armário na garagem do vovô Portman. Lá dentro havia uma pilha de revólveres e facas suficientes para armar uma pequena milícia. Não seria exagero dizer que meu avô era louco por armas. Ele as colecionou por mais da metade de sua vida, ia a feiras de armas em outros estados, fazia longas viagens de caça e, nos domingos de sol, arrastava a família à força até estandes de tiro com rifle, de modo que todos aprendessem a atirar. Ele amava tanto suas armas que às vezes chegava a dormir com elas. Meu pai tinha uma velha foto para provar: o vovô Portman cochilando com uma pistola na mão.

Quando perguntei a meu pai por que meu avô era tão louco por armas, ele disse que isso às vezes acontecia com ex-combatentes e pessoas submetidas a experiências traumáticas. Acho que depois de tudo pelo que vovô tinha passado, ele nunca se sentia realmente seguro em lugar nenhum, nem mesmo em casa. A ironia era que, agora que os delírios e a paranoia estavam começando a acabar com sua sanidade, isso era verdade: ele não estava seguro em casa, não com todas aquelas armas por perto. Foi por isso que meu pai pegou a chave e a guardou.

Repeti a mentira de não saber onde ela estava. Ouvi mais xingamentos e ruídos enquanto vovô Portman andava pela casa procurando por ela.

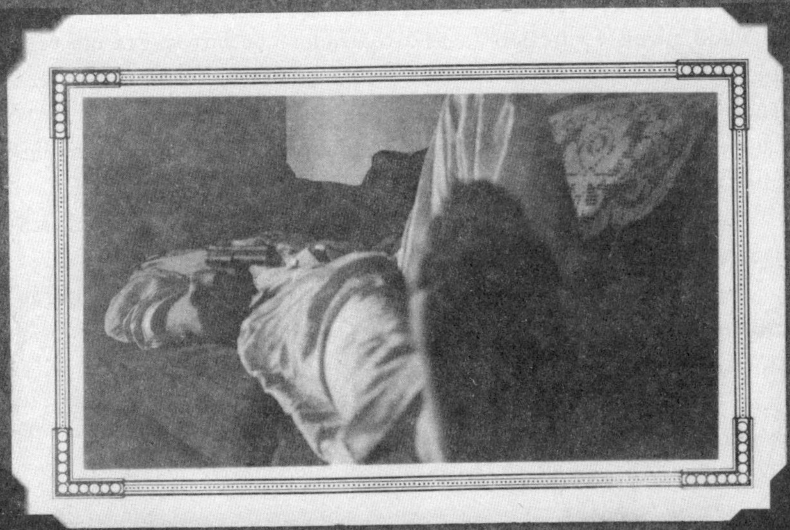

— Droga! — disse por fim. — Seu pai pode ficar com a chave se isso é tão importante para ele. E também pode ficar com o meu cadáver.

Desliguei o telefone com o máximo de educação que consegui e liguei para meu pai em seguida.

— O vovô está surtando — contei.

— Ele tomou os remédios hoje?

— Ele não quis me dizer, mas parece que não.

Ouvi meu pai dar um suspiro.

— Será que você pode dar uma passada lá para ver se ele está bem? Não posso sair agora do trabalho. — Meu pai era voluntário em meio período no resgate de aves: ajudava a recuperar pelicanos que haviam engolido anzóis e garças-brancas atropeladas por carros. Era um ornitólogo amador e desejava escrever profissionalmente sobre a natureza, tendo uma pilha de manuscritos não publicados para prová-lo, o que só é um emprego de verdade se por acaso você for casado com uma mulher cuja família seja dona de 115 drogarias.

Claro, meu emprego também não era dos mais reais e era fácil escapar sempre que me dava vontade. Eu disse que podia ir.

— Obrigado, Jake. Prometo que vamos resolver logo toda essa situação do vovô, está bem?

Toda essa situação do vovô...

— Você quer dizer botá-lo em um asilo? — observei com frieza. — Passar o problema para outra pessoa?

— Sua mãe e eu ainda não decidimos.

— É claro que já.

— Jacob...

— Eu posso cuidar dele, pai. Sério.

— Talvez agora você consiga, mas ele só vai piorar.

— Está bem, como quiser.

Desliguei o telefone, liguei para meu amigo Ricky e pedi uma carona. Dez minutos depois ouvi a buzina rouca e inconfundível de seu velho Crown Victoria no estacionamento. Quando estava de saída, dei a má notícia para Shelley: sua torre de Segura e Seca teria de esperar até o dia seguinte.

— Emergência de família — disse eu.

— Está bem — retrucou ela.

Quando saí, o fim de tarde estava quente e muito úmido, e encontrei Ricky fumando sentado sobre o capô todo amassado de seu carro. Algo em suas botas sujas de lama ressecada, o modo como a fumaça saía de seus lábios em espiral e os reflexos do sol poente em seus cabelos verdes me faziam lembrar de um *punk*, um James Dean caipira. Ele era todas essas coisas, uma polinização cruzada entre subculturas, possível apenas no sul da Flórida.

Ele me viu e saltou do capô.

— Já foi demitido? — berrou do fundo do estacionamento.

— Pssst! — fiz para silenciá-lo enquanto corria em sua direção. — Eles não sabem do meu plano.

Ricky me deu um soco no ombro com a intenção de me animar, mas quase tirou meu braço do lugar.

— Não se preocupe, Edu Especial. Sempre há outro dia.

Ele me chamava de Edu Especial porque eu estava em uma das turmas especiais para bons alunos, que eram, falando tecnicamente, parte do currículo de educação especial de nossa escola — uma sutileza de nomenclatura que Ricky achava extremamente engraçada. Assim era nossa amizade: porções equivalentes de irritação e cooperação. A porção de cooperação era um acordo comercial de escambo de inteligência por músculos, estabelecido quando eu o ajudei a passar de ano em inglês e ele me ajudou a não ser exterminado pelos sociopatas cheios de anfetamina que povoavam os corredores de nossa escola. O fato de ele deixar meus pais um pouco desconfortáveis era um bônus. Na minha opinião, ele era meu melhor amigo — o que é um modo menos patético de dizer que era meu único amigo.

Ricky deu um chute na porta do carona do Crown Victoria, seu modo de abri-la, e eu entrei. O Victoria era maravilhoso, uma peça de arte popular involuntária digna de um museu. Ricky o comprara no depósito de lixo da cidade por um vidro cheio de moedas de 25 centavos — pelo menos era o que ele contava —, um *pedigree* que nem a floresta de árvores de papelão purificadoras de ar pendurada no retrovisor conseguia mascarar. Os bancos estavam cobertos de fita adesiva prateada para que as molas rebeldes do estofado não espetassem nosso traseiro. O melhor de tudo era o exterior, uma paisagem lunar enferrujada formada por sulcos e amassados, resultado de um plano para ganhar uma grana extra para a gasolina: deixar que bêbados saídos de festas e bares batessem no carro com um taco de golfe por um dólar a tacada. A única regra, que não tinha sido cumprida com muito rigor, era que você não podia mirar em nada feito de vidro.

O motor engasgou e depois pegou em meio a uma nuvem de fumaça azulada. Depois de sair do estacionamento, quando passávamos pelos pequenos *shoppings* espalhados à beira da estrada no caminho para a casa do vovô Portman, comecei a me preocupar com o que poderíamos encontrar quando chegássemos lá. Os piores cenários incluíam meu avô correndo pelado na rua com um rifle de caça nas mãos, a boca espumando no gramado em frente à casa, ou escondido à espera de visitantes inesperados, com um objeto pesado nas mãos. Tudo era possível, e o fato de que essa seria a primeira impressão de Ricky de um homem sobre quem eu sempre falava com reverência me deixou ainda mais nervoso.

O céu tomava a cor de um hematoma recente quando chegamos ao condomínio do meu avô, um labirinto confuso de becos sem saída interligados, chamados coletivamente de Circle Village. Paramos na guarita do vigia para nos anunciar, mas o velho roncava e o portão estava aberto, como costumava acontecer; então, em vez de acordá-lo, simplesmente entramos. Meu telefone tocou anunciando uma mensagem do meu pai, em que perguntava como estavam as coisas, e, no curto espaço de tempo que levei para responder, Ricky conseguiu se perder. Quando contei a ele que não tinha a menor ideia de onde estávamos, ele reclamou e fez uma sucessão de retornos, cantando pneus, enquanto cuspia longe, pela janela, a gosma do tabaco que mascava, e eu examinava a vizinhança em busca de um ponto de referência conhecido. Não era fácil porque, apesar de eu ter visitado meu avô inúmeras vezes desde pequeno, as casas eram todas iguais: caixotes de um só andar com variações mínimas, decorados com esquadrias de alumínio ou madeira escura, ou com colunatas de gesso na fachada que pareciam quase propositadamente delirantes. As placas de sinalização, metade das quais estava gasta pela exposição ao sol, não ajudavam muito. Os únicos pontos de referência de verdade eram ornamentos de jardim bizarros e coloridos, dos quais Circle Village era um verdadeiro museu a céu aberto.

Finalmente reconheci uma caixa de correio carregada pela figura de um mordomo forjada em metal — apesar da expressão permanentemente esnobe, a figura parecia chorar lágrimas de ferrugem — e gritei para Ricky entrar à esquerda. O Victoria cantou pneu e fui jogado contra a porta do carona; Ricky deve ter achado que o impacto havia soltado alguma coisa no meu cérebro, porque depois disso comecei a gritar praticamente sem pensar todas as indicações do caminho até a casa do meu avô.

— À direita na orgia de flamingos! Esquerda no telhado cheio de Papais Noéis multirraciais! Passe direto pelos querubins fazendo xixi!

Quando, por fim, viramos depois dos querubins, Ricky reduziu a marcha e, desconfiado, observou atento a quadra da casa do meu avô. Não havia uma luz acesa sequer nas varandas, nem o brilho de uma TV por trás de alguma janela, tampouco os carros grandes nas garagens. Todos os vizinhos tinham fugido para o norte, a fim de escapar do castigo do calor do verão, deixando para trás anões de jardim em gramados descuidados e persianas à prova de furacão bem fechadas, o que dava às casas a aparência de abrigos antibombas.

— A última à esquerda — disse eu. Ricky pisou no acelerador e o carro seguiu engasgando até o fim da rua. Na altura da quarta ou quinta casa de janelas escuras, passamos por um senhor que regava o jardim. Era careca como um ovo e estava ali, de pé, molhando a grama na altura de seus tornozelos, de roupão de banho e chinelos. A casa às suas costas estava escura e toda fechada, como as outras. Virei-me para observá-lo quando o Victoria passou, e ele pareceu retribuir o olhar, apesar de não poder ter feito isso. Percebi, com um pequeno choque, que seus olhos eram todos de um branco perfeitamente leitoso. *Que estranho. O vovô Portman nunca comentou que um de seus vizinhos era cego.*

A rua terminava numa cerca de pinheirinhos, e Ricky fez uma curva brusca à esquerda para entrar na garagem da casa do meu avô. Ele desligou o carro, saiu e abriu minha porta com um chute, e caminhamos com passos silenciosos pela grama seca até a varanda.

Toquei a campainha e esperei. Ouvimos o latido distante de um cão, um som solitário naquela noite extremamente úmida e quente. Como ninguém atendeu, bati à porta, pensando que talvez a campainha estivesse com defeito. Ricky tentava matar os pernilongos que tinham começado a nos cercar.

— Talvez ele tenha saído — disse Ricky com um sorriso. — Um encontro *animado*.

— Vai, pode rir — disse eu. — Ele tem mais chances de se dar bem do que nós, em qualquer noite da semana. Este lugar está cheio de viúvas bem bonitas. — Brinquei apenas para acalmar meus nervos. O silêncio estava me deixando ansioso.

Peguei uma cópia da chave no esconderijo dos arbustos.

— Espere por mim aqui — disse eu.

— Nem pensar. Por quê?

— Porque você tem dois metros de altura e cabelos verdes, e meu avô não conhece você, está paranoico e tem um monte de armas.

Ricky deu de ombros e enfiou outro pedaço de tabaco na boca, depois se largou numa cadeira do jardim. Abri a porta da frente e entrei.

Mesmo na penumbra percebi que a casa estava um desastre. Parecia ter sido saqueada por ladrões. Estantes de livros e armários tinham sido esvaziados, os livros e bibelôs que os enchiam estavam espalhados pelo chão. As almofadas do sofá tinham sido arrancadas, e as cadeiras estavam viradas de ponta-cabeça. Na cozinha, as portas do *freezer* e da geladeira estavam abertas, e seu conteúdo, jogado no chão, derretia em poças grudentas sobre o linóleo.

Fiquei arrasado. Talvez meus pais tivessem razão e não fosse mais seguro para meu avô continuar a morar sozinho. Chamei por ele, mas não ouvi nenhuma resposta.

Percorri todos os aposentos, um a um, acendendo as luzes e procurando em qualquer lugar onde um velho paranoico pudesse pensar em se esconder de monstros: atrás de móveis, no sótão de teto baixo onde era necessário se arrastar, sob a bancada de trabalho na garagem. Cheguei a pensar em conferir o armário de armas, apesar de, obviamente, estar trancado. Mas vi a fechadura marcada por um emaranhado de arranhões, indicando uma tentativa desesperada de arrombamento. Na varanda, vasos de samambaias malcuidadas pendurados no teto balançavam, enquanto eu, de joelhos sobre o chão coberto de grama sintética, espiava sob cadeiras de vime, com medo do que poderia descobrir. Então vi o brilho de uma luz no quintal dos fundos.

Saí correndo pela porta de tela e encontrei uma lanterna abandonada sobre a grama, com o facho de luz apontado para a mata que cercava o quintal de meu avô — uma floresta baixa e densa, com diversos tipos de palmeiras de alturas variadas, que se estendia por quase dois quilômetros entre Circle Village e o condomínio seguinte, Century Woods. Segundo uma lenda local, a mata estava cheia de cobras, guaxinins e javalis selvagens. Imaginei meu avô lá fora, perdido, surtado e só de roupão, e fui tomado por uma sensação sinistra. Quase toda semana havia uma notícia sobre algum cidadão idoso que caía nas águas de uma represa e era devorado por jacarés. A pior situação possível não era difícil de imaginar.

Gritei por Ricky e, num instante, ele surgiu do outro lado da casa e imediatamente percebeu algo que eu não havia notado: um corte longo e feio na porta de tela. Ele soltou um assobio.

— É um corte e tanto — disse ele. — Pode ter sido feito por um porco selvagem. Ou talvez um lince. Você devia ver as garras desses bichos.

Perto dali, ouvimos o som de um latido selvagem. Nós dois levamos um susto e trocamos olhares nervosos.

— Ou um cachorro — disse eu. Começou, então, uma reação em cadeia entre os cães de toda a vizinhança, e logo ouvíamos latidos vindos de todas as direções.

— Pode ser — concordou Ricky, balançando a cabeça. — Eu tenho uma calibre 22 no porta-malas. Espere aí — disse, e saiu para buscá-la.

Os latidos cessaram e em seu lugar surgiu um coral de insetos noturnos, um zumbido que me pareceu muito estranho. O suor escorria por meu rosto e descia pelo pescoço. Agora estava escuro, mas a brisa tinha parado e de alguma forma parecia fazer mais calor do que durante o dia.

Peguei a lanterna na grama e dei um passo adiante na direção das árvores. Meu avô estava lá, em algum lugar, eu tinha certeza disso, mas onde? Não sabia seguir uma trilha na mata, nem Ricky, mesmo com todo seu ar de homem do campo. Mas de alguma maneira algo parecia guiar-me, uma aceleração no peito, um murmúrio no ar denso... De repente, não consegui mais ficar esperando por algum som. Entrei correndo no mato, como um cão de caça que fareja uma trilha invisível.

É difícil correr numa floresta da Flórida, onde cada metro quadrado não ocupado por árvores é tomado por palmeiras baixas e emaranhados de cipós e trepadeiras, mas segui em frente, chamando pelo nome de meu avô e apontando a lanterna para todos os lados. Vislumbrei um reflexo branco a distância e corri direto para lá, porém ao me aproximar vi que era apenas uma bola de futebol desbotada e murcha que eu tinha perdido anos antes, semidigerida pelas plantas.

Estava pronto para desistir e voltar até onde Ricky estava quando percebi uma faixa estreita de mato recém-pisado. Parei e iluminei a área com a lanterna. Em vários pontos as folhas estavam respingadas com algo escuro. Senti um nó na garganta. Preparado para o pior, comecei a seguir a trilha de arbustos pisoteados. Quanto mais eu avançava, mais apertado ficava o nó em meu estômago, como se meu corpo soubesse o que estava à frente e tentasse me alertar para evitá-lo.

Quando encontrei meu avô, tive certeza de que estava morto. Tinha o rosto virado para baixo e estava esparramado numa área coberta por ervas rasteiras, as pernas estendidas e afastadas, e um braço cruelmente retorcido sob o corpo, como se tivesse caído de uma grande altura. Sua camiseta estava ensopada de sangue, as calças rasgadas e tinha apenas um sapato. Permaneci imóvel por alguns instantes, só olhando, vendo o facho frio e trêmulo da luz da lanterna iluminar seu corpo. Quando consegui voltar a respirar, disse seu nome, mas ele não se mexeu.

Mesmo sem forças, ajoelhei-me ao seu lado e apertei a palma da mão contra suas costas. O sangue que empapava a camisa ainda estava quente. E, mesmo muito fraca, consegui sentir sua respiração.

Segurei-o cuidadosamente com os braços e o virei de costas. Estava vivo, mas por um fio. Tinha os olhos vidrados e o rosto encovado e branco como papel. Então vi os cortes em sua barriga e quase desmaiei. Eram largos e profundos, e estavam sujos de terra; no lugar onde se encontrava, o sangue formara uma lama. Fechei bem os olhos e puxei os farrapos de sua camisa sobre as feridas.

Ouvi Ricky chamar do quintal.

— Estou aqui! — gritei, e talvez devesse ter dito algo como *perigo* ou *sangue*, mas não consegui pronunciar as palavras. Tudo em que podia pensar era que avôs deviam morrer em camas, em lugares brancos e tranquilos, com o zumbido suave de máquinas, não jogados em uma superfície fedorenta e lamacenta, cobertos de formigas e com a mão trêmula agarrando um abridor de cartas de metal.

Um abridor de cartas. Foi tudo o que achara para se defender. Eu o retirei de seus dedos, e ele tentou inutilmente agarrar o ar, então tomei sua mão e a segurei. Minha mão com as unhas roídas entrelaçou-se com a dele, pálida e com uma teia de veias púrpuras.

— Tenho de tirá-lo daqui — disse a ele, passando um braço sob suas costas e outro sob as pernas enquanto começava a erguê-lo, mas ele gemeu e ficou rígido, e parei porque não conseguia vê-lo sofrer. Não podia deixá-lo ali, e não havia nada a fazer além de esperar. Comecei, então, a limpar a terra sobre seus braços, o rosto e os ralos cabelos brancos, e nesse momento vi seus lábios se moverem.

Eu mal conseguia ouvir sua voz, mais baixa do que um sussurro. Debrucei-me sobre ele e aproximei o ouvido de seus lábios. Ele dizia palavras sem sentido, entrando e saindo do estado de lucidez, falando ora inglês, ora polonês.

— Não estou entendendo — murmurei. Repeti o nome dele até que seu olhar pareceu se fixar em mim. Então ele respirou fundo e disse baixinho, mas com toda a clareza:

— Vá para a ilha, Yakob. Aqui não é seguro.

Era a velha paranoia. Apertei sua mão e garanti que estava tudo certo e que ele ficaria bem. Era a segunda vez no dia que eu mentia para ele.

Perguntei o que havia acontecido, que animal o havia ferido, mas ele não me ouvia.

— Vá para a ilha — repetiu. — Lá você estará em segurança. Prometa.

— Eu vou. Prometo. — O que mais eu poderia dizer?

— Achei que eu podia proteger você. Devia ter lhe contado há muito tempo... — Sua linha de raciocínio se perdeu. Podia ver sua vida se esvaindo.

— Contado o quê? — perguntei, segurando as lágrimas.

— Não há tempo — sussurrou. Depois ergueu a cabeça do chão, tremendo com o esforço, e respirou em meu ouvido: — Encontre a Ave. Na fenda. Do outro lado do túmulo do homem velho. Três de setembro de 1940. — Concordei com a cabeça, mas ele percebeu que eu não tinha entendido. Com suas últimas forças, ele acrescentou: — Emerson... a carta. Conte a eles o que aconteceu, Yakob.

Depois disso, deitou-se outra vez, cansado e agonizante. Deixei escapar um soluço. Disse a meu avô que o amava. E então ele pareceu desaparecer dentro de si mesmo, o olhar viajando além de mim, direto para o céu.

No instante seguinte, Ricky apareceu do meio do mato. Viu o velho jogado em meus braços e deu um passo para trás.

— Ah, cara, meu Deus, ah, meu Deus, ah, *Deus* — disse, esfregando as mãos no rosto. Enquanto ele balbuciava algo sobre tentar medir o pulso e chamar a polícia, e se eu tinha visto alguma coisa na mata, fui tomado pela mais estranha das sensações. Soltei o corpo de meu avô e me levantei, cada terminação nervosa vibrando com um instinto que eu não sabia que tinha. Havia mesmo algo na mata, eu podia sentir.

Não havia lua e nenhum movimento no matagal além do nosso; mesmo assim, de algum modo, eu soube exatamente quando erguer a lanterna e para onde apontá-la, e por um instante, naquele estreito facho de luz, vi o rosto que parecia transplantado direto dos pesadelos de minha infância. Ele me olhava com olhos que nadavam em líquido escuro, trincheiras peludas de carne negra como carvão penduradas sobre sua estrutura encurvada. Sua boca enorme abriu-se de modo grotesco e liberou uma massa de línguas compridas como enguias. Gritei, e então ele se encolheu e desapareceu, sacudindo os arbustos e chamando a atenção de Ricky. Ele ergueu a calibre 22 e atirou — *pop-pop-pop-pop* —, perguntando que diabos era aquilo. Ele não tinha visto nada, e eu não conseguia articular nenhuma palavra, congelado no lugar onde me encontrava, a luz cada vez mais fraca da lanterna tremeluzindo na mata vazia. Devo ter apagado, porque Ricky dizia "*Jacob, Jake! Ei, Ed, vocêestábemouoquê?*", e isso foi a última coisa de que me lembro.

CAPÍTULO DOIS

Passei os meses seguintes à morte de meu avô entrando e saindo de um purgatório de salas de espera e escritórios bege, onde era analisado e entrevistado, em conversas particulares assentindo quando se dirigiam a mim, repetindo-me as mesmas palavras, objeto de mil olhares piedosos e expressões sérias de preocupação. Meus parentes me tratavam como se eu fosse uma frágil herança de família que pudesse se quebrar. Tinham medo de brigar ou mesmo demonstrar irritação diante de mim, temendo que eu desmoronasse.

Fui tomado por pesadelos que me faziam acordar de noite aos gritos, tão sinistros que cheguei a usar um protetor bucal para que os dentes não rangessem até ficarem em pedacinhos enquanto dormia. Não podia fechar os olhos sem ver aquilo, o horror da boca cheia de tentáculos na floresta. Eu estava convencido de que aquilo havia matado meu avô e logo viria atrás de mim. Às vezes, essa sensação nauseante de pânico me tomava por inteiro, tal como naquela noite, e de repente eu tinha certeza de que perto dali, escondido em um emaranhado escuro de árvores, atrás do carro ao lado num estacionamento, nos fundos da garagem onde eu guardava a bicicleta, ele estava à minha espera.

Minha solução foi parar de sair de casa. Durante semanas não me arrisquei sequer a ir até a entrada da garagem pegar o jornal de manhã. Dormia em uma pilha de cobertores no chão da lavanderia, o único cômodo da casa sem janelas e com uma porta que trancava por dentro. Foi lá que passei o dia do enterro de meu avô, sentado em cima da secadora com meu *laptop*, tentando me distrair com jogos *on-line*.

Eu me culpava pelo que havia acontecido. *Se tivesse acreditado nele só por um segundo...* Repetia essa ladainha o tempo inteiro. Mas eu não tinha acreditado nele, nem qualquer outra pessoa, e agora eu sabia como ele devia ter se sentido, porque ninguém tampouco acreditava em mim. Minha versão dos fatos soava perfeitamente racional até eu ser forçado a dizer as palavras em voz alta, e então tudo parecia loucura, especialmente no dia em que precisei contá-la para o policial que veio à nossa casa. Disse a ele tudo o que tinha acontecido naquela noite, até sobre a criatura, enquanto ele permanecia sentado, balançando a cabeça, do outro lado da mesa da cozinha, sem escrever nada em seu caderno espiral. Quando terminei, tudo o que ele disse foi "Muito bem, obrigado", e se virou para meus pais perguntando se já havia conversado "com alguém", como se eu não fosse entender o que aquilo significava. Disse a ele que tinha outra declaração a fazer, mostrei meu dedo médio e fui embora.

Meus pais gritaram comigo pela primeira vez em semanas. Aquele velho e conhecido som. Berrei coisas bem feias em resposta. Que eles estavam felizes com a morte do vovô Portman. Que eu era o único que realmente o amava.

Então o policial e meus pais conversaram na entrada da garagem durante um tempo, e o tira foi embora em sua viatura, só para voltar uma hora depois com um homem que se apresentou como um artista de retratos falados. Ele trouxera um bloco e me pediu que descrevesse novamente a criatura. E enquanto eu fazia isso, ele ia desenhando, parando de vez em quando para esclarecer algum detalhe.

— Você disse quantos olhos?

— Dois.

— Entendi — disse ele, como se monstros fossem algo perfeitamente normal para um artista de retratos falados da polícia desenhar.

Estava bem claro que era uma tentativa de me acalmar, o que ficou explícito quando o artista, ao terminar, tentou me dar o desenho.

— O senhor não vai precisar disso para seus arquivos, ou algo assim? — perguntei.

Ele arregalou os olhos e encarou o policial, que também estava com as sobrancelhas erguidas.

— Claro — disse ele. — Onde estou com a cabeça?

Foi um insulto total.

Mesmo meu melhor e único amigo, Ricky, não acreditava em mim, e ele tinha estado lá, pelo amor de Deus. Ele jurou de pés juntos não ter visto criatura nenhuma na mata naquela noite — apesar de eu ter apontado minha lanterna direto para ela —, e foi exatamente isso o que contou aos tiras. Mas ele tinha ouvido latidos. Nós dois tínhamos. Por isso não foi uma grande surpresa quando a polícia concluiu que uma matilha de cães selvagens havia matado meu avô. Aparentemente, tinham sido avistados em algum outro lugar e haviam mordido uma mulher que andava por Century Woods na semana anterior. E tudo à noite, veja bem.

— Que é exatamente quando fica mais difícil ver as criaturas! — disse eu, mas Ricky apenas sacudiu a cabeça e murmurou algo sobre eu precisar de um "neurologista".

— Você quer dizer psiquiatra — respondi. — E muito obrigado. É ótimo ter amigos para dar apoio nessas horas. — Estávamos sentados no terraço da minha casa observando o pôr do sol sobre o golfo. Ricky, enrolado como uma mola em uma cadeira Adirondack exorbitantemente cara que meus pais haviam trazido de uma viagem a Amish Country, as pernas dobradas sob o corpo e os braços cruzados com força, fumando um cigarro atrás do outro, com uma espécie de determinação cruel. Ele sempre parecia vagamente desconfortável em minha casa, mas eu podia dizer, pelo jeito que seus olhos desviavam de mim cada vez que se voltavam em minha direção, que agora não era a riqueza de meus pais que o deixava inquieto, e sim eu.

— Ache o que quiser, só estou sendo honesto com você — disse ele. — Continue falando sobre monstros e eles vão mandá-lo para longe. Aí você realmente será um Edu Especial.

— Não me chame assim.

Ricky atirou para longe o cigarro aceso e deu uma cusparada por cima da grade de proteção.

— Você estava fumando e mascando tabaco ao mesmo tempo? — perguntei.

— Quem é você, minha mãe?

— E eu *tenho cara* de quem chupa caminhoneiros em troca de vales-refeição?

Ricky era especialista em piadas de mãe, mas esta pareceu mexer com ele, que se levantou e me empurrou com tanta força que quase caí do telhado. Mandei-o embora aos gritos, mas ele já estava de saída.

Só tornei a vê-lo meses depois. Que grande amigo.

TICONDEROGA

***

No fim, meus pais me levaram para ver um médico de loucos, um homem tranquilo, de pele cor de oliva, dr. Golan. Não reclamei. Sabia que precisava de ajuda.

Achei que eu seria um caso difícil, mas dr. Golan fez um trabalho surpreendentemente rápido comigo. O modo calmo e sem afetação como ele explicava as coisas era quase hipnótico, e em duas sessões já havia me convencido de que a criatura não passava de um produto da minha imaginação em ebulição; que o trauma da morte do meu avô me fizera ver algo que não estava realmente ali. E, para começar, tinham sido as histórias do vovô Portman que haviam plantado a criatura em minha mente, explicou dr. Golan, por isso fazia sentido que, ajoelhado ali com seu corpo em meus braços, no momento do pior choque da minha jovem vida, eu tivesse invocado o próprio bicho-papão criado por meu avô.

Eu tinha de reconhecer que fazia certo sentido. Havia até um nome para isso: reação aguda ao estresse pós-traumático.

— Não vejo nada de bonito nesse nome — disse minha mãe quando ouviu meu diagnóstico novinho em folha. Mas sua ironia não me incomodou. Quase qualquer coisa soava melhor que *maluco*.

Porém, o fato de não acreditar mais que os monstros fossem reais não significava que eu estivesse melhor. Ainda tinha pesadelos. Estava agitado e paranoico, e interagia tão mal com as pessoas que meus pais contrataram um professor particular para que eu só tivesse de ir à escola se quisesse. E também — finalmente — me deixaram largar o emprego no Smart Aid. "Sentir-me melhor" tornou-se meu novo emprego.

Logo decidi que queria ser demitido desse também. Assim que a pequena questão de minha loucura temporária foi resolvida, a função do dr. Golan parecia consistir principalmente em prescrever medicamentos. Ainda tem pesadelos? Tenho uma coisa para isso. Ataque de pânico no ônibus escolar? Isso aqui deve resolver. Não consegue dormir? Vamos aumentar a dose. Todos aqueles comprimidos estavam me deixando gordo e idiota, e eu ainda me sentia péssimo, dormindo só três ou quatro horas por noite. Por isso comecei a mentir para dr. Golan. Fingia estar bem quando qualquer pessoa que olhasse para mim podia ver as olheiras e a facilidade com que eu me assustava com barulhos repentinos, como um gato nervoso. Em uma semana inventei um diário de sonhos inteiro, fazendo com que eles parecessem tranquilos e simples, como deviam ser os de uma pessoa normal. Um dos sonhos era sobre ir ao dentista. Em outro eu voava. Em duas noites seguidas, contei a ele, sonhei que estava nu na escola. Então ele me interrompeu.

— E as criaturas?

Dei de ombros.

— Nem sinal delas. Acho que isso significa que estou melhorando, hein?

Dr. Golan tamborilou com a caneta na mesa por um instante, depois escreveu alguma coisa.

— Espero que você não esteja me dizendo o que acha que quero ouvir.

— Claro que não — disse eu, enquanto meu olhar passava pelos diplomas emoldurados em sua parede, todos atestando a qualificação do dr. Golan em várias ramificações da psicologia, incluindo, tenho certeza, como saber quando um adolescente com estresse agudo está mentindo.

— Vamos falar sério por um minuto. — Ele largou a caneta. — Você está me dizendo que não teve o sonho nem *uma* vez esta semana?

Sempre fui um péssimo mentiroso. Em vez de me humilhar, cedi.

— Bem — murmurei —, talvez uma.

A verdade é que eu tivera o sonho *todas* as noites daquela semana. Com pequenas variações, era sempre algo mais ou menos assim: estou encolhido no canto do quarto do meu avô, a doentia luz cor de âmbar do crepúsculo penetra pela janela e ilumina uma espingarda de ar comprimido de plástico perto da porta. No lugar da cama ergue-se uma máquina dessas de vender produtos, enorme e reluzente, cheia não de doces, mas de fileiras de facas militares afiadas e Glocks carregadas com balas dundum. Meu avô está parado em frente a ela em um velho uniforme do exército britânico e a alimenta com notas de dólar, mas é preciso muitas delas para comprar uma pistola e nosso tempo está se esgotando. Finalmente vemos uma calibre 45 de aparência sinistra mover-se na direção do vidro, mas, antes de cair, fica presa. Ele xinga em iídiche, chuta a máquina, agacha-se ao seu lado e enfia a mão dentro dela para tentar pegar a arma, mas seu braço fica preso. É então que eles chegam, as línguas negras compridas deslizando pelo lado externo das vidraças à procura de uma entrada. Aponto a espingarda de ar comprimido para eles e aperto o gatilho, mas nada acontece. Enquanto isso, vovô Portman está gritando como um louco: *Encontre o pássaro! Encontre a fenda! Yakob, por que você não entende, seu maldito* yutzi *idiota?*, e então as janelas se estilhaçam e cai uma chuva de vidro, as línguas negras nos alcançam, e geralmente é aí que eu acordo numa poça de suor, o coração numa corrida com obstáculos e um nó de marinheiro no estômago.

Apesar de o sonho ser sempre o mesmo e de nós já o termos repassado centenas de vezes, dr. Golan ainda me fazia descrevê-lo em cada sessão. Era como se tornasse a interrogar meu subconsciente em busca de alguma pista que pudesse ter perdido pela enésima vez.

— E, no sonho, o que o seu avô está dizendo?

— A mesma coisa de sempre — respondi. — Sobre a ave, a fenda e o túmulo.

— Suas últimas palavras.

Assenti com a cabeça.

Dr. Golan entrelaçou os dedos das mãos e as levou ao queixo, o retrato perfeito de um psiquiatra em reflexão.

— Alguma ideia nova sobre o que elas podem significar?

— Tenho — disse eu. — Merda nenhuma!

— Ah, vamos lá. Não está falando sério.

Queria agir como se não me importasse com as últimas palavras, mas eu me importava. Elas me consumiam quase tanto quanto os pesadelos. Sentia que devia a meu avô não desconsiderar a última coisa que ele havia dito a uma única pessoa no mundo como se fosse um delírio sem sentido, e dr. Golan estava convencido de que entendê-las poderia ajudar a livrar-me de meus sonhos terríveis. Por isso, tentei.

Parte do que vovô Portman dissera fazia sentido, como aquilo sobre querer que eu fosse à ilha. Ele estava preocupado que os monstros viessem atrás de mim e achava que a ilha era o único lugar onde eu podia escapar deles, como ele tinha feito quando criança. Depois disso, ele dissera: "Eu devia ter contado a você", mas como não havia tempo para contar o que quer que ele devesse ter me contado, me perguntei se ele não teria feito o máximo possível e deixado pistas de uma trilha que me levasse a alguém que *pudesse* me contar, alguém que conhecesse seu segredo. Percebi que todas as coisas que soavam enigmáticas sobre a fenda, o túmulo e a carta eram pistas.

Durante algum tempo pensei que a "fenda" pudesse ser um beco ou uma passagem em Circle Village, uma vizinhança repleta de trilhas, ruelas e becos sem saída, e que "Emerson" pudesse ser alguém para quem meu avô havia escrito cartas. Um velho companheiro da guerra com o qual ele mantivera contato, ou algo assim. Talvez esse Emerson vivesse em Circle Village, em uma de suas ruelas, perto de um cemitério, e uma das cartas que ele guardava fosse datada de 3 de setembro de 1940, e era essa a que eu precisava ler. Sabia que parecia loucura, mas coisas mais loucas se revelaram verdadeiras, e então, depois de me deparar com vários becos sem saída *on-line*, fui até o centro comunitário de Circle Village, onde os velhos se reuniam para jogar bocha e discutir suas últimas cirurgias, para perguntar onde ficava o cemitério e se alguém conhecia algum sr. Emerson. Eles olharam para mim como se eu tivesse uma segunda cabeça crescendo no pescoço, surpresos por um adolescente se dirigir a eles. Não havia cemitério em Circle Village e ninguém nas redondezas se chamava Emerson nem havia nada que remotamente lhes remetesse a qualquer fenda. Foi um furo n'água total.

Mesmo assim, dr. Golan não me permitiu desistir. Ele sugeriu que eu procurasse em Ralph Waldo Emerson, um antigo poeta supostamente famoso.

— Emerson escreveu uma bela quantidade de cartas — disse ele. — Talvez seu avô estivesse se referindo a isso.

Parecia um tiro no escuro, mas, só para tirar dr. Golan do meu pé em relação a isso, pedi a meu pai que me deixasse na biblioteca certa tarde para que eu pudesse conferir essas informações, e logo descobri que Ralph Waldo Emerson tinha, sim, escrito muitas cartas que haviam sido reunidas e publicadas em livros. Por cerca de três minutos fiquei realmente animado, como se estivesse perto de uma descoberta importante, mas logo duas coisas ficaram evidentes: primeiro, que Ralph Waldo Emerson tinha vivido e morrido no século XIX, portanto não podia ter escrito nenhuma carta datada de 3 de setembro de 1940; segundo, que seu estilo era tão denso e arcaico que não poderia ter despertado o mínimo interesse em meu avô, para quem o inglês era uma segunda língua, e que não era exatamente um leitor compulsivo, exceto, talvez, nos casos de insônia. Eu mesmo descobri as qualidades soníferas de Emerson da pior maneira possível: peguei no sono e caí de cara no livro, babando em cima de um ensaio chamado *Autoconfiança*, aí tive o sonho da máquina de vender produtos pela sexta vez na semana. Acordei gritando e fui cerimoniosamente expulso da biblioteca, sem parar de xingar dr. Golan e suas teorias estúpidas.

A gota d'água veio alguns dias depois, quando minha família resolveu que era hora de vender a casa do vovô Portman. Antes, porém, de permitir que os interessados visitassem a casa, o lugar precisava de uma limpeza, e a conselho do dr. Golan, que achou ser bom para mim "confrontar a cena de meu trauma", fui convocado para ajudar meu pai e tia Susie a revirar a bagunça. Quando chegamos à casa do vovô, de tempos em tempos meu pai me chamava de lado para se assegurar de que eu estava bem. Surpreendentemente, eu parecia estar, apesar dos pedaços de fita da polícia pendurados na cerca viva e na tela da varanda, agitando-se ao vento; essas coisas — e a caçamba de entulho alugada que estava no meio-fio esperando para engolir o que restara da vida de meu avô — me deixaram triste, não assustado.

Quando ficou claro que eu não estava prestes a babar em um surto nervoso, começamos a trabalhar, adentrando cabisbaixos a casa, armados com sacos de lixo, esvaziando prateleiras, armários e vãos atulhados, descobrindo figuras geométricas de poeira sob objetos que não eram movidos havia anos. Construímos no chão pirâmides de coisas que podiam ser reutilizadas ou recuperadas e outras pirâmides de coisas destinadas ao depósito de lixo. Minha tia e meu pai não eram pessoas sentimentais, e a pilha do lixão era sempre a maior. Eu fazia muita pressão para guardar certas coisas, como a pilha de quase dois metros de revistas *National Geographic* danificadas pela água que ameaçava desmoronar num canto da garagem — quantas tardes eu tinha passado folheando aquelas revistas, me imaginando entre os homens selvagens e cobertos de lama da Nova Guiné ou descobrindo um castelo no alto de um precipício no reino do Butão? —, mas eu sempre perdia. Também não consegui guardar a coleção de camisas de boliche antigas do meu avô ("Elas são uma vergonha", argumentou meu pai), ou o conteúdo de seu grande armário de armas, ainda trancado. ("Está brincando, não é? Espero que esteja.")

Finalmente confrontei meu pai e disse que ele estava sendo insensível. Minha tia imediatamente saiu de cena e nos deixou sozinhos no estúdio, onde revirávamos uma montanha de registros financeiros.

— Só estou sendo prático — retrucou meu pai em um tom despreocupado. — É isso o que acontece quando as pessoas morrem, Jacob.

— É mesmo? E quando *você* morrer? Devo queimar todos os seus velhos manuscritos?

Ele enrubesceu. Não devia ter dito aquilo; mencionar suas gavetas cheias de projetos de livros inacabados foi sem dúvida um golpe baixo. Mas, em vez de gritar comigo, ele ficou quieto.

— Hoje eu o trouxe porque achei que você estava maduro o bastante para lidar com isso — disse ele. — Acho que me enganei.

— Com certeza. Você acha que se livrar das coisas do vovô vai me fazer esquecê-lo. Mas não vai.

Ele jogou as mãos para o alto.

— Sabe de uma coisa? Cansei de brigar por causa disso. Pode guardar o que quiser. — Ele jogou uma pilha de folhas amareladas aos meus pés. — Aqui está um relatório de deduções detalhado do ano em que Kennedy morreu. Você pode mandar emoldurar.

Chutei os papéis para longe e saí dali, batendo a porta às minhas costas, e fui para a sala de estar, esperando que meu pai saísse e se desculpasse. Quando ouvi o ronco da máquina de picotar papel, soube que ele não ia fazer isso, então atravessei a casa a passos largos e me tranquei no quarto. Ele cheirava a mofo, couro de sapato e a colônia levemente acre de meu avô. Apoiei-me na parede e meus olhos seguiram uma trilha gasta no tapete entre a porta e a cama, onde um retângulo de sol mostrava a ponta de uma caixa que se projetava debaixo da colcha da cama. Fui até lá e me abaixei para ver. Era uma caixa de charutos velha, coberta de poeira, que parecia ter sido deixada ali para que eu a encontrasse.

Lá dentro havia fotos que eu conhecia muito bem: o menino invisível, a garota que levitava, o menino que erguia rochas, o homem com um rosto pintado na parte de trás da cabeça. Elas estavam gastas e esfarelando — e também eram menores do que eu me lembrava —, e olhando para elas naquele instante, quase um adulto, fiquei chocado ao perceber como eram evidentemente falsas. Um queimadinho aqui, um truque ali — era tudo de que você precisava para fazer a cabeça do "menino invisível" desaparecer. A rocha gigante erguida por aquele garoto suspeito de tão magro podia facilmente ser feita de gesso ou espuma. Mas essas eram observações sutis demais para um menino de seis anos, especialmente alguém que queria acreditar naquilo.

Por baixo dessas fotos havia cinco outras que vovô Portman nunca havia me mostrado. Eu me perguntei por que, até que observei com mais atenção. Tinham sido manipuladas de modo tão óbvio que até um menino teria percebido o que eram: havia uma transposição ridícula de uma menina "presa" numa garrafa; outra criança levitando, suspensa por algo na soleira escura da porta às suas costas; e um cachorro com a cara de um menino colada grosseiramente sobre ele. E, como se essas imagens não fossem bizarras o suficiente, as outras duas pareciam saídas de pesadelos de David Lynch: uma mostrava uma menina contorcionista, triste, dobrada para trás de modo assustador; a outra trazia gêmeos de aparência esquisita, vestidos com as fantasias mais estranhas que eu já havia visto. Até meu avô, que tinha enchido minha cabeça com histórias de monstros com tentáculos no lugar da língua, era sábio o bastante para perceber que imagens como essas provocariam pesadelos em crianças.

As fotos me fizeram lembrar de como me senti no dia em que me dei conta de que as histórias de meu avô não eram reais. Ajoelhado no chão de seu quarto, eu me senti traído novamente. A verdade agora parecia óbvia: suas últimas palavras tinham sido apenas mais um truque de mágico, como as fotos, e seu último ato tinha sido contaminar-me com pesadelos e delírios paranoicos que levariam anos de terapia e várias caixas de remédios aniquiladores de metabolismo para desaparecer.

Guardei as fotos na caixa e a levei até a sala, onde meu pai e tia Susie esvaziavam uma gaveta cheia de cupons, guardados e presos com clipes, mas nunca usados, em um saco de lixo de cinquenta litros.

Ofereci a caixa. Eles não perguntaram o que ela continha.

***

— Então é isso? — disse dr. Golan. — A morte dele não significou nada?

Eu estava deitado no divã, observando um aquário que ficava no canto, seu único prisioneiro dourado nadando em círculos preguiçosos.

— A menos que o senhor tenha uma ideia melhor — disse eu. — Alguma grande teoria sobre o que tudo isso significa e que ele estava escondendo de mim. Do contrário...

— O quê?

— Do contrário, isso é apenas perda de tempo.

Ele deu um suspiro e beliscou a ponte do nariz como se tentasse se livrar de uma dor de cabeça.

— O significado das últimas palavras de seu avô não é uma conclusão à qual eu devo chegar — disse ele. — É o que *você* acha que importa.

— Isso é bobagem psicanalítica — reagi. — O que importa não é o que eu *acho*, e sim o que é verdade! Mas creio que nunca vamos saber, então o que importa? Só continue a me encher de drogas e mande a conta.

Eu queria que ele ficasse com raiva, que discutisse, insistisse que eu estava errado, mas em vez disso ele ficou sentado com uma expressão enigmática, tamborilando no braço da poltrona com a caneta.

— Parece que você está desistindo — disse ele após um instante. — Estou desapontado. Você não me parece uma pessoa que desista das coisas.

— Deve ser porque o senhor não me conhece muito bem — retruquei.

***

Eu não podia estar menos no clima de festa. Soube que estava prestes a entrar em uma no momento em que meus pais começaram a soltar pistas nada sutis sobre como o fim de semana seguinte seria chato e sem nada interessante, quando todos sabíamos muito bem que eu faria dezesseis anos. Implorei a eles que não fizessem festa nesse ano, porque, entre outras razões, eu não podia pensar em uma única pessoa que gostaria de convidar. Mas eles estavam preocupados porque eu passava muito tempo sozinho e se agarraram à noção de que se socializar teria efeito terapêutico. "Choques elétricos também", disse eu, mas minha mãe detestava deixar passar mesmo o menor dos pretextos para uma comemoração — uma vez ela recebeu convidados para o aniversário de nossa cacatua —, em parte porque adorava exibir nossa casa, conduzir os convidados de aposento a aposento excessivamente mobiliados, a taça de vinho na mão, glorificando a genialidade do arquiteto e contando histórias de guerra sobre a construção. ("Levou *meses* para trazer esses candelabros da Itália.")

Tínhamos acabado de voltar da minha desastrosa sessão com dr. Golan. Entrei atrás do meu pai na sala de estar, escura a ponto de causar suspeitas, enquanto ele murmurava coisas como "Que vergonha a gente não ter planejado nada para o seu aniversário" e "Ah, bem, podemos fazer isso no ano que vem", quando todas as luzes se acenderam de repente para revelar serpentinas, bexigas e um sortimento variado de tias, tios e primos com os quais eu raramente falava — qualquer um que minha mãe tivesse conseguido convencer a comparecer —, além de Ricky, que fiquei surpreso ao ver parado perto da poncheira, parecendo deslocado em uma jaqueta de couro com enfeites metálicos. Depois que todos finalizaram os gritos de parabéns, e de eu fingir estar realmente surpreso, minha mãe passou o braço ao redor do meu ombro e sussurrou:

— Tudo bem quanto a isso aqui?

Eu estava aborrecido e cansado, e só queria jogar *Warspire III: o chamado* antes de ir para a cama com a TV ligada, mas o que podia fazer? Mandar todo mundo embora para casa? Eu disse que estava tudo bem, e ela sorriu, como se me agradecesse.

— Quem quer ver a última novidade da casa? — cantarolou ela, servindo-se de Chardonnay antes de marchar com uma trupe de parentes obedientes escada acima.

Ricky e eu nos saudamos com um aceno de cabeça de lados opostos da sala, concordando tacitamente em tolerar a presença um do outro por uma ou duas horas. Não nos falávamos desde o dia em que ele tinha me empurrado do telhado, mas nós dois compreendíamos a importância de manter a ilusão de que tínhamos amigos. Eu estava prestes a ir falar com ele quando meu tio Bobby me segurou pelo cotovelo e me puxou para um canto. Bobby era um sujeito grande e barrigudo que dirigia um carro grande e morava em uma casa grande, e eventualmente sucumbiria devido a um grande ataque cardíaco resultante de todo o *foie gras* e super-

-hambúrgueres monstruosos com os quais enchera o cólon ao longo dos anos, deixando tudo para meus primos maconheiros e sua esposa pequena e quieta. Ele e meu tio Les eram copresidentes da Smart Aid e sempre faziam isso — puxar as pessoas a um canto para conversas conspiratórias, *sotto voce*, como se estivessem tramando um assassinato da máfia em vez de elogiando a anfitriã por seu guacamole.

— Então, sua mãe me disse que você está começando a superar o... ah... toda essa situação do seu avô.

Ninguém sabia como chamar aquilo. A minha situação.

— Reação aguda a estresse pós-traumático — disse eu.

— O quê?

— Foi isso o que eu tive. Tenho. Sei lá.

— Que bom! É mesmo bom saber. — Fez um aceno com a mão como se afastasse de lado toda essa situação desagradável. — Sua mãe e eu estávamos pensando. O que você acha de vir para Tampa nesse verão, para ver como funciona o negócio da família, aprender a dar ordens comigo por um tempo lá na sede? A menos que você goste de arrumar prateleiras! — Ele riu tão alto que dei um passo involuntário para trás. — Você podia até ficar lá em casa, pescar um pouco de camarupim comigo e seus primos nos fins de semana. — Ele passou cinco longos minutos descrevendo seu iate novo, entrando em detalhes elaborados, quase licenciosos, como se aquilo bastasse para fechar o acordo, e quando terminou deu um sorriso e estendeu a mão para que eu a apertasse. — E então, o que acha Jake-Fera?

Acho que aquilo tinha o objetivo de ser uma oferta irrecusável, mas eu preferia passar o verão em um campo de trabalhos forçados na Sibéria a viver com meu tio e seus filhos mimados. Em relação a trabalhar na sede da Smart Aid, sabia que isso provavelmente seria inevitável, mas tinha contado com pelo menos mais alguns verões de liberdade e quatro anos de faculdade antes de ter de entrar naquela gaiola de ouro. Hesitei enquanto tentava pensar em uma saída. Em vez disso, o que eu disse foi:

— Não sei se meu psiquiatra vai achar isso uma boa ideia agora.

As sobrancelhas peludas dele se uniram. Ele balançou a cabeça vagamente e disse:

— Ah, bem, claro, não podemos forçar a barra, não é? Certo, meu querido? — Ele saiu andando sem esperar resposta, fingindo ver outra pessoa do outro lado da sala, cujo cotovelo ele precisava agarrar.

Minha mãe anunciou que era hora de abrir os presentes. Ela sempre insistia que eu fizesse isso na frente de todo mundo, o que para mim é um problema porque, como já devo ter mencionado antes, não sou um bom mentiroso. Também significa que não sou bom em fingir gratidão por presentes reaproveitados, como CDs de versões *country* de música natalina ou assinaturas de revistas de pesca e vida selvagem — tio Les conviveu durante anos com a ilusão de que eu sou um tipo que gosta de atividades na natureza —, mas em nome do decoro forcei um sorriso e ergui bem alto cada cacareco que desembrulhei para que todos vissem, até que a pilha de presentes que restava sobre a mesa de centro se reduziu a apenas três.

Peguei primeiro o menor deles. Dentro encontrei a chave do enorme sedã de quatro anos de meus pais. Eles estavam comprando um novo, explicou minha mãe, então eu herdaria o antigo. Meu primeiro carro! Todo mundo fez *ooohs* e *aaaahs*, mas senti o rosto esquentar. Era exibição demais aceitar um presente tão caro na frente de Ricky, cujo carro custara menos que a mesada que eu recebia aos doze anos. Parecia que meus pais estavam sempre ressaltando a importância do dinheiro para mim, mas eu não me importava, mesmo. De qualquer jeito, é fácil dizer que não liga para dinheiro quando se tem muito.

O presente seguinte foi a câmera digital que eu passara o verão inteiro implorando aos meus pais.

— Uau — disse eu, enquanto testava seu peso em minha mão. — É muito legal!

— Estou começando a escrever um livro novo sobre pássaros — disse meu pai. — Achei que você podia tirar as fotos.

— Um livro novo! — exclamou minha mãe. — Que ideia fenomenal, Frank! Ei, o que aconteceu com aquele último livro no qual estava trabalhando? — Era evidente que ela bebera algumas taças de vinho.

— Ainda estou fazendo algumas correções — disse ele em voz baixa.

— *Sei* — respondeu ela. Pude ouvir o riso de tio Bobby em algum lugar.

— Então! — disse eu em voz alta enquanto pegava o último presente. — Este é da tia Susie.

— Na verdade — disse ela enquanto eu rasgava o papel de presente —, é do seu avô.

Parei no meio do rasgo e a sala mergulhou num silêncio mortal. As pessoas olhavam para tia Susie como se ela tivesse invocado algum espírito maligno. O queixo de meu pai se retesou e minha mãe tomou um grande gole de vinho.

— Abra, que você vai ver — disse tia Susie.

Rasguei o resto do papel de presente e encontrei um livro de capa dura antigo, com as páginas cheias de orelhas e sem sobrecapa. Era um volume das *Obras selecionadas de Ralph Waldo Emerson*. Olhei para ele fixamente como se quisesse ler através da capa, incapaz de compreender como o livro chegara às minhas mãos, que agora tremiam. Ninguém além do dr. Golan sabia das últimas palavras de meu avô, e meu psiquiatra prometera várias vezes que, a menos que eu ameaçasse beber soda cáustica ou dar um salto-mortal do alto da Ponte Sunshine Skyway, tudo o que conversávamos em seu consultório seria mantido sob o mais estrito sigilo.

Olhei para minha tia, uma pergunta que eu não sabia como fazer estampada no rosto. Ela conseguiu dar um tímido sorriso e comentou:

— Encontrei na escrivaninha de seu avô quando estávamos limpando a casa. Ele escreveu o seu nome na folha de rosto. Acho que queria que você ficasse com o livro.

Deus abençoe tia Susie. Ela, no fim das contas, tinha um coração.

— Legal, eu não sabia que seu avô gostava de ler — disse minha mãe, tentando animar o clima. — É muita consideração sua.

— É — disse meu pai entre dentes cerrados. — Obrigado, Susan.

Abri o livro. Havia, realmente, uma anotação feita com a letra trêmula de meu avô na folha de rosto.

Quando me levantei para sair dali, com medo de começar a chorar na frente de todo mundo, algo deslizou do meio das páginas e caiu no chão.

Eu me abaixei para pegar. Era uma carta.

Emerson. A carta.

Senti o sangue se esvair de meu rosto. Minha mãe inclinou-se em minha direção e num murmúrio tenso perguntou se eu precisava de um

Obras selecionadas de Ralph Waldo Emerson

Editado e com introdução

de Clifton Durrell, Ph. D.

Para
Jacob Magalhães Portman,
e todos os mundos que
ele ainda tem de descobrir

Anthem Books • New York

gole d'água, o que na língua da minha mãe significava *segura a onda, as pessoas estão olhando.*

— Eu me sinto um pouco, hum... — disse eu, e então, com a mão na barriga, corri para o quarto.

***

A carta estava escrita à mão numa folha de papel fino e sem pautas, numa letra cheia de arabescos, tão enfeitada que parecia um exercício de caligrafia, a força da tinta negra oscilante como a de uma velha caneta-tinteiro. A carta dizia:

Meu caríssimo Abe,

Espero que este bilhete o encontre em segurança e com boa saúde. Faz tanto tempo desde a última vez que você nos mandou notícias! Mas estou escrevendo não para repreendê-lo, mas sim para informá-lo de que ainda pensamos muito em você e rezamos por seu bem-estar. Nosso bravo e belo Abe!

Quanto à vida na ilha, pouca coisa mudou. Mas com tranquilidade e com ordem é como preferimos as coisas! Eu me pergunto se nós o reconheceríamos após tantos anos, mas tenho certeza de que você iria nos reconhecer — quero dizer, os poucos remanescentes. Significaria muito receber um retrato recente seu, se tiver um para nos mandar. Incluí uma foto minha, sem dúvida antiga, apesar de parecer que foi tirada ontem!

E. sente muitas saudades suas. Por que não escreve para ela?

Com respeito e admiração,

Alma LeFay Peregrine, Diretora Escolar

Como prometido, a remetente anexara uma velha foto. Segurei-a sob a luz do abajur de minha escrivaninha para tentar ler algum detalhe no rosto, quase uma silhueta, da mulher, mas não havia nada para encontrar. Era muito estranho, e ainda assim ela nada tinha a ver com as fotos do meu avô. Ali não havia truques. Era só uma mulher, uma mulher fumando cachimbo. Parecia o cachimbo de Sherlock Holmes, curvado e descendo de seus lábios. Meus olhos sempre voltavam para ele.

Será que era isso que meu avô queria que eu encontrasse? *É, só pode ser* — não *as* cartas de Emerson, mas *uma* carta guardada dentro do livro de Emerson. Mas quem era essa diretora escolar, essa Alma Peregrine? Estudei o envelope em busca do endereço do remetente, mas encontrei apenas um carimbo desbotado que dizia *Cairnholm Is., Cymru, UK*.

Era na Grã-Bretanha. Eu sabia, de estudar atlas quando criança, que *Cymru* significava País de Gales. *Cairnholm Is.* tinha de ser a ilha mencionada pela srta. Peregrine na carta, onde ela morava. Seria a mesma ilha onde meu avô vivera quando garoto?

Nove meses antes ele me dissera para "encontrar a ave". Nove anos atrás ele jurara que o orfanato onde vivera era protegido por uma — "uma ave que fumava cachimbo". Aos sete anos eu tinha entendido isso literalmente, mas a diretora na foto fumava um cachimbo, e seu nome era Peregrine, como o falcão-peregrino. Será que a ave que meu avô queria que eu achasse era, na verdade, a mesma mulher que o havia resgatado, a diretora do orfanato? Talvez ela ainda estivesse na ilha após todos esses anos, muito velhinha, mas viva sob os cuidados de muitos enfermeiros, crianças que haviam crescido, mas nunca tinham ido embora.

Pela primeira vez as palavras de meu avô começaram a fazer um estranho sentido. Ele queria que eu fosse à ilha e encontrasse essa mulher, essa diretora idosa. Se alguém conhecia os segredos de sua juventude, seria ela. Mas o carimbo no envelope tinha quinze anos. Seria possível que ela ainda estivesse viva? Fiz rápidas contas de cabeça: se ela administrava um orfanato em 1930 e tivesse, digamos, 25 anos na época, então hoje teria mais de 95 anos. Era possível; havia pessoas mais velhas que isso em Englewood que ainda moravam sozinhas e dirigiam, e, mesmo que a srta. Peregrine *tivesse* morrido durante esses quinze anos desde que enviara carta, talvez ainda houvesse pessoas em Cairnholm que poderiam me ajudar, que tinham conhecido vovô Portman quando criança e guardassem a chave para seus segredos.

Nós, escrevera ela, *os poucos remanescentes.*

***

Como você pode imaginar, convencer meus pàis a me deixar passar parte de meu verão numa ilhota na costa do País de Gales não foi tarefa fácil. Eles, especialmente minha mãe, tinham muitas razões convincentes contra essa "péssima ideia", incluindo o fato de que eu devia passar o verão com tio Bobby para aprender a administrar o império das drogas, além de que não tinha ninguém para me acompanhar, já que nenhum dos meus pais queria ir, e eu, sem dúvida, não podia viajar sozinho. Não tinha como refutar esses argumentos, e meus motivos para querer fazer a viagem — *acho que é meu dever fazê-la* — não eram algo que eu podia explicar sem parecer ainda mais maluco do que eles já temiam que eu fosse. Com certeza, se contasse a meus pais sobre as últimas palavras do vovô Portman, ou sobre a carta ou a foto, eles mandariam me internar. Os únicos argumentos que pareciam saudáveis a favor da viagem foram coisas como "quero conhecer melhor a história da família" e o nunca convincente "Chad Kramer e Josh Bell vão para a Europa este verão, por que eu não posso ir?". Eu os mencionava sempre que podia, tentando não parecer desesperado (certa vez, apelei para "não é que vocês não tenham dinheiro", uma tática da qual me arrependi na mesma hora), mas basicamente parecia que não ia rolar.

Então várias coisas aconteceram para ajudar muito meu caso. Primeiro, tio Bobby ficou com medo de que eu passasse o verão com ele — acho que ninguém quer um maluco em casa, certo? De repente minha agenda ficou bem aberta. Em seguida, meu pai soube que a ilha Cairnholm é um *habitat* de aves superimportante e que metade da população de certo pássaro que o deixa com tesão ornitológico total vive lá. Ele começou a falar muito desse hipotético livro novo sobre aves, e sempre que o assunto surgia eu fazia o máximo para encorajá-lo e demonstrar interesse. Mas o fator mais importante foi dr. Golan. Depois de uma quantidade surpreendentemente mínima de persuasão de minha parte, ele chocou a todos não apenas por concordar com a ideia, mas por incentivar com veemência que meus pais me deixassem ir.

— Isso pode ser importante — disse ele para minha mãe, certa tarde após uma sessão. — É um lugar que foi tão mitificado pelo avô que uma visita só pode servir para desmitificá-lo. Ele vai ver que é apenas uma ilha normal e sem magia como qualquer outro lugar, e as fantasias de seu avô, por consequência, vão perder força. Pode ser um modo bastante eficaz de combater fantasia com realidade.

— Mas eu achava que ele já não acreditava mais nesse negócio — disse minha mãe, virando-se para mim. — Acredita, Jake?

— Não — assegurei.

— Não, conscientemente ele não acredita — disse dr. Golan —, mas é o inconsciente que está causando todos os problemas dele nesse momento. Os sonhos, a ansiedade.

— E o senhor acha mesmo que ir até lá pode ajudar? — perguntou minha mãe, com expressão desconfiada ao encará-lo, como se estivesse se preparando para a verdade nua e crua. Quando o assunto era coisas que eu deveria ou não estar fazendo, a palavra do dr. Golan era lei.

— Acho — respondeu ele.

Foi o bastante.

***

Depois daquilo, as peças se encaixaram com velocidade impressionante. As passagens de avião foram compradas, os horários marcados e todos os preparativos feitos. Meu pai e eu iríamos passar três semanas na ilha em junho. Provavelmente seria tempo demais, mas meu pai alegou que precisava de pelo menos esse período para fazer um estudo das colônias de aves do lugar. Achei que mamãe fosse fazer objeções — três semanas inteiras! —, mas, quanto mais nossa viagem se aproximava, mais animada ela parecia.

— Meus dois homens — ela dizia, sorrindo — vão partir em uma grande aventura!

Achei esse entusiasmo um tanto tocante, na verdade — até a tarde em que a escutei conversando pelo telefone com uma amiga, confessando o quanto estava aliviada por "ter sua vida de volta" por três semanas e não ter "duas crianças necessitadas com quem se preocupar".

Também amo você, quis dizer com o sarcasmo mais doloroso que pudesse reunir, mas ela não tinha me visto e mantive silêncio. Eu a amava, é claro, mas em grande parte porque amar a mãe é obrigatório, não porque ela fosse alguém que eu achasse que gostaria muito se conhecesse andando na rua. O que ela não faria, de qualquer maneira; andar é para pessoas pobres.

Durante a janela de três semanas entre o fim das aulas e o início de nossa viagem, fiz o possível para descobrir se a srta. Alma LeFay Peregrine ainda residia no mundo dos vivos, mas as buscas na internet não deram em nada. Supondo que ela ainda fosse viva, eu tinha esperança de falar com ela por telefone e pelo menos avisá-la de minha chegada, mas logo descobri que praticamente ninguém em Cairnholm sequer *tinha* telefone. Encontrei apenas um número para toda a ilha, e foi para esse que liguei.

A ligação demorou quase um minuto para ser completada, com muitos chiados e ruídos, silêncio, depois mais chiados, de forma que eu senti cada quilômetro da enorme distância que a ligação percorria. Por fim ouvi aquele estranho sinal de chamada europeu — *vap-vap... vap-vap* — e um homem que para mim só podia estar drogado atendeu ao telefone.

— Buraco do pau! — berrou. Havia uma quantidade absurda de barulho no fundo, aquela espécie de burburinho abafado que se espera ouvir no auge de uma festa muito louca de faculdade. Tentei me identificar, mas não acho que ele conseguia me ouvir.

— Buraco do pau! — tornou a berrar. — Quem é agora? — Mas, antes que eu pudesse dizer qualquer coisa, ele afastou o telefone do rosto para gritar com alguma outra pessoa. — Mandei calar a boca, seu bando de filhos da mãe, estou no...

E então a linha caiu. Fiquei sentado com o fone colado ao ouvido, intrigado por um bom tempo, depois desliguei. Não me dei ao trabalho de tornar a ligar. Se o único telefone de Cairnholm fosse o de algum antro de perdição chamado "Buraco do pau", o que isso prenunciava para o resto da ilha? Será que eu passaria minha primeira viagem à Europa tentando fugir de maníacos bêbados e observando pássaros esvaziando as tripas em praias rochosas? Talvez. Mas se isso significasse que eu finalmente conseguiria dar descanso para os mistérios de meu avô e voltar à minha vida sem graça, qualquer coisa que eu tivesse de suportar valeria a pena.

CAPÍTULO TRÊS

A neblina se fechou em torno de nós como se fosse uma venda. Quando o capitão anunciou que estávamos quase chegando, no início achei que ele estivesse de brincadeira; tudo o que eu conseguia ver do convés, que não parava de se mexer, era uma infinita cortina cinzenta. Agarrei a amurada e encarei fixamente as ondas verdes, contemplando os peixes que logo poderiam estar comendo meu café da manhã, enquanto meu pai permanecia de pé, tremendo do meu lado em manga de camisa. Estava mais frio e úmido do que jamais imaginei que junho pudesse ser. Eu esperava, pelo meu bem e pelo dele, que as 36 horas de sofrimento enfrentadas bravamente por nós para chegar até ali — três aviões, duas conexões, cochilos em estações de trem imundas e agora essa viagem de barca que embrulhava meu estômago — valessem a pena. Então meu pai exclamou:

— Veja! — E eu levantei a cabeça para avistar uma enorme montanha rochosa emergir da tela em branco à nossa frente.

Era a ilha de meu avô. Agigantando-se cinzenta, envolta pela névoa, guardada por um milhão de pássaros que não paravam de piar, ela parecia uma fortaleza antiga construída por gigantes. Enquanto eu erguia os olhos para seus penhascos escarpados, cujos cumes desapareciam em um recife de nuvens fantasmagóricas, a ideia de que esse era um lugar mágico não parecia tão ridícula.

Meu enjoo pareceu desaparecer. Meu pai saiu correndo pela balsa como uma criança no Natal, os olhos colados nos pássaros que voavam em círculos acima de nós.

— Jacob, olhe só! — gritou, apontando para um bando de pontos voadores. — Pardelas!

— Que legal, pai!

Conforme nos aproximávamos dos penhascos, comecei a notar formas estranhas escondidas sob a água. Um tripulante que passava me viu debruçado sobre a amurada para observá-las e disse:

— Nunca viu um naufrágio antes, hein?

Eu me virei para ele.

— Sério?

— Toda esta ilha é um cemitério de navios — respondeu ele. — É como os velhos capitães costumavam dizer: "Da ponta de Twixt Hartland à baía de Cairnholm é um cemitério de marujos, seja de dia, seja de noite!".

Nesse instante passamos por um navio naufragado tão próximo da superfície, a silhueta de sua carcaça esverdeada tão nítida que parecia prestes a se erguer da água como um zumbi de sua cova rasa.

— Viu aquele? — perguntou enquanto apontava para o navio. — Foi afundado por um submarino, foi sim.

— Havia submarinos por aqui?

— Aos montes. Todo o mar da Irlanda estava infestado de submarinos alemães. Aposto que você teria metade de uma marinha nas mãos se pudesse tirar do fundo do mar todos os navios que eles torpedearam. — Ele ergueu uma sobrancelha para mim de modo teatral, depois se afastou, rindo.

Quando eu começava a me perguntar se íamos precisar de equipamento de alpinismo para entrar na ilha, seus penhascos íngremes passaram a declinar suavemente para nos encontrar. Contornamos um cabo e entramos em uma baía rochosa em forma de meia-lua, e a distância vi uma pequena enseada cheia de barcos de pesca coloridos e, além dela, uma cidade localizada em uma verde enseada de terra. Uma colcha de retalhos de campos pontilhados de carneiros se espalhava pelas colinas que se elevavam ao longe até se juntar a uma serra alta, onde uma parede de nuvens parecia formar um parapeito de algodão. Era dramático e belo, diferente de qualquer outro lugar que eu já tinha visto. Senti um pouco da emoção de nossa aventura enquanto o barco entrava na baía, como se avistasse terra onde mapas antigos registravam apenas traços de um azul indistinto.

A balsa atracou, pegamos nossa bagagem e desembarcamos na cidadezinha. Após uma inspeção mais cuidadosa, concluí que ela não era, como tantas outras coisas, tão bonita de perto quanto parecia a certa distância. Casinhas caiadas de branco, estranhas, exceto pelas parabólicas que brotavam de seus telhados, enfileiravam-se ao longo de ruas de terra enlameadas. Como Cairnholm era muito distante e sem importância para justificar o custo de levar cabos de energia do continente, fedorentos geradores a diesel zumbiam em cada esquina como vespas raivosas, harmonizando-se com o ronco dos tratores, os únicos veículos a transitar na ilha. Nos limites da cidade, casinhas de aspecto desgastado erguiam-se abandonadas e sem teto, provas de uma população que encolhia. As crianças eram atraídas para longe das tradições seculares de pesca e trabalho no campo por oportunidades mais glamorosas no continente.

Arrastamos nossas coisas pela cidade em busca de um lugar chamado Arco do Padre, onde meu pai havia reservado um quarto. Imaginei uma igreja antiga convertida em pensão, nada elegante, apenas um lugar para dormir quando não estivéssemos observando aves ou seguindo pistas. Perguntamos sobre o caminho a alguns moradores locais, mas recebemos de volta apenas olhares confusos.

— Eles falam inglês, certo? — meu pai perguntou a si mesmo em voz alta.

Quando minha mão começava a doer devido ao peso absurdo da minha mala, chegamos a uma igreja. Achamos que tínhamos encontrado nossas acomodações, até que entramos e vimos que ela tinha, sim, sido convertida, mas em um pequeno museu lúgubre, não em pensão.

Encontramos um curador provavelmente de meio período em um aposento cheio de redes de pesca e lâminas de tosquiar carneiros penduradas nas paredes. O rosto dele se iluminou quando nos viu, depois tornou a se fechar quando se deu conta de que estávamos apenas perdidos.

— Imagino que estejam procurando o *Buraco* do Padre — disse ele. — São os únicos quartos para alugar na ilha.

Ele começou a nos explicar o caminho com um sotaque cantado, que achei tremendamente divertido. Adorava ouvir os galeses falarem, mesmo que metade do que diziam fosse incompreensível. Meu pai o agradeceu e virou-se para ir embora, mas o homem mostrara-se tão prestativo que pensei em outra pergunta para fazer a ele — onde ficava o velho orfanato?

— O velho o quê? — disse ele, olhando-me de um jeito esquisito.

Por um momento terrível temi que estivéssemos na ilha errada ou, ainda pior, que o orfanato fosse apenas mais uma das invenções de meu avô.

— Um lar para crianças refugiadas? — disse eu. — Durante a guerra? Uma casa grande?

O homem mordeu os lábios e me olhou desconfiado, como se estivesse decidindo se deveria ajudar ou lavar as mãos para tudo aquilo. Mas ele ficou com pena de mim.

— Não sei nada sobre refugiados — disse ele. — Mas acho que conheço esse lugar de que você está falando. Fica longe, lá do outro lado da ilha, depois da charneca pantanosa e da mata, mas eu não pensaria em perambular por lá sozinho se fosse você. Afaste-se demais da trilha e nunca mais vão ouvir falar de você. Não tem nada além de mato, lama e bosta de carneiro para impedi-lo de cair de um precipício sobre rochas pontiagudas.

— É bom saber disso — disse meu pai, olhando para mim. — Prometa que não vai lá sozinho.

— Está bem, está bem.

— Mas por que você está interessado nisso? — perguntou o homem. — Não é exatamente um ponto turístico.

— Apenas um projeto de genealogia — disse meu pai, hesitando perto da porta. — Meu pai passou alguns anos lá quando criança. — Sabia que ele estava se esforçando para evitar qualquer menção a psiquiatras ou avós mortos, e ele tornou a agradecer ao homem e rapidamente me conduziu porta afora.

Seguindo as indicações do curador, refizemos nossos passos até chegarmos a uma estátua em pedra negra de aspecto assustador, um memorial chamado Mulher à Espera, em homenagem aos moradores da ilha perdidos no mar. A estátua tinha uma expressão patética, ali parada com os braços estendidos na direção da enseada, a muitas quadras de distância, mas também na direção do Buraco do Padre, que era logo do outro lado da rua. Bem, não sou nenhum especialista em hotéis, mas apenas um olhar para o letreiro marcado pelo tempo do Buraco do Padre me dizia que nossa estada não seria exatamente uma experiência quatro-estrelas, com chocolate de menta nos travesseiros como cortesia. Na fachada, lia-se em letras gigantes: *VINHOS, CERVEJAS E AGUARDENTES*. Abaixo disso, em letras mais modernas, *Boa comida.* Na parte de baixo, escrito à mão, sem dúvida posteriormente: *Quartos para alugar*, apesar de o "s" ter desaparecido, deixando apenas um único *Quarto*. Quando nos dirigíamos com as malas para a porta, e meu pai reclamava de vigaristas e propaganda enganosa, dei uma espiada na Mulher à Espera às nossas costas e me perguntei se ela não estava apenas esperando que alguém lhe servisse uma bebida.

Esprememos nossas malas pela porta e paramos, os olhos piscando na escuridão súbita de um *pub* de teto baixo: janelas pequenas e chumbadas permitiam a entrada de luz suficiente apenas para encontrar a serpentina de cerveja sem tropeçar nas mesas e cadeiras no caminho. As próprias mesas, gastas e bambas, aparentemente teriam mais serventia como lenha. O bar não estava tão cheio; sabe-se lá a hora da manhã que era, com homens em estados variados de intoxicação silenciosa, de cabeça baixa como se rezassem diante de copinhos com um líquido âmbar.

— Vocês vieram por causa do quarto — disse um homem saindo de trás do bar para nos apertar a mão. — Eu sou Kev, e essa é a nossa turma. Digam olá, turma.

— Olá — eles murmuraram, acenando com suas bebidas.

Seguimos Kev por uma escadinha estreita até um grupo de quartos — plural! — que podiam, com caridade, ser descritos como simples. Havia dois quartos, o maior dos quais ficou com meu pai; um terceiro aposento funcionava como cozinha, sala de jantar e de estar, o que significava ter uma mesa, um sofá roído por traças e um fogão elétrico. O banheiro funcionava "a maior parte do tempo", segundo Kev.

— Mas, se ele ficar estranho, sempre há o Velho Fiel. — E ele desviou nossa atenção para um banheiro químico no beco dos fundos, convenientemente visível da janela do meu quarto.

— Ah, e vocês vão precisar disto — disse ele, pegando dois lampiões a querosene em um armário. — Os geradores param de funcionar às dez, pois é muito caro trazer combustível até aqui, então ou você dorme cedo, ou aprende a gostar de velas e querosene! — Ele sorriu. — Espero que não seja medieval demais para vocês.

Garantimos a Kev que estava tudo bem com banheiros externos e querosene. Na verdade, parecia divertido — um pouco de aventura, sim, senhor —, e em seguida ele nos levou lá para baixo, para a última parte de nosso *tour*.

— Vocês são bem-vindos para fazer as refeições aqui — disse ele. — E imagino que vão fazer, pois não há outro lugar para comer. Se precisar telefonar, temos uma cabine telefônica ali no canto. Algumas vezes tem um pouco de fila, já que quase não temos sinal de celular aqui, e você está olhando para o único telefone fixo da ilha. Está bem, temos tudo... a única comida, a única cama, o único telefone! — E ele se inclinou para trás e riu, uma gargalhada longa e ruidosa.

O único telefone na ilha. Olhei na direção dele — havia uma cabine telefônica num dos cantos, aquele tipo com uma porta que você podia fechar se quisesse privacidade, como aquelas que se vê nos filmes antigos — e então percebi com um crescente horror que *essa* era a orgia grega, *essa* era a festa de fraternidade furiosa para a qual eu havia ligado quando telefonei para a ilha há algumas semanas. *Esse era o Buraco do Pau.*

Kev deu as chaves dos nossos quartos para meu pai.

— Qualquer pergunta — disse —, vocês sabem onde me encontrar.

— Tenho uma pergunta — falei. — O que é um buraco do pau... quer dizer, padre?

Os homens no bar caíram na gargalhada.

— Ora, é um buraco para padres, claro! — disse um deles, o que fez com que os outros rissem ainda mais.

Kev caminhou sobre um trecho irregular do piso de tábuas perto da lareira, onde um cachorro nojento dormia.

— Bem aqui — disse ele, batendo com o sapato no que parecia ser uma porta no chão. — Séculos atrás, quando o simples fato de ser católico bastava para o enforcarem numa árvore, muitos clérigos vinham para cá em busca de refúgio. Quando o bando de capangas da rainha Elizabeth vinha atrás deles, nós os ajudávamos a se esconder em lugarezinhos confortáveis como este, um buraco do padre.

Pelo modo como falou, parecia até que ele conhecia pessoalmente esses ilhéus havia tanto tempo mortos.

— Bem confortável! — disse um dos clientes do bar. — Aposto que era quente e apertado como uma torradeira lá embaixo!

— Sempre vou preferir esse calor e conforto a ser enforcado por assassinos de padres! — comentou outro.

— Aqui, aqui! — disse o primeiro homem. — A Cairnholm, que seja sempre nossa rocha de refúgio!

— A Cairnholm! — repetiram os outros, e todos brindaram juntos.

***

Exaustos e sofrendo com a diferença de fuso horário, fomos dormir cedo — melhor, fomos para a cama e ficamos deitados com o travesseiro sobre a cabeça para abafar a cacofonia de batidas que ecoava através do piso, que em certo ponto ficou tão alta, a ponto de eu ter certeza de que a comemoração tinha invadido meu quarto. Então deve ter dado dez horas, porque de repente os geradores que roncavam lá fora engasgaram e morreram, assim como a música que vinha lá de baixo e a luz da rua que entrava pela janela e caía direto nos meus olhos, e logo me vi envolto por uma escuridão silenciosa e aconchegante, apenas o murmúrio de ondas distantes me lembrando de onde eu estava.

Pela primeira vez em meses mergulhei em um sono pesado e sem pesadelos. Em vez disso, sonhei com meu avô quando menino, com a primeira noite dele aqui, um estranho em terra estranha, sob um teto estranho, devendo a vida a pessoas que falavam uma língua estranha. Quando acordei, com o sol entrando alegremente pela minha janela, eu me dei conta de que não tinha sido apenas a vida de meu avô que a srta. Peregrine salvara, mas a minha também e a de meu pai. Hoje, com alguma sorte, eu finalmente poderia agradecer a ela.

Desci apressadamente as escadas e encontrei meu pai já sentado à mesa, bebendo café e limpando seus binóculos caros. Enquanto eu me sentava, Kev surgiu com dois pratos cheios de uma carne misteriosa e torradas fritas.

— Não sabia que era possível fritar torradas — observei, ao que Kev respondeu que não conhecia nenhuma comida que não ficasse melhor frita.

Meu pai e eu discutimos os planos do dia durante o café. Íamos fazer uma espécie de exploração, para nos familiarizarmos com o ambiente da ilha. Primeiro, íamos avaliar os melhores pontos de observação de aves, depois íamos encontrar o orfanato. Devorei com pressa minha comida, ansioso para começar.

Bem fortificados com gordura, saímos do *pub* e cruzamos a cidade a pé, desviando de tratores e gritando um para o outro acima do ruído dos geradores, até que as ruas deram lugar a campos e o barulho desapareceu às nossas costas. Fazia um dia revigorante, com céu tempestuoso. O sol se escondia atrás de massas gigantescas de nuvens apenas para ressurgir momentos mais tarde e colorir as colinas com raios de luz espetaculares, e eu me sentia energizado e esperançoso. Estávamos nos dirigindo a uma praia rochosa onde, da balsa, meu pai avistara muitas aves. Eu não tinha, porém, certeza de como chegaríamos lá — a ilha lembrava ligeiramente a forma de um anfiteatro, com colinas que desciam suavemente até a borda de perigosos penhascos escarpados à beira-mar —, mas, nesse lugar específico, a borda do penhasco tinha sido circundada e havia uma trilha que levava a uma pequena faixa de areia nas margens.

Tomamos o caminho que descia até a praia, onde o que parecia ser uma civilização inteira de pássaros batia asas, gritava e pescava em poças deixadas pela maré baixa. Observei os olhos de meu pai se arregalarem.

— Fascinante! — murmurou ele, arranhando um pedaço de guano petrificado com a ponta de sua caneta. — Vou precisar de algum tempo aqui, tudo bem?

Eu já vira aquela expressão em seu rosto antes e sabia exatamente o que “algum tempo” significava: horas.

— Então eu vou achar a casa sozinho — disse eu.

— Não, sozinho não. Você prometeu.

— Vou procurar alguém que possa me levar.

— Quem?

— Kev deve conhecer alguém.

Meu pai olhou para o mar, onde um grande e enferrujado farol erguia-se sobre um monte de rochas empilhadas não muito longe da costa.

— Você sabe qual seria a resposta se sua mãe estivesse aqui — disse ele.

Meus pais tinham teorias diferentes sobre a quantidade de proteção paterna necessária para mim. Mamãe era mais severa, sempre no controle, mas meu pai era mais relaxado. Ele achava importante que eu cometesse meus próprios erros de vez em quando. Além disso, se me deixasse ir, estaria livre para brincar com guano o dia inteiro.

— Está bem — disse ele. — Mas não se esqueça de deixar no *pub* o número do telefone de quem quer que vá com você.

— Pai, ninguém aqui tem telefone.

Ele deu um suspiro.

— Está bem, desde que seja de confiança.

***

Kev tinha saído para resolver alguma coisa, e como chamar um de seus fregueses bêbados para me acompanhar era o mesmo que procurar encrenca, fui até o estabelecimento seguinte fazer minha pergunta a alguém que, pelo menos, tivesse um emprego remunerado — na porta, estava escrito PEIXEIRO —, só para me ver encolhido de medo diante de um gigante barbado com um avental sujo de sangue. O gigante parou de decapitar peixes e olhou para mim, com o cutelo respingante na mão, e eu jurei nunca mais ter preconceito contra alcoólatras.

— Mas pra quê? — rosnou o peixeiro quando contei a ele aonde queria ir. — Lá não tem nada além de pântanos e um tempo maluco.

Expliquei sobre meu avô e o orfanato. Ele virou-se para observar um garoto mais ou menos da minha idade que estava arrumando peixes numa gaveta do *freezer*, depois debruçou sobre o balcão para lançar um olhar desconfiado para meus sapatos.

— Acho que Dylan não está muito ocupado e pode levá-lo até lá — disse ele. — Mas você vai precisar de sapatos apropriados. Não é legal ir de tênis, eles vão ser sugados em um segundo pela lama.

— Sério? — disse eu. — Tem certeza?

— Dylan, pegue um par de botas de borracha para nosso amigo aqui!

O garoto resmungou e fez uma cena para fechar lentamente o *freezer* e limpar as mãos antes de se arrastar até uma parede de prateleiras cheias de produtos.

— Por acaso temos boas botas assim em oferta — disse o peixeiro. — Compre uma e leve a outra grátis! — Ele soltou uma gargalhada e bateu com o cutelo num salmão. A cabeça do peixe voou do balcão sujo de sangue para aterrissar perfeitamente num pequeno balde de guilhotina.

Pesquei do bolso o dinheiro para emergências que meu pai tinha me dado, pensando que uma pequena extorsão era um preço baixo a pagar para encontrar a mulher que eu cruzara o Atlântico para conhecer.

Saí da loja atrás de Dylan calçando um par de botas de borracha tão grandes que meus tênis cabiam dentro delas, e tão pesadas que era difícil acompanhar o ritmo de meu guia mal-humorado.

— Você estuda aqui na ilha? — perguntei a ele, apressando-me para alcançá-lo. Eu estava realmente curioso: como seria a vida ali para uma pessoa da minha idade? Ele murmurou o nome de uma cidade no continente.

— Quanto tempo: uma hora para ir e outra para voltar, de balsa?

— É.

E foi tudo. Ele respondeu a outras tentativas de conversa com menos entusiasmo ainda, então finalmente desisti e apenas o segui. Saindo da cidade, encontramo-nos com um amigo dele, um garoto mais velho, que vestia um agasalho esportivo amarelo-berrante e correntes de ouro falso no pescoço — uma figura que não pareceria mais deslocada em Cairnholm nem se estivesse vestida de astronauta. Ele cumprimentou Dylan batendo seu punho no dele e se apresentou como Verme.

— Verme? — disse eu, sentindo que isso exigia mais perguntas.

— É o nome artístico dele — explicou Dylan.

— Somos a dupla de *rap* mais sinistra do País de Gales — disse Verme. — Sou o MC Verme e esse é o Esturjão Cirurgião, vulgo MC Dirty Dylan, vulgo MC Dirty Business, o melhor *human beat-box* de Cairnholm. Quer mostrar a esse americano como a gente manda bem, Dylan?

Dylan pareceu sem graça.

— Agora?

— Manda ver uma batida pesada, irmão!

Dylan revirou os olhos, mas fez o que lhe foi pedido. No início achei que ele estivesse engasgando com a própria língua, mas havia um ritmo em seus pigarros balbuciados — *pu-pu-ca, pu-pu-ca* —, sobre o qual Verme começou a cantar *rap*.

— O Buraco do Padre é um lugar imundo/ Seu pai vai sempre lá porque é um vagabundo/ A minha rima é boa porque sou muito sinistro/ E o ritmo do Dylan é coisa de ministro!

Dylan parou.

— Isso não faz o menor sentido. E vagabundo é o *seu* pai.

— Ah, merda, Dirty Dylan, deixa o ritmo rolar! — Verme começou a fazer ele mesmo o *beat-box* e uma até razoável dança de robô, deixando marcas de tênis no cascalho. — Pega o microfone, D!

Dylan parecia envergonhado, mas mesmo assim começou a marcar o ritmo.

— Conheci a Sharon, uma mina de primeira/ Gostava da minha roupa, ela achava bem maneira/ Dei bom-dia a ela, como o doutor Who/ Quando fiz esta rima, eu vi um urubu.

Verme sacudiu a cabeça.

— Um *urubu*?

— Eu não estava preparado.

Eles se viraram para mim e perguntaram o que eu tinha achado. Levando em conta que nem mesmo eles tinham gostado do *rap* um do outro, eu não tinha certeza do que dizer.

— Acho que minha praia é mais música com cantores e guitarras, essas coisas.

Verme fez um aceno de mão desdenhoso.

— Ele não saberia diferenciar uma boa rima nem que ela o acertasse no meio das pernas — resmungou ele.

Dylan gargalhou e trocaram uma série de complexos apertos-de--mão-acenos-toques de vários estágios.

— Podemos ir agora? — perguntei.

Depois disso, os garotos ficaram ali enrolando e durante algum tempo me ignoraram, na esperança de que eu fosse embora, mas, como não fui, Dylan deu um suspiro e disse que era melhor a gente resolver logo aquilo. De repente estávamos novamente a caminho, dessa vez com a companhia de Verme. Eu ia atrás deles e tentava imaginar o que diria à srta. Peregrine quando a encontrasse. Esperava ser apresentado a uma senhora galesa educada e beber chá na sala, conversando bobagens até que parecesse adequado dar a má notícia. *Sou o neto de Abraham Portman,* eu diria. *Desculpe por ter de lhe dar a notícia, mas ele não está mais entre nós*. Então, quando ela terminasse de enxugar as lágrimas em silêncio, eu a encheria de perguntas.

Segui os garotos galeses por uma trilha que fez uma curva no meio de um pasto de ovelhas atentas antes de subir por uma ladeira íngreme até o topo da colina. Lá no alto havia uma nuvem de neblina que baixava rapidamente, tão densa que parecíamos estar entrando em outro mundo. Era algo verdadeiramente bíblico: uma neblina que parecia um produto de Deus, em um de seus pequenos acessos de fúria, para amaldiçoar os egípcios. Quando começamos a descer do outro lado, ela pareceu ficar ainda mais densa. O sol esvaneceu-se em uma película branca e pálida. A umidade se agarrava a tudo, escorrendo pela minha pele e molhando minhas roupas. A temperatura caiu. Por um instante perdi Dylan e Verme em meio ao nevoeiro, e então a trilha ficou plana e deparei com eles parados à minha espera.

— Ô americano! — chamou Dylan. — Por aqui!

Segui, obediente. Deixamos a trilha e prosseguimos por entre um capinzal enlameado, onde ovelhas nos encaravam com grandes olhos úmidos, a lã molhada e o rabo pendurado. De repente, surgiu uma casinha no meio da névoa. Estava com todas as janelas e portas fechadas com tábuas.

— Vocês têm certeza de que é essa? — perguntei. — Parece tão vazia.

— Vazia? De jeito nenhum, tem um *monte* de merda lá dentro — retrucou Verme.

— Vá lá — disse Dylan. — Dá uma olhada.

Eu tinha a sensação de que era alguma armação, mas mesmo assim fui até a porta e bati. Estava destrancada e se abriu um pouquinho quando a toquei. Estava escuro demais para ver o que havia lá dentro, então dei um passo à frente — e, para minha surpresa, *caí* — no que parecia um chão de terra, mas que, logo percebi, era na verdade um oceano de excremento que batia na altura das canelas. Aquela casa desabitada, tão inocente quando vista de fora, era na verdade um estábulo de ovelhas improvisado. Quase literalmente um monte de merda.

— Ah, meu Deus! — gritei com nojo.

As gargalhadas explodiram do lado de fora. Voltei pela porta antes que o fedor me fizesse desmaiar e encontrei os garotos se dobrando de tanto rir.

— Vocês são uns babacas — disse eu, enquanto batia os pés no chão com força, para tentar limpar a sujeira das botas.

— Por quê? — perguntou Verme. — *Dissemos* que tinha um monte de merda lá!

Encarei Dylan com firmeza.

— Você vai me mostrar a casa ou não?

— Ele está falando sério — disse Verme, enxugando as lágrimas.

— É claro que estou falando sério!

O sorriso de Dylan se apagou.

— Achei que você estivesse zoando.

— O quê?

— Brincando com a gente.

— Bem, eu não estava.

Os garotos trocaram um olhar desconfortável. Dylan sussurrou algo para Verme. Verme sussurrou algo em resposta. Por fim Dylan se virou e apontou para a trilha.

— Se quer mesmo ir lá ver — disse ele —, siga em frente, atravesse a charneca e a mata. É um lugar grande e velho. Você não tem como errar.

— Mas que droga! Era para vocês irem até lá comigo!

Verme desviou o olhar e disse:

— A gente só vai até aqui.

— Por quê?

— Porque sim — disse Dylan. E eles se viraram e começaram a voltar pelo caminho por onde viemos, rapidamente desaparecendo na neblina.

Avaliei minhas opções. Podia colocar o rabo entre as pernas, seguir aqueles dois caras que tinham me atormentado e voltar para a cidade derrotado, ou ir em frente por conta própria e mentir para meu pai sobre isso.

Não era uma escolha lá muito difícil.

***

A charneca pantanosa se estendia nevoeiro adentro dos dois lados da trilha, apenas capim amarronzado, lama e água cor de chá até onde a vista alcançava, completamente plana, com a exceção de pilhas de pedras que surgiam de vez em quando. Terminava de repente em uma floresta de árvores esquálidas, com galhos que se erguiam como as cerdas molhadas de pincéis, e por algum tempo a trilha perdeu-se tanto em meio a troncos caídos e tapetes de hera que segui-la foi uma questão de fé. Eu me perguntei como uma pessoa idosa como a srta. Peregrine podia passar por uma trilha de obstáculos como aquela. *Devem entregar lá tudo o que ela precisa*, pensei, apesar de a trilha ter o aspecto de não ver uma pegada havia meses, senão anos.

Passei por cima de um tronco gigantesco e escorregadio por causa do musgo, e a trilha fez uma curva acentuada. De repente, as árvores se afastaram quase como uma cortina e lá estava ela, envolta na neblina, assomando no alto de uma colina coberta de hera. Compreendi no ato por que os garotos tinham se recusado a vir.

Meu avô a havia descrito cem vezes, mas em suas histórias a casa era sempre um lugar claro e feliz — grande e bagunçado, sim, mas cheio de luz e risos. O que havia diante de mim não era um refúgio de monstros, mas o próprio monstro, encarando-me com uma fome inexpressiva do alto de seu posto. Árvores saíam de janelas quebradas e raízes de trepadeiras escabrosas corroíam as paredes como se fossem anticorpos atacando um vírus — era como se a própria natureza tivesse declarado guerra contra o lugar —, mas a casa parecia impossível de exterminar, mantendo-se de pé resolutamente, apesar da incorreção de seus ângulos e dos recortes irregulares de céu visíveis através de partes do telhado desmoronado.

Tentei me convencer de que ainda era possível que alguém vivesse ali, mesmo naquele estado. Essas coisas não eram raras de onde eu vinha — uma casa caindo aos pedaços nos limites da cidade, com cortinas permanentemente fechadas, que se revelava ser a casa de algum velho recluso que sobrevivia de macarrão instantâneo e unhas dos pés desde tempos imemoriais, apesar de ninguém se dar conta disso até que um corretor de imóveis ou um recenseador extremamente ambicioso abrisse caminho, entrasse e encontrasse a pobre alma voltando ao pó em cima de um sofá vagabundo. As pessoas ficam velhas demais para cuidar de um lugar, a família as abandona por alguma razão... é triste, mas acontece. O que significava que, gostando ou não, eu teria de bater à porta. Reuni toda a escassa coragem que tinha e avancei com dificuldade em meio ao mato pela altura da cintura até a varanda, onde havia apenas lajotas quebradas e madeira podre, e lá espiei por uma janela rachada em forma de teia. Tudo o que consegui ver através do vidro sujo foram as silhuetas de móveis, então bati à porta e dei um passo para trás, a fim de aguardar em meio a um silêncio assustador, apalpando a carta da srta. Peregrine em meu bolso. Eu a trouxera comigo caso precisasse provar quem era, mas após um minuto, depois dois, parecia cada vez menos provável que eu fosse precisar dela.

Saí para o quintal e dei a volta na casa em busca de outra entrada, enquanto tentava avaliar o tamanho do lugar, mas ele parecia não ter limites, como se de cada canto da casa em que eu virasse brotassem novas sacadas, pequenas torres e chaminés. Então cheguei aos fundos e vi uma oportunidade: uma soleira sem porta, coberta de trepadeiras, profunda e negra: uma boca aberta, só esperando para me engolir. Só de olhar para ela minha pele se arrepiou. Precisava fazer força até para manter meus pés parados ali. Mas eu não tinha vindo do outro lado do mundo para sair correndo e gritando ao ver uma casa assustadora. Pensei em todos os horrores que o vovô Portman encarara na vida e o motivo de eu estar ali, e senti minha determinação ganhar força. Se havia alguém a encontrar lá dentro, eu encontraria. Subi os degraus, cruzei o umbral e penetrei a escuridão.

***

Assim que entrei, parei em um vestíbulo escuro como uma tumba e encarei paralisado o que para todos os efeitos pareciam ser peles penduradas em ganchos, mas após um momento delicado, no qual imaginei um canibal louco saltando das trevas com uma faca, decidido a juntar meu couro macio à sua coleção, percebi serem apenas casacos, trapos apodrecidos e esverdeados pelo tempo. Suspirei aliviado. Tinha explorado só dois metros da casa e já estava quase sujando a cueca. *Segura a onda*, disse para mim mesmo. Respirei fundo e fui em frente, o coração batendo forte.

Cada aposento era um desastre pior que o outro. Jornais esparramados em pilhas; brinquedos espalhados, prova da existência de crianças que haviam partido havia muito tempo, jaziam jogados e cobertos por uma camada de poeira. O mofo rastejante deixara as paredes próximas às janelas negras e peludas. As lareiras estavam sufocadas por trepadeiras que desciam do telhado e começavam a se espalhar pelo chão como se fossem tentáculos alienígenas. A cozinha parecia uma experiência científica malsucedida — prateleiras inteiras de conservas tinham explodido após umas sessenta estações no estoque, deixando grandes manchas de aspecto maligno nas paredes —, e havia tanto gesso caído do teto da sala de jantar que por um instante pensei que tinha nevado lá dentro. No fim de um corredor desprovido de luz testei meu peso em uma escada caindo aos pedaços, deixando marcas de bota na camada de poeira. Os degraus gemiam, como se despertassem de um sono muito longo. Se havia alguém no segundo andar, devia estar lá fazia muito tempo.

Finalmente cheguei a dois aposentos com paredes em ruínas, nos quais havia crescido uma pequena floresta de arbustos e diminutas árvores retorcidas. Parei diante de uma brisa repentina e me perguntei o que poderia ter causado tamanho estrago, começando a ter a sensação de que algo horrível acontecera ali. Não conseguia encaixar as histórias idílicas de meu avô naquela casa de pesadelo, nem a ideia de que ele encontrara refúgio naquele lugar impregnado com a sensação de desastre. Restava mais a explorar, mas de repente aquilo me pareceu perda de tempo. Era impossível que alguém ainda pudesse viver ali, nem mesmo o mais misantropo dos reclusos. Deixei a casa sentindo que estava mais longe que nunca da verdade.

CAPÍTULO QUATRO

Eu rastejava, tropeçava e caía pelo caminho. Parecia um cego no meio daquela floresta e da neblina. Então emergi outra vez no mundo de sol e luz e me surpreendi ao ver o sol se pondo e a luz se avermelhando. De algum modo, todo o dia tinha escapado de mim.

Meu pai estava à minha espera no *pub*, com uma cerveja preta como a noite e o *laptop* aberto na mesa à sua frente. Eu me sentei e peguei sua cerveja antes que ele tivesse a oportunidade de tirar os olhos do que estava digitando.

— Ai, meu Deus! — reclamei, engolindo um gole grande. — O que é isso, óleo de motor fermentado?

— Quase — disse ele, rindo, e a tomou de volta. — Não é igual às cervejas americanas. Não que você saiba como é o gosto delas, certo?

— Claro que não — disse eu com uma piscadela, apesar de ser verdade. Meu pai gostava de acreditar que eu era popular e aventureiro tal como ele era na minha idade, um mito que sempre me pareceu mais fácil apenas perpetuar.

Fui submetido a um breve interrogatório sobre como eu tinha chegado até a casa e quem me levara até lá, mas, como o tipo mais fácil de mentira é aquela em que você pode omitir coisas em vez de inventá-las, eu passei no teste com louvor. Só esqueci, convenientemente, de mencionar que Verme e Dylan me enrolaram e me fizeram chafurdar em excremento de ovelhas e depois tiraram o corpo fora a um quilômetro do nosso destino. Meu pai pareceu satisfeito por eu já ter conhecido alguns garotos da minha idade. Acho que também deixei de mencionar o fato de que eles me odiavam.

— E aí, como estava a casa? — perguntou.

— Em ruínas.

Ele pareceu chateado.

— Acho que faz tempo demais que seu avô morou lá, hein?

— É — respondi. — Ele, e qualquer outra pessoa.

Ele fechou o *laptop*, um sinal incontestável de que eu estava prestes a receber toda a sua atenção.

— Vejo que ficou desapontado — disse ele.

— Bem, não viajei milhares de quilômetros atrás de uma casa assustadora em ruínas.

— E o que vai fazer?

— Procurar pessoas para conversar. Alguém vai saber o que aconteceu com as crianças que viviam ali. Imagino que alguns deles ainda estejam vivos, se não aqui, no continente. Em um asilo, ou algo assim.

— Claro. É uma ideia — disse ele. Mas não parecia muito convencido. Ele fez uma pausa estranha e depois prosseguiu: — Você acha que está começando a compreender melhor quem era seu avô, depois de chegar aqui?

Pensei um pouco.

— Não sei. Acho que sim. É só uma ilha, sabe?

Ele assentiu.

— Exatamente.

— E você?

— Eu? — Ele deu de ombros. — Desisti de tentar entendê-lo há muito tempo.

— Isso é triste. Não estava interessado?

— Claro que estava. Mas, depois de algum tempo, perdi o interesse.

— Por quê?

— Quando alguém não o deixa entrar, você acaba parando de bater. Entende o que quero dizer?

Ele raramente falava assim. Talvez fosse a cerveja, ou por estarmos tão longe de casa, ou talvez ele tivesse decidido que finalmente eu tinha idade o bastante para escutar essas coisas. Fosse o que fosse, eu não queria que ele parasse; continuei a incitá-lo.

— Mas ele era seu pai. Como pôde desistir?

— Não fui eu que desisti! — disse ele, levantando um pouco a voz, depois baixou o olhar, envergonhado, enquanto girava a cerveja no copo. — É só que... na verdade, acho que seu avô não sabia ser pai, mas sentia que tinha de sê-lo de qualquer jeito, porque nenhum de seus irmãos sobreviveu à guerra. Então ele lidava com isso se ausentando muito, em viagens de pescaria, de negócios, o que fosse. E, mesmo quando ele *estava* por perto, era como se não estivesse.

— Isso tem a ver com aquele Halloween? — perguntei.

— Do que está falando?

— Você sabe... da foto.

Era uma história antiga, mais ou menos assim: era Halloween. Meu pai tinha quatro ou cinco anos e nunca tinha saído para pedir doces, e vovô Portman prometera levá-lo quando saísse do trabalho. Minha avó havia comprado uma fantasia incrível de coelho rosa para meu pai, e ele a vestiu, sentou-se na entrada da garagem e esperou meu avô das cinco da tarde até o anoitecer. Minha avó ficou com tanta raiva que tirou uma foto do meu pai chorando na rua para mostrar a meu avô que grande babaca ele era. É desnecessário dizer que a foto desde então virou um objeto lendário entre os membros da família, e uma grande vergonha para meu pai.

— Foi muito mais que apenas um Halloween — disse meu pai com amargura. Começava a ficar emotivo. — Sério, Jake, você foi mais próximo dele do que eu jamais fui. Não sei, simplesmente havia alguma coisa não dita entre nós, sabe?

Não sabia como responder. Será que ele estava com ciúme de mim?

— Por que está me contando isso? — perguntei.

— Porque você é meu filho e não quero que se machuque.

— Me machucar como?

Ele demorou alguns segundos para responder. Lá fora as nuvens se moviam e os últimos raios de luz do dia projetavam nossas sombras contra a parede. Senti um nó no estômago, como quando seus pais estão prestes a lhe contar que vão se separar, mas você já sabe antes que eles abram a boca.

— Nunca procurei saber muito mais coisas com seu avô porque tinha medo do que poderia descobrir — disse ele por fim.

— Está falando da guerra?

— Não... seu avô mantinha esses segredos porque eram dolorosos. Eu entendia isso. Estou falando das viagens, de ele ficar sozinho o tempo

todo. O que ele estava realmente fazendo? Acho, eu e sua tia achávamos, que havia outra mulher. Talvez mais de uma.

Deixei aquela informação pairar sobre nós por um instante. Meu rosto começou a formigar de modo estranho.

— De que você está falando? — perguntei.

— Certa vez encontramos uma carta — prosseguiu ele. — Era de uma mulher cujo nome não conhecíamos, endereçada ao papai: *Amo você, sinto sua falta, quando vai voltar?*, esse tipo de coisa. Clichês, no estilo batom no colarinho. Nunca vou me esquecer disso.

Senti uma pontada quente de vergonha, como se, de algum modo, ele estivesse descrevendo um crime meu. E ainda assim não conseguia acreditar completamente. Não vindo do vovô Portman.

— Rasgamos a carta e a jogamos na privada. Nunca mais encontramos outra. Acho que depois disso ele ficou mais cuidadoso.

Eu não sabia o que dizer. Não conseguia encarar meu pai.

— Desculpe, Jake. Deve ser duro ouvir isso. Sei quanto você o idolatrava. — Ele estendeu o braço para apertar meu ombro, mas eu me esquivei, afastei a cadeira e me levantei.

— Eu não *idolatro* ninguém.

— Está bem. Eu só... não queria que você se surpreendesse, só isso.

Peguei meu casaco e o joguei por cima do ombro.

— O que está fazendo? — perguntou ele. — O jantar já está chegando.

— Você está enganado em relação a ele — disse eu. — E vou provar isso.

Ele deu um suspiro. Um suspiro do tipo deixa pra lá.

— Tudo bem. Espero que você consiga.

Saí do Buraco do Padre batendo a porta e caminhei sem nenhum rumo particular em mente. Às vezes tudo o que você precisa fazer é cruzar uma porta.

Era verdade, claro, o que meu pai dissera: eu idolatrava meu avô. Havia coisas sobre ele que eu precisava que fossem verdadeiras, e o fato de ele ser adúltero não era uma delas. Quando eu era pequeno, as histórias fantásticas do vovô Portman significavam que era possível viver uma vida mágica. E, mesmo depois que parei de acreditar nele, ainda havia algo mágico sobre meu avô: ter superado todos os horrores que ele superou, ter visto o pior da humanidade e ter a vida desfigurada por causa disso, e sair de toda essa situação como a pessoa honrada e boa e corajosa que eu sabia que ele tinha sido — *isso* era mágico. Por isso eu não podia acreditar que ele fosse um mentiroso, um traidor e mau pai, porque, se vovô Portman não fosse bom e honrado, eu tinha certeza de que ninguém mais poderia sê-lo.

***

As portas do museu estavam abertas e suas luzes acesas, mas não parecia haver ninguém lá dentro. Eu tinha ido até lá em busca do curador, supondo que ele soubesse alguma coisa sobre a história da ilha e de seu povo, na esperança de que pudesse lançar alguma luz sobre a casa vazia e a localização de seus antigos moradores. Achei que ele tivesse saído apenas por um minuto — não havia exatamente uma multidão aglomerada na porta —, por isso entrei e comecei a andar pelo santuário, conferindo a exposição do museu para matar tempo.

Os objetos em exibição estavam arrumados em armários grandes e abertos na frente, alinhados contra as paredes no espaço antes ocupado por bancos de igreja. A maioria era completamente entediante: tudo sobre a vida em uma vila de pescadores tradicional e os mistérios ancestrais da criação de animais, mas uma das seções se destacava do resto. Estava em lugar de honra na frente da sala, em um mostruário elegante localizado sobre o que antes tinha sido o altar. Ficava atrás de uma corda que pulei e de um pequeno aviso que não me dei ao trabalho de ler. Como o mostruário tinha laterais de madeira envernizada e tampa de acrílico, só era possível vê-lo de cima.

Olhei o interior e acho que engasguei de verdade — e por um segundo de pânico pensei: *monstro!* —, porque de repente e sem esperar eu tinha me deparado cara a cara com um cadáver. Seu corpo encolhido tinha uma semelhança inacreditável com as criaturas que assombravam meus sonhos, assim como a cor da carne, que parecia algo que fora assado num espeto até ficar negro e reluzente. Mas, quando o cadáver não ganhou vida nem marcou para sempre minha mente quebrando o vidro e tentando alcançar minha jugular, meu pânico inicial esmoreceu. Era apenas uma peça de museu, apesar de ser uma peça excessivamente mórbida.

— Vejo que você conheceu o nosso velho! — chamou uma voz atrás de mim. Virei-me para ver o curador caminhando em minha direção. — Você reagiu muito bem. Já vi homens crescidos desmaiarem no ato! — Ele sorriu e estendeu o braço para apertar minha mão. — Martin Pagett. Acho que não me lembro do seu nome daquele outro dia.

— Jacob Portman — respondi. — Então é isso, a vítima de assassinato mais famosa do País de Gales?

— Hah! Bem, ele também poderia ser isso, apesar de nunca ter pensado nele dessa forma. É o nosso morador mais antigo, mais conhecido nos círculos arqueológicos como o Homem de Cairnholm, apesar de ser apenas O Velho para nós. Tem mais de 2.700 anos, para ser exato, mas tinha apenas dezesseis ao morrer. Na verdade, ele é um velho bem jovem.

— Dois mil e setecentos? — disse eu, observando os traços estranhamente delicados do rosto do rapaz morto, de algum modo perfeitamente preservados. — Mas ele parece tão...

— É isso que acontece quando você passa seus anos dourados em um lugar onde não há oxigênio nem bactérias, como os pântanos de nossas charnecas. Lá embaixo é uma fonte de juventude permanente, desde que você já esteja morto, é claro.

— Foi lá que o encontrou, na charneca?

Ele riu.

— Eu, não! Cortadores de turfa o encontraram perto do *cairn*, o grande marco de pedras lá na charneca, nos anos 1970. Ele tinha o aspecto tão fresco que acharam que talvez houvesse um assassino à solta em Cairnholm, até que os policiais viram o arco da Idade da Pedra em sua mão e o laço de corda de cabelo humano em torno de seu pescoço. Não se fazem mais coisas assim.

— Então ele foi... um sacrifício humano?

— Exatamente isso. Uma combinação de estrangulamento, afogamento, estripação e um golpe na cabeça. Um tanto exagerado, não?

— Acho que sim.

Martin soltou uma gargalhada.

— Ele acha que sim!

— Está bem, é mesmo exagero.

— Claro que é. Mas a coisa mais fascinante, pelo menos para nós, homens modernos, é que ele encarou sua morte de boa vontade, até com avidez. Seu povo acreditava que as charnecas pantanosas, e nossas charnecas em particular, eram entradas para o mundo dos deuses e por isso o lugar perfeito para oferecer seu presente mais precioso. Eles mesmos.

— Isso é loucura — disse eu.

— Acredito que sim. Apesar de achar que estamos nos matando agora de tantas maneiras, que tudo vai parecer loucura também para as pessoas no futuro. E, em relação a portas para o outro mundo, a charneca não é uma escolha ruim. Não é exatamente água nem exatamente terra; é um lugar intermediário. — Ele se debruçou sobre o mostruário estudando a figura lá dentro. — Não é bonito?

Olhei para o corpo novamente, estrangulado, dilacerado e afogado e, de algum modo, transformado em algo imortal no processo.

— Eu não acho — respondi.

Martin ergueu-se e começou a falar em tom grandiloquente:

— Venha e contemple o homem alcatrão! Negro, ele repousa, o rosto suave da cor da fuligem, os membros como veios de carvão, pés que são tocos de árvores ornados com uvas esmagadas! — Ele estendeu os braços abertos como um ator de teatro canastrão e começou a andar em volta do mostruário. — Venha e testemunhe a arte cruel dos ferimentos dele! Linhas decorativas e sinuosas desenhadas à faca; cérebro e ossos expostos por ferimentos de pedras; a corda ainda escavando seu pescoço. Primeiro fruto cortado e descartado... buscador do Paraíso... um velho preso na juventude... chego a amar você!

Ele fez uma reverência teatral e eu aplaudi.

— Uau! — disse eu. — Você escreveu isso?

— Você me pegou! — respondeu ele, com um sorriso tímido. — Brinco com um ou outro verso de vez em quando, mas é só um passatempo. De qualquer modo, obrigado pela gentileza.

Eu me perguntava o que aquele homem estranho e bem-educado estaria fazendo em Cairnholm, com suas calças de pregas e seus poemas amadores, parecendo mais um gerente de banco do que alguém que vivia em uma ilha desoladora com apenas um telefone e sem ruas asfaltadas.

— Agora eu adoraria lhe mostrar o resto da minha coleção — disse ele, acompanhando-me até a porta —, mas infelizmente é hora de fechar. Se quiser voltar de manhã...

— Na verdade, eu tinha esperança de que você pudesse me ajudar — eu falei, detendo-o antes que ele me enxotasse. — É sobre a casa que mencionei esta manhã. Eu fui vê-la.

— Ora — exclamou ele. — Achei que tinha assustado você. Como anda nossa mansão assombrada atualmente? Ainda de pé?

Assegurei-lhe que sim, depois fui direto ao ponto.

— As pessoas que moravam lá... Sabe o que aconteceu com elas?

— Todas mortas — respondeu. — Aconteceu há muito tempo.

Eu estava surpreso — embora provavelmente não devesse estar. A srta. Peregrine era velha. Pessoas velhas morrem. Mas aquilo não significava que minha busca tivesse acabado.

— Estou à procura de alguém que possa ter vivido lá quando criança também, não só a diretora.

— Todos mortos — repetiu ele. — Ninguém vive lá desde a guerra.

Precisei de um momento para processar isso.

— O que quer dizer? Que guerra?

— Quando falamos em "guerra" por aqui, garoto, só podemos estar falando de uma delas, a segunda. Se não me engano, eles foram atingidos por um ataque aéreo alemão.

— Não — disse eu. — Não pode ser verdade.

— Havia uma bateria antiaérea posicionada na extremidade mais distante da ilha, depois da floresta onde fica a casa. Por isso, naqueles dias, Cairnholm era um alvo militar legítimo. Não que de algum modo ser legítimo significasse muito para os alemães, você sabe. Enfim, uma das bombas errou seu alvo e, bem... — Ele sacudiu a cabeça. — Muito azar.

— Não pode ser verdade — insisti, começando a ter dúvidas.

— Por que você não se senta e me deixa preparar um pouco de chá? — disse ele. — Parece um pouco perturbado.

— Só estou me sentindo um pouco desorientado.

Ele me conduziu até uma cadeira em seu escritório e foi preparar uma xícara de chá para mim. Tentei organizar meus pensamentos. *Bombardeada.*

Isso certamente explicava aqueles quartos sem paredes. Mas e a carta da srta. Peregrine, com carimbo de Cairnholm, enviada havia apenas quinze anos? Não fazia nenhum sentido.

Martin voltou e me entregou uma caneca.

— Tem um pouquinho de Penderyn aí dentro — disse ele. — Sabe, receita secreta. Vai fazer você melhorar bem rápido.

Agradeci e tomei um gole, percebendo tarde demais que o ingrediente secreto era uísque fortíssimo. Senti como se fosse napalm descendo pelo meu esôfago.

— É mesmo estimulante — admiti, o rosto ficando vermelho.

Ele franziu o cenho.

— Acho que eu devia chamar seu pai — disse ele.

— Não, não, vou ficar bem. Mas, se há mais alguma coisa que possa me contar sobre o ataque, eu ficaria agradecido.

Martin sentou-se em uma cadeira à minha frente.

— Quando você me perguntou aquilo, fiquei curioso... Você diz que seu avô viveu aqui. Ele nunca mencionou isso?

— Também fiquei intrigado com essa história — respondi. — Acho que deve ter sido depois da época dele. Isso aconteceu no início ou no fim da guerra?

— Tenho vergonha de admitir que também não sei. Mas, se estiver muito interessado, posso apresentá-lo a alguém que sabe: meu tio Oggie. Ele tem 83 anos e morou aqui a vida inteira. Ainda está totalmente lúcido. — Martin olhou de relance para seu relógio. — Se conseguirmos pegá-lo antes que comece *Father Ted*, seu programa de TV favorito, tenho certeza de que ele vai adorar contar a você tudo o que queira saber.

***

Dez minutos mais tarde, Martin e eu nos acomodamos num sofá entre pilhas de roupas e de revistas na sala de Oggie, que tinha montes de livros, caixas de sapatos velhas e lâmpadas suficientes para iluminar as Cavernas de Carlsbad — todas, à exceção de uma, queimadas. Viver em uma ilha remota, eu começava a me dar conta, transformava as pessoas em catadores de lixo. Oggie sentou-se de frente para nós, usando um *blazer* puído com calças de pijama, como se esperasse companhia, mas uma companhia que não merecia vê-lo com calças, e, enquanto falava, balançava-se sem parar em uma poltrona estofada coberta por um plástico. Ele parecia feliz só por ter uma plateia, e, depois de falar bastante sobre o clima e a política do País de Gales e da situação lamentável da juventude de hoje, Martin finalmente conseguiu conduzi-lo ao ataque e às crianças do orfanato.

— Claro que me lembro deles. Um grupo bem estranho de pessoas. Nós os víamos na cidade de vez em quando, as crianças e, às vezes, a mulher que cuidava delas, comprando leite, remédios e outras coisas. Você dizia bom-dia e eles desviavam o olhar. Eram muito retraídos, eram sim, os daquela casa grande. E, embora ninguém soubesse ao certo, havia muitos comentários sobre o que acontecia por lá.

— Que tipo de comentários? — provoquei.

— Um monte de bobagem. Como eu disse, ninguém sabia. Só posso dizer que não era o tipo habitual de crianças órfãs, não como as do Orfanato Barnardo, que você vê quando aparecem na cidade para desfiles e coisas assim, e sempre têm tempo para conversar. Não, essa turma era diferente. Alguns não sabiam nem falar inglês direito. Ou, para ser bem honesto, não falavam inglês de maneira nenhuma.

— Porque na verdade não eram órfãos — disse eu. — Eram refugiados de outros países. Polônia, Áustria, Tchecoslováquia...

— Agora é isso o que eles eram? — disse Oggie, erguendo uma sobrancelha para mim. — Engraçado, nunca tinha ouvido isso. — Ele pareceu ofendido, como se eu o houvesse insultado fingindo saber mais sobre sua ilha do que ele. O balanço da poltrona se acelerou, ficando mais agressivo. Se fosse esse o tipo de recepção que meu avô e as outras crianças tinham recebido em Cairnholm, pensei, não era surpresa que tivessem se mantido reservados.

Martin pigarreou.

— E então, como foi o bombardeio?

— Ah, calma, calma. Sim, sim, os malditos alemães, quem poderia esquecê-los?

Ele mergulhou em uma longa descrição de como era a vida na ilha sob a ameaça de ataques aéreos alemães: o grito das sirenes; as pessoas correndo de repente em busca de abrigo; o fiscal de ataques aéreos que ia de casa em casa à noite para garantir que as venezianas estivessem fechadas e as luzes das ruas, apagadas, e assim eliminar alvos fáceis para os pilotos. Isso se tornou rotina — a sirene, a correria, as pessoas encolhidas em casas escuras —, mas, após meses de aviões passando por ali rumo a alvos no continente, os moradores da ilha começaram a achar que estavam imunes. E então foram atingidos.

— O barulho das bombas era terrível — disse Oggie. — Era como se gigantes andassem pela ilha, e parecia não terminar nunca. Eles nos arrasaram, apesar de ninguém na cidade ter sido morto, graças a Deus. Não posso dizer o mesmo dos rapazes nos canhões, apesar de eles terem feito tudo o que podiam, nem das pobres almas do orfanato. Uma única bomba foi o bastante. Deram suas vidas pela Grã-Bretanha, todos eles. De onde quer que fossem, que Deus os abençoe por isso.

— O senhor se lembra de quando aconteceu? — perguntei. — No início da guerra ou no fim?

— Posso lhe dizer o dia exato. Foi em 3 de setembro de 1940.

O ar pareceu escapar da sala. Eu me lembrei do rosto pálido de meu avô, seus lábios mal se movendo, murmurando exatamente essas palavras. *Três de setembro de 1940.*

— O senhor tem certeza disso? — gaguejei. — Que foi *nesse dia*?

— Eu não cheguei a lutar — disse ele. — Novo demais; fiquei por um ano. Aquela noite foi toda a minha guerra. Por isso, sim, tenho certeza.

Eu me senti paralisado, como se estivesse longe dali. Era estranho demais. Será que alguém estava brincando comigo? Uma piada esquisita e sem graça?

— E não houve nenhum sobrevivente? — Martin perguntou.

O velho pensou por um instante, o olhar fixo no teto. Depois, assentiu com a cabeça.

— Agora que você falou nisso, eu acho que houve. Só um. Um rapaz, não muito mais velho do que você. — Ele parou de se balançar enquanto se recordava daquilo. — Chegou andando à cidade na manhã seguinte, sem nem um arranhão. Não parecia nem um pouco perturbado, considerando que tinha acabado de ver todos os seus amigos terem um destino que não mereciam. Foi uma coisa muito estranha.

— Provavelmente estava em choque.

— Não seria surpresa nenhuma — retrucou Oggie. — Ele só abriu a boca para perguntar a meu pai quando saía o próximo barco para o continente. Disse que queria ir direto se alistar e matar os malditos monstros que tinham aniquilado seu povo.

A história de Oggie era tão maluca quanto as que vovô Portman costumava contar, e mesmo assim não havia razão para duvidar dele.

— Eu o conhecia — disse eu por fim. O homem olhou para mim. — Era meu avô.

— Benza Deus! — disse Oggie.

Eu me desculpei e me levantei. Martin, percebendo meu mal-estar, se ofereceu para me acompanhar até o *pub*, mas recusei. Precisava ficar sozinho com meus pensamentos.

— Então venha me ver assim que puder — disse ele, e prometi que iria.

Peguei o caminho mais longo de volta, o que passava pelas luzes tremeluzentes da baía e seu ar salgado e pesado com a fumaça das chaminés de uma centena de lareiras. Caminhei até a extremidade de um cais e observei a lua se erguer acima da água, imaginando meu avô naquela manhã terrível, parado exatamente onde eu estava, paralisado pelo choque, à espera de um barco que o levasse para longe de todas as mortes que presenciara, rumo à guerra e mais morte. Porque não havia como escapar dos monstros, nem mesmo nessa ilha, que no mapa não era maior que um grão de areia, protegida por montanhas enevoadas, rochas escarpadas e marés violentas. Em lugar nenhum. Essa era a terrível verdade da qual meu avô tentara me proteger.

Então ouvi, a distância, os geradores engasgarem e pararem de funcionar. De repente, todas as luzes à margem da baía e nas janelas das casas atrás de mim brilharam com mais força antes de se apagarem, como supernovas em miniatura.

***

Caminhei de volta sob a luz do luar. Encontrei meu pai no *pub*, na mesma mesa, com um prato de carne com molho pela metade congelando--se em gordura à sua frente.

— Olhe quem está de volta — disse ele, enquanto eu sentava. — Guardei o jantar pra você.

— Estou sem fome — disse eu, e contei o que tinha descoberto sobre vovô Portman.

Ele pareceu mais nervoso do que surpreso.

— Não acredito que ele nunca tenha mencionado isso — disse meu pai. — Nem uma vez.

Podia entender a raiva dele. Uma coisa era um avô omitir algo assim de um neto, outra bem diferente era um pai escondê-la do filho, e por tanto tempo.

Tentei conduzir as coisas em uma direção mais positiva para meu avô.

— É incrível, não é? Todas as coisas por que ele passou...

Meu pai assentiu.

— Acho que nunca vamos saber toda a verdade sobre isso.

— Vovô Portman sabia mesmo guardar um segredo, não é?

— Você deve estar brincando. O homem parecia guardar suas emoções numa caixa-forte!

— Eu me pergunto, porém, se isso não explica muita coisa — arrisquei. — Por que agia de modo tão distante quando você era pequeno... — Meu pai me lançou um olhar sério e eu soube que tinha pouco tempo para explicar o que queria dizer, ou corria o risco de ultrapassar meus limites. — Ele já havia perdido a família duas vezes — disse eu. — Uma vez na Polônia, e a outra, aqui, sua família adotiva. Então, quando você e tia Susie chegaram...

— Uma vez bombardeado, duas vezes mais reservado?

— Estou falando sério. Não acha que isso pode significar que, no fim das contas, ele não estava traindo a vovó?

— Não sei, Jake. Acho que não acredito que as coisas sejam assim tão simples. — Ele deu um suspiro e seu hálito embaçou o interior do copo de cerveja. — Só sei o que tudo isso realmente explica: por que você e o vovô eram tão chegados.

— Como assim?

— Demorou cinquenta anos para ele superar seu medo de ter uma família. Você chegou na hora certa.

Eu não soube o que responder. Como dizer para o próprio pai: *Sinto muito por seu pai não tê-lo amado o suficiente?* Resolvi dizer apenas boa-noite e fui para a cama.

***

Passei quase a noite inteira me revirando na cama. Não conseguia parar de pensar nas cartas, naquela que meu pai e minha tia Susie encontraram quando eram crianças, dessa "outra mulher", e na outra, que eu tinha encontrado um mês atrás, enviada por uma tal de srta. Peregrine. A ideia que não me deixava dormir era esta: *e se elas fossem a mesma mulher?*

O carimbo postal da carta da srta. Peregrine tinha quinze anos, mas tudo o que eu descobrira indicava que ela tinha sido pulverizada na estratosfera em 1940. Na minha cabeça, isso deixava duas explicações possíveis para a carta que eu encontrara: ou meu avô tinha se correspondido com uma pessoa morta — o que parecia bastante improvável — ou a pessoa que escrevera a carta não era, na verdade, a srta. Peregrine, mas alguém que usava a identidade dela para esconder a própria.

Por que você disfarçaria sua identidade em uma carta? Porque tem algo a esconder. Porque você é a outra.

E se a única coisa que eu descobriria sobre meu avô nessa viagem fosse o fato de ele ter sido um adúltero mentiroso? Será que em seu último suspiro ele havia tentado me contar sobre a morte de sua família adotiva, ou admitir um simples caso extraconjugal que durara décadas? Talvez as duas coisas, e a verdade era que, quando jovem, ele e sua família se separaram tantas vezes que ele não sabia mais como manter uma, ou lhe ser fiel.

Mas eram apenas suposições. Eu não sabia a verdade, e não havia ninguém a quem perguntar. Qualquer um que pudesse ter a resposta estava morto havia muito tempo. Em menos de 24 horas toda a viagem perdeu o sentido.

Caí em um sono agitado. Então, ao amanhecer, despertei com o barulho de alguma coisa em meu quarto. Quando rolei para ver o que era, levantei-me rapidamente da cama. Havia uma ave enorme pousada na cômoda, encarando-me. Tinha uma cabeça reluzente, coberta de penas cinza, e garras que faziam barulho sobre o tampo de madeira da cômoda enquanto ela andava de um lado para o outro na beirada, como se quisesse me ver melhor. Eu a encarei com um olhar duro em resposta, perguntando-me se aquilo podia ser um sonho.

Chamei meu pai e, ao som de minha voz, a ave se lançou da cômoda. Joguei meu braço sobre o rosto, rolei para o lado, e, quando olhei outra vez, ela tinha desaparecido pela minha janela aberta.

Meu pai entrou cambaleante, os olhos embaçados.

— O que está acontecendo?

Mostrei a ele as marcas de garras na cômoda e uma pena que aterrissara no chão.

— Meu Deus, que estranho — disse ele, examinando-a na mão. — Peregrinos raramente chegam tão perto de humanos.

Achei que talvez não tivesse ouvido bem o que ele dissera.

— Você disse *peregrinos*?

Ele levantou a pena.

— Um falcão-peregrino — disse ele. — São criaturas maravilhosas... as aves mais velozes da Terra. São criaturas que mudam de forma, tornando o corpo aerodinâmico no ar.

O nome era apenas uma coincidência esquisita, claro, mas me deixou com uma sensação estranha e misteriosa, da qual não conseguia me livrar, como se algo muito bizarro estivesse acontecendo.

Durante o café da manhã, comecei a me perguntar se não tinha desistido com muita facilidade. Embora fosse verdade que não havia ninguém vivo com quem eu pudesse conversar sobre meu avô, ainda havia a casa, e grande parte dela estava inexplorada. Eu poderia passar semanas examinando todo o lixo que havia lá. Se as respostas sobre meu avô, um dia, tivessem estado ali, na forma de mais cartas, talvez, ou de um álbum de retratos, ou ainda um diário, elas provavelmente tinham se queimado ou apodrecido décadas atrás. Provavelmente. Mas, se eu deixasse a ilha sem ter certeza, nunca iria me perdoar.

E foi assim que alguém extremamente suscetível a pesadelos, terrores noturnos, arrepios, ataques de pânico e a ver coisas que na verdade não estão ali se convenceu a fazer uma última excursão à casa abandonada onde uma dúzia ou mais de crianças tinham encontrado seu derradeiro fim.

CAPÍTULO CINCO

Era uma manhã quase perfeita. Deixar o *pub* foi como entrar em uma dessas fotos retocadas demais que vêm como papel de parede em computadores novos: ruas com casinhas campestres artisticamente decrépitas estendendo-se ao longe, que cediam espaço para campos verdes costurados por meandros de muros de pedras, toda a cena encimada por nuvens brancas em rápido movimento. Mas, além disso tudo, acima das casas, de plantações e ovelhas trêmulas como algodão-doce ao vento, eu podia ver a distância línguas de neblina densa descendo as colinas, lugar onde este mundo terminava e o próximo começava, frio, úmido e sem sol.

Estava caminhando no alto das colinas quando começou a chover. Como era de esperar, eu tinha esquecido as botas de borracha, e a trilha era uma faixa de lama que se aprofundava rapidamente. Mas ficar um pouco molhado parecia absurdamente preferível a subir aquele morro duas vezes na mesma manhã, por isso baixei a cabeça contra a chuva que caía e segui em frente com dificuldade. Logo passei pelo barracão, com silhuetas indistintas de carneiros encolhidos lá dentro para se proteger do frio, e depois pela charneca envolta em névoa, silenciosa e fantasmagórica. Pensei no morador de 2.700 anos do Museu de Cairnholm e me perguntei quantos outros como ele estes campos guardavam, ocultos, presos em sua morte; quantos mais tinham desistido de suas vidas ali, à procura do paraíso.

Quando cheguei ao orfanato, o que tinha começado como uma chuvinha havia se transformado em temporal, o céu derramando uma torrente que chegava a doer. Não havia tempo para vadiar pelo quintal selvagem e refletir sobre sua aparência maléfica — o modo como as soleiras sem portas pareceram me engolir quando entrei, as tábuas do piso do vestíbulo marcadas pela chuva, macias e roucas sob meus pés. Parei, torci a camisa e sacudi a cabeça para secar os cabelos. Quando estavam tão secos quanto fosse possível — o que não era muito —, comecei a procurar. O quê, eu não tinha certeza. Uma caixa de cartas? O nome de meu avô rabiscado em uma parede? Tudo parecia muito improvável.

Caminhei por ali levantando tapetes de jornais velhos, espiando embaixo de mesas e cadeiras, e imaginava que iria encontrar alguma cena horrível — um emaranhado de esqueletos vestidos em trapos enegrecidos pelo fogo —, mas tudo o que encontrei foram aposentos que estavam mais para exterior do que o interior da casa, sua personalidade eliminada pela umidade, pelo vento e pelas camadas de terra. O andar térreo era um caso perdido. Voltei para a escadaria, sabendo que dessa vez eu teria de usá-la. A única questão era: para cima ou para baixo? Um ponto contra subir eram suas opções limitadas para uma fuga rápida — de invasores ou fantasmas, ou o que quer que minha mente ansiosa pudesse inventar —, além de me atirar de uma janela do andar de cima. Lá embaixo havia o mesmo problema, com o agravante de ser escuro, e eu não tinha uma lanterna. Por isso subi.

Os degraus protestaram contra meu peso com uma sinfonia de rangidos e estalos, mas eles se mantiveram firmes, e o que descobri lá em cima — pelo menos em comparação com o térreo bombardeado — era como uma cápsula do tempo. Dispostos ao longo de um corredor com papel de parede listrado descascando, os quartos estavam em um estado surpreendentemente bom. Apesar de um ou dois terem sido tomados por bolor onde uma janela quebrada deixara entrar a chuva, o restante estava cheio de coisas que pareciam a apenas uma ou duas camadas de poeira de serem consideradas novas: uma camisa mofada jogada descuidadamente sobre as costas de uma cadeira, moedas espalhadas sobre uma mesa de cabeceira — tudo como as crianças haviam deixado, como se o tempo tivesse parado na noite em que eles morreram.

Fui de aposento a aposento, examinando o conteúdo como um arqueólogo. Havia brinquedos de madeira mofando em uma caixa, lápis de cor no parapeito de uma janela, suas cores esmaecidas pela luz de dez mil tardes; uma casa de bonecas com bonecas dentro, condenadas em uma prisão enfeitada. Em uma biblioteca modesta, o avanço da umidade empenara as prateleiras e as transformara em sorrisos estranhos. Passei o dedo pelas lombadas gastas dos livros, como se considerasse pegar um deles para ler. Havia clássicos como *Peter Pan* e *O jardim secreto*, histórias escritas por autores esquecidos pela História, livros didáticos de latim e grego. No canto, havia algumas carteiras agrupadas. Aquela era a sala de aula das crianças, eu me dei conta, e a srta. Peregrine tinha sido professora delas.

Tentei abrir um par de portas pesadas, girando a maçaneta de um lado para o outro, mas elas estavam emperradas, então me afastei, corri e as golpeei com o ombro. Elas se abriram com um rangido rouco e agudo, e eu caí de cara no quarto ao lado. Enquanto me levantava, olhando ao redor, me dei conta de que ele só podia ter pertencido à srta. Peregrine. Parecia um quarto no castelo da Bela Adormecida, com velas cobertas por teias de aranhas em candelabros nas paredes, uma penteadeira com espelho repleta de frascos de cristal e uma gigante cama de carvalho. Imaginei a última vez em que ela estivera ali, saindo de baixo das cobertas no meio da noite ao ouvir o som agudo de uma sirene de ataque aéreo, reunindo as crianças, todas zonzas, e pegando casacos e máscaras de gás enquanto desciam as escadas.

Perguntei a mim mesmo se meu avô tivera medo. *Será que ele ouviu os aviões chegando?*

Comecei a me sentir estranho. Imaginei estar sendo observado; imaginei que as crianças ainda estavam ali, preservadas como o Garoto do Pântano, dentro daquelas paredes. Podia senti-las me espiando através de frestas e buracos na madeira.

Segui até o próximo quarto. Pela janela entrava uma luz fraca. Pétalas de papel de parede azul-clarinho pendiam na direção de duas camas pequenas, ainda arrumadas com lençóis empoeirados. De algum modo eu soube que aquele tinha sido o quarto de meu avô. *Por que ele me mandou para cá? O que queria que eu visse?*

Notei algo embaixo de uma das camas e me ajoelhei para ver. Era uma mala velha.

É sua? Era isso que você levava no trem na última vez em que viu sua mãe e seu pai, quando sua primeira vida chegava ao fim.

Eu a tirei dali, mexendo em suas gastas correias de couro. Ela se abriu facilmente, mas, exceto por uma família de besouros mortos, estava vazia.

Também me senti vazio, e estranhamente pesado, como se o planeta estivesse girando rápido demais, tornando a gravidade mais forte, puxando-me para o chão. Subitamente exausto, eu me sentei na cama — *talvez a cama dele* — e, por razões que não sei bem explicar, estiquei-me sobre os lençóis imundos e fiquei olhando para o teto.

Sobre o que pensava deitado aqui à noite? Também tinha pesadelos?

Comecei a chorar.

Quando seus pais morreram, você soube? Você os sentiu partir?

Chorei com mais força. Eu não queria, mas não consegui evitar.

Não consegui evitar, por isso pensei em todas as coisas ruins e as alimentei até estar chorando com tanta força que arfava sem fôlego entre soluços. Pensei em como meus bisavós tinham morrido de fome. Pensei em seus corpos enfraquecidos jogados em incineradores porque pessoas que eles não conheciam os odiavam. Pensei em como as crianças que viviam naquela casa tinham sido queimadas e mandadas para o ar em pedaços porque um piloto que não dava a mínima importância tinha apertado um botão. Pensei sobre como a família de meu avô tinha sido tirada dele e como, por causa disso, meu pai crescera sentindo que não tinha um pai, e agora eu estava com estresse agudo e pesadelos, e sentado sozinho e chorando em uma casa caindo aos pedaços, molhando a camisa com lágrimas quentes e estúpidas. Tudo por causa de uma ferida de setenta anos que, de alguma forma, tinha sido transmitida para mim como uma herança venenosa, e de monstros que eu não podia enfrentar porque já estavam todos mortos, impossíveis de matar ou castigar — estavam além de qualquer tipo de ajuste de contas. Pelo menos meu avô tinha sido capaz de se alistar no exército e combatê-los. O que eu podia fazer?

Quando parei de chorar, minha cabeça latejava. Fechei os olhos e os apertei com os nós dos dedos para que parassem de doer, nem que por apenas um instante, e quando finalmente liberei a pressão e tornei a abri-los uma mudança aparentemente milagrosa ocorrera no quarto: havia um raio de sol solitário brilhando através da janela. Eu me levantei e fui até o vidro rachado, constatando que lá fora chovia e fazia sol ao mesmo tempo, uma pequena bizarrice meteorológica que ninguém parece concordar qual a melhor forma de denominá-la. Minha mãe, não estou brincando, chama isso de "lágrimas de órfãos". Então eu me lembrei de que Ricky dizia que aquilo era "o diabo batendo na mulher" e comecei a rir, sentindo-me um pouco melhor.

Na faixa de sol que rapidamente se esvaía e atravessava o quarto, percebi algo que não havia notado antes. Era um baú, ou pelo menos a ponta de um, que se projetava de sob a segunda cama. Fui até lá e me ajoelhei à sua frente, depois puxei a coberta da cama que escondia a maior parte dele.

Era um baú grande, fechado com um cadeado gigante e enferrujado. Ele não podia de jeito nenhum estar vazio. Não se tranca um baú vazio. *Abra-me!*, parecia gritar, enfeitiçando-me. *Estou cheio de segredos!*

Eu o agarrei pelas laterais e o puxei. Ele não se mexeu. Puxei outra vez, com mais força, mas ele não cedeu nem um centímetro. Não tinha certeza de se era apenas pesado ou se gerações de umidade e poeira acumuladas de algum modo o haviam grudado ao chão. Fiquei de pé e o chutei algumas vezes, o que pareceu lhe dar movimento, então consegui arrastá-lo, puxando um lado de cada vez, como se faz para mover um fogão ou uma geladeira, até que ele saiu todo de baixo da cama, deixando pelo chão uma trilha de marcas em forma de parêntesis. Puxei com força o cadeado, e, apesar da grossa camada de ferrugem, pareceu sólido como rocha. Por um instante pensei em procurar a chave pela casa — ela devia estar lá em algum lugar —, mas eu poderia facilmente perder horas procurando, e o aspecto bem deteriorado do cadeado me fez achar que a chave nem funcionaria. Minha única opção era arrombá-lo.

Procurei ao redor por algo que pudesse fazer o serviço e encontrei uma cadeira quebrada em um dos outros quartos. Arranquei uma perna e voltei para arrebentar o cadeado. Ergui a perna acima da cabeça, como um carrasco, e bati várias vezes com toda a minha força até que a própria perna quebrou e fiquei só com um toco cheio de farpas.

Examinei o quarto em busca de algo mais forte e logo vi uma barra de ferro da cama solta. Depois de alguns chutes vigorosos, ela caiu no chão. Enfiei uma ponta no cadeado e puxei a outra para trás. Nada aconteceu.

Eu me pendurei nela com todo o meu peso sobre um dos pés, tirando o outro do chão como se fizesse uma alavanca. O baú rangeu um pouco, e foi só.

Comecei a ficar com raiva. Chutei o baú e puxei a barra de metal com toda a força que me restava. As veias de meu pescoço se incharam enquanto eu gritava *Abre, baú maldito! Abre, baú desgraçado!*, porque finalmente minha frustração e raiva tinham um objeto: e, se eu não tinha conseguido fazer com que meu avô morto revelasse seus segredos, ia arrancar esses mesmos segredos daquele baú velho. Então a barra escorregou e eu caí no chão sem fôlego.

Fiquei ali parado, olhando para o teto enquanto recuperava o ar. As lágrimas dos órfãos tinham cessado e agora era apenas a chuva do lado de fora, mais forte do que nunca. Pensei em voltar à cidade para buscar uma marreta ou uma serra, mas isso só resultaria em perguntas que eu não queria responder.

Foi quando tive uma ideia brilhante. Se pudesse encontrar um modo de quebrar o *baú*, não teria nem de me preocupar com o cadeado. E o que poderia ser mais forte do que eu e meus músculos superiores subdesenvolvidos para lutar com um baú, usando ferramentas improvisadas? *Gravidade*. Eu estava, afinal de contas, no segundo andar da casa. Não achei que conseguiria levantar o baú alto o suficiente para jogá-lo por uma janela, mas a balaustrada no alto da escada, feita para evitar que pessoas caíssem e morressem, havia muito tempo tinha desmoronado. Tudo o que eu precisava fazer era arrastar o baú pelo corredor e empurrá-lo lá para baixo! Se seu conteúdo sobreviveria ao impacto, era outra questão, mas pelo menos eu descobriria o que havia lá dentro, de um jeito ou de outro.

Eu me agachei atrás do baú e comecei a empurrá-lo na direção do corredor. Após alguns centímetros, seus pés de metal penetraram no chão macio e ele empacou. Sem me deter, dei a volta e fui até o outro lado, agarrei o cadeado com as duas mãos e puxei com força, e para minha grande surpresa ele se moveu quase um metro de uma vez. Não era um modo especialmente glamoroso de trabalhar, agachado daquele jeito e com o traseiro para o alto, forçado a repetir o movimento diversas vezes. E cada arrastada no baú era acompanhada de um ruído de metal na madeira capaz de arrebentar os tímpanos, mas em pouco tempo consegui tirá-lo do quarto, centímetro a centímetro, passando de porta em porta, até as escadas. Eu me perdi nos ecos daquele trabalho cadenciado, e logo estava coberto por uma viril camada de suor.

Finalmente cheguei ao topo da escada e, com um gemido final e nada delicado, puxei o baú até lá. Agora ele deslizava com facilidade e com apenas alguns puxões ficou precariamente equilibrado na extremidade ponta do degrau; um último empurrãozinho seria o bastante para mandá-lo lá para baixo. Mas eu queria vê-lo se espatifar — minha recompensa por todo aquele trabalho —, por isso me levantei e me arrastei com cuidado até a beirada, de onde conseguia avistar o chão no espaço sombrio lá embaixo. Prendendo a respiração, dei com o pé um último toquinho no baú.

Ele hesitou por um instante, oscilante à beira de seu fim, mas depois mergulhou com decisão para a frente e caiu, virando seguidamente de ponta-cabeça numa bela coreografia em câmera lenta. Então ouviu-se um barulho tremendo, que ecoou e pareceu fazer a casa inteira estremecer, e uma nuvem de poeira me atingiu vinda lá de baixo. Recuei um pouco no corredor, tossindo enquanto a nuvem se dissipava. Um minuto depois voltei e olhei lá para baixo, onde o baú havia caído, e vi não a pilha de madeira despedaçada que eu esperava com tanto carinho, mas um buraco irregular nas tábuas do piso no formato de um baú. Ele tinha caído direto no porão.

Desci pelas escadas e me deitei de bruços na extremidade do buraco no chão como se me inclinasse para um orifício feito no gelo. Cinco metros abaixo, em meio à poeira e à escuridão difusas, vi o que restara do baú. Ele tinha se espatifado como um ovo gigante, os pedaços todos misturados em meio a uma pilha aleatória de entulho e tábuas quebradas do piso. Espalhados por toda a parte havia o que pareciam ser pedaços de papel. Tinha, finalmente, encontrado uma pilha de cartas!

Apertando os olhos, consegui vislumbrar as imagens inscritas sobre os papéis — rostos e corpos —, e me dei conta de que não eram cartas, mas fotografias. Dezenas delas. Fiquei empolgado, mas logo desanimei, porque um pensamento terrível me ocorreu.

Preciso ir lá embaixo.

***

O porão era um labirinto complexo de ambientes tão escuros que faria pouca diferença se os tivesse explorado com os olhos vendados. Desci um lance barulhento de escadas e parei por um momento quando cheguei ao fim, torcendo para que meus olhos conseguissem se adaptar, mas era o tipo de escuridão à qual não era possível nenhum tipo de adaptação. Eu também esperava me acostumar com o cheiro, porque fedia lá embaixo, um odor estranho, acre, como o interior do armário de produtos químicos de um laboratório escolar, mas não tive essa sorte. Então comecei a andar devagar, arrastando os pés lentamente, a gola da camisa levantada por cima do nariz e as mãos estendidas à frente, e torci para que tudo desse certo.

Tropecei e quase caí. Alguma coisa de vidro saiu rolando e chacoalhando pelo chão invisível. O fedor só parecia piorar.

Comecei a imaginar coisas espreitando na escuridão diante de mim. Nada de monstros e fantasmas — e se tivesse outro buraco no chão? Jamais encontrariam meu corpo.

Mas percebi, numa grande sacada de gênio, que se ligasse uma tela branca de algum menu do celular que eu tinha no bolso, mesmo estando a vinte quilômetros da barrinha de sinal mais próxima, eu teria uma lanterna fraca. Apontei o aparelho para a frente. A luz mal penetrou a escuridão. Então apontei para o chão, onde só vi fragmentos de piso e cocô de rato. Apontei para o lado e vislumbrei um leve reflexo.

Dei um passo na direção do brilho e girei meu telefone ao redor, e do meio da escuridão surgiu uma parede com prateleiras repletas de potes de vidro. Eram de todas as formas e tamanhos, cobertos de poeira e cheios de coisas gelatinosas suspensas num líquido nebuloso. Pensei na cozinha e nos vidros em pedaços de frutas e legumes que havia encontrado lá. Talvez a temperatura fosse mais estável no subsolo e por isso aqueles tinham sobrevivido à explosão.

Aproximei-me ainda mais e olhei com mais atenção, percebendo que não eram frutas e legumes afinal de contas, mas sim órgãos. Cérebros. Corações. Pulmões. Olhos. Todos conservados em alguma espécie de formol caseiro, o que explicava aquele fedor terrível. Dei um grito e me afastei deles indo para o escuro, enojado e intrigado ao mesmo tempo. Que espécie de lugar *era* aquele? Aqueles vidros eram algo que se esperaria encontrar no porão de uma escola de medicina picareta, não numa casa cheia de crianças. Se não fosse pelas coisas maravilhosas que meu avô contara sobre aquele lugar, eu desconfiaria de que a srta. Peregrine acolhia crianças apenas para roubar os órgãos delas.

Eu me recuperei um pouco e ergui os olhos para ver outra luz à minha frente, não um reflexo do meu telefone, mas um fraco tremeluzir de luz do dia. Devia vir do buraco que eu fizera. Avancei, respirando através da gola levantada da camisa e tentando me manter afastado das paredes e das outras surpresas aterrorizantes que podiam me aguardar, até que a luz me conduziu a uma porta e uma saleta com partes do teto desmoronadas.

A luz do dia entrava pelo buraco e caía sobre um monte de tábuas de piso despedaçadas e vidro quebrado do qual se erguiam colunas de densa poeira rosada. Também havia pedaços de carpete rasgado espalhados como se fossem nacos de carne-seca. Por baixo do entulho ouvi o barulho de patinhas correndo, algum roedor adaptado à escuridão que sobrevivera à implosão de seu mundo. No meio daquilo tudo estava o baú destroçado, em posição de destaque acima de lascas de madeira e tábuas cheias de pregos enferrujados. Eu me ajoelhei e comecei a tentar resgatar o que conseguia daquela pilha. Senti como se trabalhasse num resgate, salvando rostos dos destroços, limpando vidro e madeira podre, e, apesar de parte de mim querer sair correndo — não havia como dizer se ou quando o resto do chão podia desmoronar na minha cabeça —, não conseguia parar de olhar para as fotografias.

Numa primeira impressão, pareciam o tipo de retrato que se encontrava em qualquer álbum de família antigo: havia fotos de gente dando cambalhotas na praia e sorrindo na varanda diante do quintal, paisagens da ilha e muitas crianças, posando sozinhas e em duplas, retratos formais e informais tirados diante de painéis colocados ao fundo, os retratados segurando bonecas de olhos inexpressivos, como se estivessem se preparando para fotos glamorosas em algum *shopping center* apavorante da virada do século. Mas o que achei realmente assustador não foram as bonecas zumbis ou os cortes de cabelo estranhos das crianças, ou ainda como pareciam não sorrir nunca: quanto mais examinava as fotos, mais familiares me pareciam. Elas compartilhavam o mesmo ar de pesadelo das velhas fotos de meu avô, especialmente as que ele guardara escondidas no fundo de sua caixa de charutos, como se de algum modo todas viessem do mesmo lote.

Havia, por exemplo, uma foto de duas moças posando em frente a um fundo mal pintado de uma paisagem oceânica. Nada de muito estranho em especial. O que incomodava era *como* estavam posando. As duas estavam de costas para a câmera. Por que você se daria ao trabalho de tirar um retrato — naquela época as fotografias eram uma coisa cara — para na hora virar as costas para a câmera? Estava quase certo de acabar achando naqueles destroços outra foto das duas garotas, agora de frente, revelando esqueletos sorridentes no lugar de rostos.

Outras fotos pareciam manipuladas de um jeito bem similar a algumas de meu avô. Em uma delas, uma garota sozinha num cemitério olhava para um lago e via-se o reflexo de *duas* garotas. Ela me lembrava a foto do vovô Portman da garota "presa" numa garrafa, mas, qualquer que fosse a técnica de laboratório que tivesse sido usada, o resultado era muito tosco. Havia outra de um rapaz perturbadoramente calmo cuja parte superior do tronco parecia coberta por um enxame de abelhas. Aquilo seria bem fácil de forjar, não? Como aquela foto de meu avô do garoto erguendo uma rocha. Pedras falsas, abelhas falsas.

Apesar dessa conclusão, os pelos da minha nuca começaram a se arrepiar quando me lembrei de algo que vovô Portman dissera sobre um menino que morava com ele ali na mesma época, um menino que tinha abelhas e vespas vivendo dentro dele. Vovô dizia que *algumas saíam voando quando ele abria a boca, mas nunca picavam, a menos que ele quisesse.*

Eu só podia pensar em uma explicação. As fotos de meu avô tinham vindo daquele mesmo baú que jazia espatifado à minha frente. Mas eu não tinha certeza, até que encontrei uma foto de dois garotos esquisitos fantasiados, com colarinhos desmanchados, que pareciam alimentar um ao outro com uma espiral de fita. Eu não sabia exatamente o que eles eram, além de combustível para pesadelos bizarros. O que poderiam ser? Dançarinos sadomasoquistas? Mas não havia dúvida de que vovô Portman tinha um retrato daqueles dois garotos. Eu o vira em sua caixa de charutos menos de dois meses atrás.

Não podia ser coincidência, o que significava que as fotos que meu avô havia me mostrado — que ele jurava serem de crianças que conhecera naquela casa — *tinham mesmo vindo dali.* Mas será que isso queria dizer que, apesar das desconfianças que eu tinha, mesmo com oito anos de idade, as fotos eram autênticas? E as histórias fantásticas que as acompanhavam? Qualquer uma delas ser verdadeira, *literalmente* verdadeira, era algo que parecia impossível. Mesmo assim, parado ali, na penumbra empoeirada do porão daquela casa morta que parecia tão cheia de fantasmas, *quem sabe...*

De repente houve um estrondo de algum lugar na casa em cima de mim, e me assustei tanto que todas as fotografias caíram da minha mão.

É só a casa assentando, disse para mim mesmo — *ou desabando*! Mas, quando me abaixei para recolher as fotos, o estrondo veio novamente e, em um instante, a luz que brilhava fracamente pelo buraco no chão desapareceu, e me peguei engatinhando no breu.

Ouvi passos acima de mim, depois vozes, e me esforcei para reconhecer uma delas. Não ousei me mexer, com medo de que o menor dos movimentos deflagrasse uma avalanche barulhenta de destroços em toda a minha volta. Sabia que meu medo era irracional; provavelmente eram apenas aqueles estúpidos garotos *rappers* tentando me pregar outra peça, mas meu coração batia a uns cem quilômetros por hora, e algum instinto animal profundo me mandou ficar em silêncio. Então esperei.

Congelado numa estranha posição acocorada, minhas pernas começaram a ficar dormentes. No maior silêncio possível, passei a mudar meu peso de um pé para o outro, tentando fazer o sangue voltar a circular. Um pequeno pedaço de alguma coisa se soltou e desceu rolando a pilha, fazendo um barulho que parecia enorme no silêncio. As vozes se reduziram a sussurros. Uma tábua do piso rangeu bem acima de mim e uma pequena chuva de gesso caiu em minha cabeça. Quem quer que estivesse lá em cima sabia exatamente onde eu estava.

Prendi a respiração.

Então ouvi uma voz de menina dizer baixinho:

— Abe? É você?

Achei que estivesse sonhando. Queria responder, mas estava tão completamente paralisado que parecia preso. Esperei que a garota falasse outra vez, mas por um longo instante se ouvia apenas o som da chuva caindo sobre o telhado, como milhares de dedos tamborilando em algum lugar ao longe. Então uma lanterna surgiu reluzente lá em cima, e estiquei o pescoço para ver meia dúzia de garotos ajoelhados em volta das mandíbulas recortadas na superfície em ruínas, olhando para baixo.

De algum modo, eu os reconheci, mas não sabia de onde eram, como se fossem rostos de um sonho de que não nos lembramos direito. Onde será que eu os vira antes? E como eles sabiam o nome do meu avô?

Então eu entendi. As roupas deles eram estranhas mesmo para o País de Gales. Tinham rostos sérios e pálidos. Os retratos espalhados no chão ao meu redor olhavam para mim do mesmo modo que os garotos lá em cima. De repente, compreendi.

Eu os vira nas fotografias.

Abri a boca para falar, mas, antes que pudesse dizer qualquer coisa, um deles, a menina, se levantou para me ver melhor. Ela trazia nas mãos uma luz tremeluzente, que não era uma lanterna ou uma vela, parecendo mais uma bola de puro fogo, protegida por nada além da pele. Eu havia visto seu retrato cinco minutos antes, e ela tinha mais ou menos a mesma aparência que agora; tinha até a mesma luz estranha aninhada entre as mãos.

Sou Jacob, quis dizer. *Estive procurando por você*. Mas fiquei de boca aberta e tudo o que pude fazer foi encará-la.

A expressão da garota tornou-se aborrecida. Meu aspecto era horrível, molhado de chuva e coberto de poeira, agachado sobre um monte de destroços como o último sobrevivente de algum cataclismo. O que quer que ela e os outros garotos estivessem esperando encontrar dentro daquele buraco no chão, não era aquilo.

Um murmúrio circulou entre eles, que se levantaram e foram embora. O movimento repentino destravou alguma coisa em mim, e reencontrei minha voz, gritando para que esperassem, mas eles já pisoteavam as tábuas do assoalho na direção da porta. Saí correndo por cima dos destroços, tropeçando às cegas pela escuridão do porão até a escada, mas quando cheguei lá em cima, onde a luz do dia, desaparecida, de algum modo havia voltado, eles tinham sumido da casa.

Saí de lá e desci correndo os degraus arruinados até o gramado, aos gritos de *Esperem!* e *Parem!*, mas eles haviam desaparecido. Ofegante, examinei o quintal e a floresta enquanto praguejava.

De repente, ouvi um estalo vindo do meio das árvores. Caminhei naquela direção para espiar, e através de uma tela de galhos vislumbrei um movimento indefinido, a barra de um vestido branco. Era ela. Entrei correndo na floresta, atrás dela, que se virou, olhou para mim e depois saiu correndo pela trilha.

Eu saltava por cima de troncos caídos e me abaixava para passar sob galhos em uma velocidade assustadora, perseguindo-a até que minhas pernas começaram a queimar. Ela continuava tentando me despistar, trocando sem parar a trilha pelo meio da floresta, onde não havia caminho. Finalmente a mata terminou e saímos na charneca aberta. Vi ali minha

chance. Agora não havia mais lugar onde ela pudesse se esconder. Para alcançá-la, eu só precisava aumentar a velocidade, e, como eu estava de tênis e *jeans*, e ela de vestido, não seria páreo para mim. Mas, quando eu começava a me aproximar, ela mudou de direção de repente e entrou no terreno pantanoso. Não tive alternativa exceto segui-la.

Correr ficou impossível. Não dava para confiar no solo. Ele me faltava a toda hora, e eu me via afundando até o joelho na lama mole e profunda da charneca, que encharcava minhas calças e sugava minhas pernas de modo obsceno. A menina, entretanto, parecia saber exatamente onde pisar, e foi se afastando de mim até desaparecer em meio à neblina, deixando apenas suas pegadas como rastro.

Depois que ela me despistou, achei que as pegadas me levariam de volta à trilha, mas elas apenas se embrenhavam cada vez mais na charneca. Quando o nevoeiro se fechou às minhas costas e eu não conseguia mais ver a trilha, comecei a me perguntar se eu seria capaz de encontrar a saída. Tentei chamá-la:

— *Meu nome é Jacob Portman! Sou neto de Abe! Não vou machucar você!* — Mas a neblina e a lama pareciam engolir minha voz.

Então surgiu uma pilha de pedras à minha frente. Parecia um grande iglu cinza, mas na verdade era um *cairn*, uma das tumbas neolíticas que deram nome a Cairnholm, que se erguia da lama sobre um pequeno tufo de grama. As pegadas da garota conduziam diretamente até lá.

O *cairn* era um pouco mais alto que eu, longo e estreito, com uma abertura retangular em um dos lados, como uma porta. Subindo do lamaçal para a superfície relativamente sólida que o cercava, percebi que era na verdade a entrada para um túnel que passava pelo interior do *cairn*. Havia linhas entrelaçadas e espirais gravadas nas paredes, hieróglifos antigos cujo significado tinha se perdido no tempo. *Aqui jaz o Garoto do Pântano*, pensei. Ou, mais provavelmente: *Vós, que entrais aqui, deixai toda a esperança...*

Mas entrei, porque era para lá que seguiam as pegadas da garota. Dentro, o túnel do *cairn* era úmido, estreito e profundamente escuro, e tão apertado que eu só conseguia me mover para a frente em uma espécie de passo de caranguejo dado por um corcunda. Fiquei grato, de repente, pelo fato de espaços apertados não serem uma das muitas coisas que me apavoravam.

Imaginando a menina assustada e trêmula em algum lugar adiante, conversava com ela à medida que avançava, fazendo o possível para lhe assegurar de que eu não queria fazer nenhum mal. Minhas palavras voltavam fortes até mim em um eco desorientador. E, justo quando minhas coxas começavam a latejar devido à postura bizarra que eu tinha sido forçado a adotar, o túnel se abriu em uma câmara, escura como breu, mas grande o bastante para que eu conseguisse ficar de pé e esticar os braços para os dois lados sem tocar em uma parede.

Peguei meu celular e mais uma vez o usei como lanterna. Não precisei de muito tempo para avaliar o local. Era uma câmara pequena e simples, de paredes de pedra, mais ou menos do tamanho do meu quarto, e estava completamente vazia. Não havia nenhuma garota ali para ser achada.

Estava ali parado tentando descobrir como ela tinha conseguido escapar quando pensei em uma coisa, algo tão óbvio que me senti um idiota por ter demorado tanto para perceber aquilo. Nunca *houve* nenhuma garota. Eu a imaginara, e o resto deles também. Meu cérebro os havia invocado no momento exato em que eu olhava para as fotografias. E a escuridão repentina e inexplicável que precedera sua chegada? Será que eu tinha apagado?

De qualquer modo, era impossível. Aqueles garotos tinham morrido havia muitos anos. Mesmo que não tivessem, era ridículo acreditar que ainda teriam o mesmo aspecto de quando as fotos foram tiradas. Mas tudo aconteceu tão rapidamente que não tive tempo de parar e me perguntar se eu podia estar perseguindo uma alucinação.

Ri, porque já podia prever a explicação do dr. Golan: *Aquela casa é um local tão carregado de emoções para você que só o fato de entrar lá desencadeou uma reação de estresse*. É, ele era um babaca com todo aquele papo psicológico. O que não significa que estivesse errado.

Eu me virei para voltar, humilhado. Em vez de andar como um caranguejo, abandonei o que restava da minha dignidade e fui engatinhando, sobre as mãos e os joelhos, na direção da luz difusa que vinha da entrada do túnel. Quando ergui os olhos, percebi que já vira aquela imagem antes: no museu de Martin, em uma fotografia do lugar onde tinham descoberto o Garoto do Pântano. Era desconcertante pensar que em certa época as pessoas acreditavam que aquele descampado fedorento fosse um portal

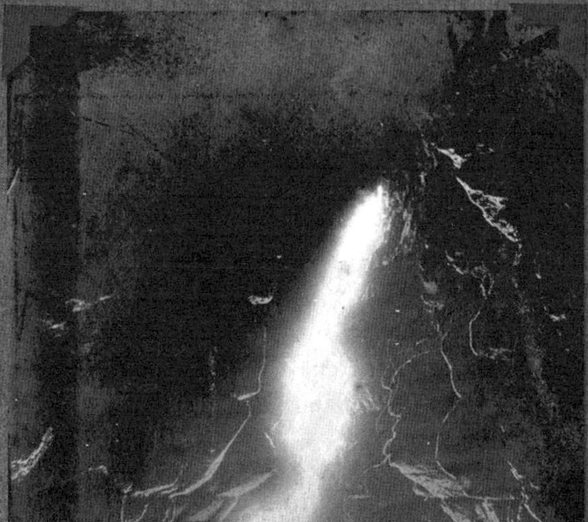

para o paraíso, e acreditavam com tal convicção que um garoto da minha idade estava disposto a abrir mão de sua vida para chegar lá. Que triste e estúpido desperdício.

Decidi então que queria ir para casa. Não me importava com as fotos no porão, e estava cansado de charadas, mistérios e últimas palavras. Ceder à obsessão de meu avô por tudo aquilo só havia piorado meu estado, não melhorado. Era hora de deixar para lá.

Eu me livrei do túnel apertado do *cairn* e saí para o exterior só para ser cegado pela luz. Protegi os olhos e vi por uma fresta entre os dedos um mundo que eu mal reconheci: a mesma charneca, a mesma trilha, tudo era o mesmo de antes, mas pela primeira vez desde a minha chegada eu estava banhado pela luz amarela e estimulante do sol, o céu de um azul glacê, sem qualquer vestígio, em lugar nenhum, da neblina esquisita que passara a definir aquela parte da ilha para mim. Também estava quente, mais para os dias de auge do verão do que para os de seu princípio, com sua brisa fresca. *Como o tempo muda rápido por aqui!*

Caminhei com dificuldade até a trilha, tentando ignorar a sensação da lama da charneca se esfregando contra a pele dentro de minhas meias, e tomei o rumo da cidade. Estranhamente, a trilha em si não tinha nenhuma lama, como se houvesse secado em apenas alguns minutos, mas tinha sido coberta por um bombardeio de montes de bosta de animal maiores que laranjas, de modo que eu não conseguia andar em linha reta por mais que alguns poucos segundos sem ter de desviar de um. Comecei a ficar preocupado: como eu não tinha percebido aquilo antes? Será que tinha passado toda a manhã em uma espécie de névoa psicótica? Será que estava no meio de uma agora?

Não tirei os olhos daquele tabuleiro de xadrez de cocô até chegar ao alto da colina e começar a descer rumo à cidade. Foi nesse momento que descobri de onde vinha toda aquela sujeira. No mesmo lugar da estradinha de cascalho onde pela manhã passava um batalhão de tratores arrastando carros cheios de peixe e placas de turfa para cima e para baixo da baía, agora os mesmos carros estavam sendo puxados por cavalos e mulas. O barulho ritmado de cascos substituíra o rugido de motores.

Também não havia o zumbido permanente dos geradores a diesel. Será que a cidade tinha ficado sem combustível nas poucas horas em que eu me ausentara? E onde os moradores da ilha tinham mantido escondidos todos aqueles grandes animais?

Mais uma coisa: por que todos eles estavam me *olhando*? Todo mundo com quem eu cruzava me encarava de olhos arregalados, parando o que quer que estivesse fazendo para me ver passar. *Devo parecer tão louco quanto estou me sentindo*, coberto de lama da cintura para baixo e de gesso da cintura para cima, por isso baixei a cabeça e andei o mais rápido que pude na direção do *pub*, onde ao menos eu podia me esconder no anonimato de sua penumbra até a chegada do meu pai para o almoço. Resolvi que, quando ele chegasse, eu lhe diria na hora que queria voltar para casa o mais rápido possível. Se ele hesitasse, eu admitiria que estava tendo alucinações, e com certeza partiríamos na primeira barca.

Dentro do Buraco havia o mesmo grupo de homens embriagados debruçados sobre copos grandes cheios de espuma, as mesmas mesas surradas e a decoração cafona que eu tinha começado a considerar minha casa-longe-de-casa. Mas, quando me dirigia às escadas, ouvi uma voz desconhecida gritar:

— Aonde você pensa que vai?

Eu me virei, já com um pé no primeiro degrau, para ver o balconista me olhar de cima a baixo. Só que não era Kev. Era um sujeito mal-encarado e de cara redonda que eu não reconheci. Ele vestia um avental de balconista e tinha uma "monocelha" peluda e um bigode que pareciam taturanas e deixavam seu rosto listrado.

Eu podia ter dito: *Vou lá em cima fazer as malas, e, se meu pai não quiser me levar para casa, vou fingir que estou tendo um ataque*. Mas em vez disso respondi:

— Para o meu quarto. — Isso falado de um jeito que mais parecia uma pergunta que a afirmação de um fato.

— É mesmo? — disse ele, pousando o copo que estava enchendo. — Isso aqui, por acaso, parece um hotel para você?

Madeiras rangeram quando os fregueses viraram de seus bancos para me olhar. Examinei rapidamente o rosto deles. Nenhum era familiar.

Estou tendo um surto psicótico. Neste momento. É essa a sensação de um surto desses. Só que eu não tinha sintoma nenhum. Não via raios de luz, minhas mãos não suavam, nem nada assim. Era mais como se o mundo inteiro tivesse enlouquecido, não eu.

Disse ao *barman* que obviamente havia algum engano.

— Meu pai e eu estamos nos quartos do andar de cima — falei. — Olhe, tenho a chave — e a peguei do bolso como prova.

— Deixa eu ver isso — disse ele, inclinando-se sobre o balcão para apanhá-la da minha mão. Ergueu-a contra a luz fraca, olhando como se fosse uma joia. — Essa chave não é nossa — resmungou, mas guardou-a no próprio bolso. — Agora me diga o que realmente quer lá em cima. E, desta vez, não minta!

Senti o rosto enrubescer. Nunca havia sido chamado de mentiroso por um adulto que não fosse meu parente antes.

— Já disse para você. Alugamos esses quartos! Pergunte para Kev se não acredita em mim!

— Não conheço nenhum Kev e não gosto de historinhas — disse ele friamente. — Não há quartos para alugar por aqui e o único que vive lá em cima sou eu!

Olhei ao redor esperando que alguém abrisse um sorriso e me deixasse entrar na brincadeira. Mas o rosto dos homens parecia de pedra.

— Ele é americano — observou um homem que ostentava uma barba prodigiosa. Talvez do exército.

— Bobagem — resmungou outro. — Olhem para ele, é praticamente um feto!

— Mas e a capa de chuva dele? — disse o barbudo, estendendo a mão para beliscar a manga do meu casaco. — Deve ter dado um trabalhão para encontrar uma dessas numa loja. Exército... deve ser.

— Olhem — disse eu. — Não estou no exército e não estou querendo armar nada aqui! Só quero encontrar meu pai, pegar minhas coisas e...

— Americano o cacete! — berrou um sujeito gordo, desgrudando toda sua circunferência de um banco para se colocar entre mim e a porta, para onde eu estava lentamente recuando. — O sotaque dele parece falso, para mim. Aposto que é um espião alemão.

— Eu não sou espião — retruquei sem força. — Só estou perdido.

— Vamos resolver isso — disse ele com uma gargalhada. — Acho que a gente deve arrancar a verdade dele à moda antiga... com uma corda.

Gritos de concordância. Não sabia se eles estavam falando sério ou só me pregavam uma peça, mas eu não estava muito interessado em ficar ali para descobrir. Um resquício de instinto conseguiu se fazer presente através da confusão de meu cérebro: *corra!* Seria muito mais fácil tentar descobrir o que estava acontecendo sem um bar cheio de bêbados me ameaçando. Claro, sair correndo ia convencê-los de minha culpa, mas eu não me importava.

Tentei dar a volta no homem gordo.

Ele tentou me agarrar, mas lentidão e bebedeira não são páreo para velocidade e um medo desgraçado. Fingi que ia para a esquerda, então fintei e fiz a volta nele pela direita. Ele soltou um urro de raiva enquanto os outros homens se descolavam de seus bancos para se lançar atrás de mim, mas consegui escapar entre os dedos deles e saí correndo pela porta, para a tarde ensolarada.

***

Desci a rua correndo, deixando marcas profundas no cascalho. As vozes furiosas começaram a desaparecer às minhas costas. Resolvi virar de modo brusco na primeira esquina, para escapar do campo de visão deles. Cortei caminho por um quintal lamacento onde galinhas cacarejantes desviaram do meu caminho e depois segui por um terreno aberto, onde as mulheres que faziam fila para bombear água de um poço antigo olharam para mim quando passei voando. Um pensamento que não tive tempo de aprofundar surgiu na minha cabeça: *Ei, onde foi parar a Mulher à Espera?* Mas então cheguei a um muro baixo e tive de me concentrar para saltar por cima dele — *apoie a mão, levante o pé e dê impulso* —, aterrissando em uma trilha cheia de arbustos, quase sendo atropelado por uma carroça que vinha com pressa. O cocheiro gritou algo ofensivo sobre minha mãe enquanto o lombo do cavalo roçava meu peito e ele deixava marcas de cascos e de rodas a poucos centímetros de meus dedos dos pés.

Eu não tinha a mínima ideia do que estava acontecendo comigo. Só compreendia duas coisas: que muito provavelmente estava em pleno processo de enlouquecimento e que precisava me afastar das pessoas até que pudesse compreender o que estava acontecendo. Para alcançar esse objetivo, saí correndo por um beco que seguia por trás de duas ruelas de cabanas, onde parecia haver muitos lugares para eu me esconder se precisasse, e alcancei os limites da cidade. Reduzi a velocidade para uma caminhada em ritmo acelerado, na esperança de que um garoto americano enlameado e desgrenhado que não corresse chamasse menos atenção.

O fato de cada barulhinho ou pequeno movimento me assustar não ajudava em nada minha tentativa de agir com naturalidade. Cumprimentei com a cabeça e um aceno de mão uma mulher que pendurava roupa no varal, mas, como todo o resto das pessoas, ela apenas olhou fixamente para mim. Apertei o passo.

Ouvi um ruído estranho atrás de mim, me agachei e entrei num banheiro externo pelo qual passava. Enquanto esperava ali, agachado atrás da porta semiaberta, meus olhos examinaram os rabiscos nas paredes.

Dooley é um veado que transa com carneiros.

O quê? Que falta de romance!

Por fim, um cachorro passou, seguido por um bando de filhotes de latido agudo. Soltei a respiração e comecei a relaxar um pouco. Depois, esforçando-me para manter a calma, saí outra vez para o beco.

Algo me agarrou de imediato pelos cabelos. Antes mesmo que eu tivesse a chance de gritar, uma mão veio de trás e apertou algo afiado contra minha garganta.

— Se gritar, corto você — disse uma voz.

Mantendo a lâmina em meu pescoço, a pessoa que me atacava me empurrou contra a parede do banheiro e fez a volta para me olhar de frente, e para minha enorme surpresa não era um dos homens do *pub*. Era a garota. Ela usava um vestido branco simples e tinha uma expressão severa no rosto extremamente belo, mesmo quando ela parecia pensar seriamente em arrancar a minha traqueia.

— O que é você? — sussurrou ela.

— Eu... hã... eu sou americano — gaguejei, sem muita certeza do que ela me perguntava. — Eu me chamo Jacob.

Ela apertou a faca com mais força contra a minha garganta, e sua mão começou a tremer. Ela estava com medo, e isso significava que era perigosa.

— O que estava fazendo na casa? — perguntou. — Por que você está me perseguindo?

— Eu só queria falar com você! — respondi. — Não me mate.

Ela me olhou fixamente, de cara amarrada.

— Falar comigo sobre o quê?

— Sobre a casa e sobre as pessoas que moraram lá.

— Quem o mandou aqui?

— Meu avô. O nome dele era Abraham Portman.

Ela ficou de queixo caído.

— Isso é mentira! — exclamou ela, os olhos flamejantes. — Acha que não sei quem você é? Não nasci ontem! Abra os olhos, deixe-me ver seus olhos!

— Eu sou mesmo neto dele! Estes são meus olhos! — Abri-os o máximo que pude. Ela ficou na ponta dos pés e olhou fixamente dentro deles, então bateu o pé e gritou: — Não, seus olhos *verdadeiros*! Esses falsos não me enganam mais que sua mentira ridícula sobre Abe!

— Não é mentira, e esses *são* meus olhos! — Ela apertava minha traqueia com tanta força que senti dificuldade para respirar. Agradeci pelo fato de a faca estar cega, ou sem dúvida ela teria tirado sangue. — Olhe, não sou quem quer que você ache que eu sou — resmunguei. — Posso provar.

A mão dela relaxou um pouco.

— Então prove, ou vou regar a grama com seu sangue!

— Tenho uma coisa bem aqui — disse, e enfiei a mão no casaco.

Ela deu um pulo para trás e gritou para que eu parasse, erguendo sua lâmina até que ela ficasse trêmula no ar, entre meus olhos.

— É só uma carta! — berrei. — Calma!

Ela baixou a lâmina de volta à minha garganta e eu saquei lentamente a carta e a foto da srta. Peregrine de meu casaco, estendendo-os para que ela visse.

— A carta é parte da razão que me trouxe até aqui — expliquei. — Foi meu avô quem me deu. É da Ave, é assim que vocês chamam sua diretora, não é?

— Isso não prova nada! — disse ela, apesar de mal ter olhado para a carta. — Diga-me apenas uma coisa. Como você sabe tanto sobre nós?

— Eu já falei, meu avô...

Ela arrancou a carta das minhas mãos.

— Não quero ouvir mais nem uma palavra dessa bobagem! — Aparentemente, eu tinha tocado em um ponto sensível. Ela ficou quieta por um instante, a expressão retorcida de frustração, como se estivesse decidindo a melhor maneira de se livrar do meu corpo após cumprir suas outras ameaças. Mas, antes que ela pudesse encontrar uma solução, vieram sons da outra ponta do beco. Nós nos viramos para ver os homens do *pub* correndo em nossa direção, armados com porretes de madeira e ferramentas de fazenda.

— O que é isso? — perguntou ela. — O que você fez?

— Você não é a única pessoa que quer me matar!

Ela tirou a faca da minha garganta, mas a manteve ao lado do meu corpo, e depois me agarrou pela gola da camisa.

— Agora você é meu prisioneiro — anunciou ela. — E virá comigo.

Não discuti. Não sabia se minhas chances eram melhores nas mãos dessa garota desequilibrada ou nas do bando de bêbados com porretes que se aproximava espumando de raiva, mas pelo menos com ela eu achava que tinha a possibilidade de conseguir algumas respostas.

Ela me empurrou, e nós saímos correndo e pegamos um beco adjacente. A meio caminho do fim, ela desviou rapidamente para o lado e me puxou junto, e ambos nos agachamos embaixo de um varal cheio de lençóis e pulamos por cima de uma cerca de galinheiro que dava no quintal de um casebre.

— Aqui — murmurou ela e, olhando ao redor para se assegurar de que não havíamos sido vistos, me empurrou por uma porta para dentro de um barracão atulhado que cheirava a fumaça de turfa.

Não havia ninguém lá dentro, apenas um cachorro velho que dormia em cima de um sofá. Ele abriu um olho, sem dar muita importância ao que via, e voltou a dormir. Corremos até uma janela que dava para a rua e nos apertamos contra a parede ao seu lado. Ficamos ali parados à escuta, a garota tomando o cuidado de manter uma das mãos em meu braço e a faca encostada em mim.

Um minuto se passou. A voz dos homens pareceu sumir e então voltar outra vez; era difícil dizer onde estavam. Meus olhos percorreram o pequeno aposento. Ele parecia excessivamente rústico, mesmo para Cairnholm. Havia uma pilha bamba de cestos artesanais apoiada num canto. Uma poltrona forrada com aniagem diante de um grande fogão de ferro a carvão.

Um calendário pendurado na parede em frente e, apesar de estar escuro demais para conseguir ler de onde estávamos, só o fato de olhar para ele despertou a centelha de um pensamento bizarro.

— Em que ano estamos? — perguntei à garota.

Ela me mandou calar a boca.

— Estou falando sério — sussurrei.

Ela me olhou com estranheza por um instante.

— Não sei o que você está armando, mas vá e veja você mesmo. — E me empurrou na direção do calendário.

A metade superior era uma foto em preto e branco de uma cena tropical: garotas de corpo inteiro, com franjas, sorridentes e usando roupas de banho de aspecto antigo em uma praia. Abaixo dela, havia as seguintes palavras: *Setembro de 1940.* Os dois primeiros dias do mês tinham sido riscados.

Uma dormência esquisita e distante tomou conta de mim. Considerei todas as coisas estranhas que eu tinha visto naquela manhã — a mudança estranha e repentina do tempo, a ilha que eu achava conhecer, agora povoada por pessoas estranhas; como o estilo de tudo ao meu redor parecia antigo, mas as coisas propriamente ditas eram novas. Tudo podia ser explicado pelo calendário na parede.

Três de setembro de 1940. Mas *como*?

E então me lembrei de uma das últimas coisas que meu avô me disse: *Do outro lado da tumba do homem velho*. Isso era algo que eu nunca conseguira entender. Durante um tempo eu me perguntei se ele estava se referindo a fantasmas — como todas as crianças que ele conhecera estavam mortas, eu teria de ir ao outro lado do túmulo para encontrá-las —, mas era poético demais. Meu avô era um homem de mente prática, não alguém que utilizava metáforas e segundas palavras. Ele tinha me dado instruções claras e diretas que simplesmente não tivera tempo de explicar: "o velho", eu me dei conta, era o que os habitantes locais chamavam de Garoto do Pântano, e seu túmulo era o *cairn*. Mais cedo, naquele dia, eu havia entrado lá e saído em um lugar diferente: setembro de 1940.

Tudo isso passou pela minha cabeça durante o instante que levou para o aposento virar de cabeça para baixo e meus joelhos cederem sob meu corpo, e tudo desaparecer em uma escuridão pulsante e aveludada.

***

Acordei no chão, com as mãos amarradas ao fogão de ferro. A garota caminhava, inquieta, e parecia estar envolta em uma conversa animada consigo mesma. Mantive os olhos fechados por quase todo o tempo e escutei.

— Ele *deve* ser um acólito — dizia ela. — Por que mais estaria xeretando a casa como se fosse um ladrão?

— Eu não tenho a menor ideia — disse outra pessoa. — E parece que ele também não. — Então, afinal de contas, ela não conversava sozinha, ainda que, do lugar onde eu estava deitado, não conseguisse ver o rapaz que tinha falado. — Você disse que ele nem percebeu que estava em uma fenda do tempo?

— Veja por si mesmo — disse ela, gesticulando em minha direção. — Você pode imaginar qualquer parente de Abe não saber de nada como esse aí?

— E você pode imaginar um acólito? — disse o rapaz.

Virei levemente a cabeça para examinar o lugar, mas mesmo assim não o vi.

— Posso imaginar um acólito *fingindo* isso — retrucou a garota.

O cachorro, agora acordado, aproximou-se trotando e lambeu meu rosto. Apertei bem os olhos e tentei ignorá-lo, mas o banho de língua que ele me deu foi tão melado que acabei tendo de me levantar só para escapar dele.

— Ora, veja quem está de pé! — disse a garota. Ela bateu palmas em um aplauso sarcástico. — Foi uma atuação e tanto a sua mais cedo. Gostei especialmente do desmaio. Tenho certeza de que o teatro perdeu um grande ator quando, em vez disso, você decidiu se dedicar ao assassinato e ao canibalismo.

Abri a boca para defender minha inocência e parei quando percebi uma xícara flutuando em minha direção.

— Tome um pouco d'água — disse o rapaz. — Não queremos que você morra antes de levá-lo para ver a diretora, não é?

A voz dele parecia surgir do ar. Quando fui pegar a xícara, meu dedinho esbarrou em algo invisível e eu quase a deixei cair.

— Ele é desajeitado — disse o rapaz.

— Você é invisível — retruquei.

— Você tem razão. Millard Nullings, às suas ordens.

— Não diga seu nome a ele! — gritou a garota.

— E essa é Emma — prosseguiu ele. — Ela é um pouco paranoica, o que, tenho certeza, você já percebeu.

Emma ficou olhando para ele, ou para o espaço que eu imaginava ser ocupado por ele, mas não disse nada. A xícara tremeu na minha mão. Iniciei outra tentativa atabalhoada de me explicar, mas fui interrompido por vozes raivosas vindas do lado de fora da janela.

— Silêncio! — sussurrou Emma. Os passos de Millard foram até a janela, e as persianas se abriram um centímetro.

— O que está acontecendo? — perguntou ela.

— Eles estão vasculhando as casas — respondeu ele. — Não podemos ficar aqui por muito mais tempo.

— Bem, também não podemos sair!

— Acho que talvez a gente possa — disse ele. — Mas, só para garantir, deixe-me consultar meu livro.

As persianas se fecharam outra vez e eu vi um caderninho com capa de couro erguer-se de uma mesa e se abrir em pleno ar. Millard cantarolava enquanto o folheava. Um minuto mais tarde ele fechou o caderno num golpe.

— Como eu desconfiava! — disse ele. — Só precisamos esperar um minuto, mais ou menos, e aí poderemos sair direto pela porta.

— Você está louco? — disse Emma. — Logo teremos cinco sujeitos em cima de nós com tijolos e porretes!

— Não se formos menos interessantes do que o que está prestes a acontecer — respondeu ele. — Eu lhe garanto que essa será a melhor oportunidade que teremos em horas.

Ele não falou mais nada. Fui desamarrado do fogão e conduzido até a porta, onde nos agachamos e ficamos à espera. Então, lá de fora, veio um barulho ainda mais alto do que os gritos dos homens: motores. Dúzias, pelo som que faziam.

— Ah, Millard, isso é brilhante! — disse Emma.

Ele torceu o nariz.

— E você disse que meus estudos eram uma perda de tempo.

Emma pôs a mão na maçaneta e depois se virou para mim.

— Segure meu braço. Não corra. Aja como se nada tivesse acontecido. — Ela guardou a faca, mas me garantiu que, se eu tentasse fugir, tornaria a vê-la um instante antes de ser morto por ela.

— Como posso saber que você não vai fazer isso de qualquer jeito? — perguntei.

Ela pensou por um instante.

— Não pode — retrucou. E então empurrou e abriu a porta.

***

A ruela lá fora estava cheia de gente, não só os homens do *pub*, que vi imediatamente no fim do quarteirão, mas comerciantes, mulheres e cocheiros de rosto fechado que haviam parado o que faziam para ficar no meio da estrada e esticar o pescoço na direção do céu, onde lá em cima, não muito longe, um esquadrão de caças nazistas roncava em perfeita formação. Eu tinha visto fotos de aviões como aqueles no museu de Martin, em uma vitrine intitulada *Cairnholm sitiada*. Como devia ser desesperador ver de repente, no meio de uma tarde que seria comum, surgirem no céu máquinas de morte inimigas que podiam fazer chover fogo sobre você a qualquer momento.

Atravessamos a rua tão despreocupadamente quanto conseguimos, com Emma segurando meu braço com uma pressão mortal. Quase conseguimos chegar à ruela do outro lado antes que alguém finalmente nos visse. Ouvi um grito, nos viramos e vimos um homem partir em nossa direção.

Começamos a correr. A ruela era estreita e com estábulos de ambos os lados. Tínhamos percorrido metade dela quando ouvi Millard dizer:

— Vou ficar para trás e fazê-los tropeçar! Me encontrem atrás do *pub* em exatamente cinco minutos e meio!

Os passos deles foram desaparecendo às nossas costas e, quando chegamos ao fim do beco, Emma me deteve, olhamos para trás e vimos uma corda se desenrolar sozinha e flutuar acima do cascalho na altura do tornozelo. Ela se esticou justo no momento em que a turba a alcançou. Eles caíram de cara na lama, um sobre o outro, uma pilha emaranhada de membros se mexendo. Emma soltou um grito de comemoração, e eu tive quase certeza de ouvir o riso de Millard.

Continuamos a correr. Eu não sabia por que Emma concordara em encontrar Millard no Buraco do Padre, já que ficava na direção da baía, e não da casa, mas, como eu tampouco podia explicar como Millard sabia exatamente quando aqueles aviões iam passar voando, não me dei ao trabalho de perguntar. Porém, fiquei ainda mais atônito quando, em vez de darmos a volta no *pub* escondidos, todas as nossas esperanças de passar despercebidos se esvaíram com Emma me empurrando direto pela porta da frente.

Não havia ninguém lá dentro além do *barman*. Eu me virei e escondi o rosto.

— *Barman!* — disse Emma. — A que horas vocês começam a servir cerveja aqui? Estou com mais sede que uma maldita sereia!

Ele riu.

— Não temos o hábito de servir garotinhas — disse ele.

— Não importa! — gritou ela, dando um tapa no balcão. — Sirva-me uma dose quádrupla do seu melhor uísque forte de barril, e nada desse mijo aguado que você costuma vender aqui!

Comecei a ter a sensação de que ela estava apenas de brincadeira, pregando uma peça, digamos assim, tentando dar uma força para Millard e seu truque da corda no beco.

O *barman* debruçou-se sobre o balcão para se aproximar dela.

— Então você quer alguma coisa forte, não é? — disse ele com um sorriso meio sem-vergonha. — Só não pode contar para sua mãe nem para seu pai, ou o padre e o policial vêm atrás de mim. — Ele pegou uma garrafa com alguma coisa escura e de aspecto sinistro e começou a servir um copo cheio para ela. — E seu amigo aí? — disse ele. — Imagino que já deve estar bêbado como um frade.

Eu fingia estudar a lareira.

— Ele é tímido, hein? — disse o *barman*. — De onde ele é?

— Ele diz que é do futuro — respondeu Emma —, mas eu acho que é só um completo maluco.

O rosto do *barman* assumiu uma expressão estranha.

— Ele diz o quê? — exclamou, me encarando, e deve ter finalmente me reconhecido, pois largou a garrafa de uísque e começou a caminhar na minha direção.

Eu estava prestes a fugir correndo, mas, antes que o *barman* conseguisse sair de trás do balcão, Emma tinha virado a garrafa e derramado a bebida marrom por toda parte. Então ela fez algo impressionante. Bateu com a mão no balcão ensopado de álcool e, em uma fração de segundo, uma parede de chamas de meio metro de altura ergueu-se por toda a sua extensão.

O *barman* berrou e começou a bater na parede de chamas com um pano.

— Por aqui, prisioneiro! — disse Emma, segurando o meu braço e me puxando na direção da lareira. — Agora me dê uma ajuda! Segure e puxe!

Ela se ajoelhou e meteu os dedos em uma fenda que corria pelo chão. Enfiei meus dedos ao lado dos dela e juntos levantamos um pequeno pedaço do piso, revelando um buraco mais ou menos da largura dos meus ombros: o buraco do padre. Enquanto a fumaça enchia o salão e o *barman* lutava para apagar as chamas, nós descemos um atrás do outro e desaparecemos.

O buraco do padre era pouco mais que um poço de cerca de um metro e meio que levava a um túnel no qual só era possível engatinhar. A escuridão lá embaixo era total, mas o lugar logo se encheu de uma suave luz alaranjada. Emma acendera uma tocha com a mão, uma pequena bola de fogo que parecia pairar sobre a sua palma. Fiquei pasmo olhando aquilo, esquecido de todo o resto.

— Anda! — reclamou ela, dando-me um empurrão. — Tem uma saída lá na frente.

Fui rastejando adiante até que o túnel chegou ao fim. Emma me tirou de sua frente, sentou-se no chão e chutou a parede. Ela se abriu para a luz do dia.

— *Aí* estão vocês — ouvi a voz de Millard dizer enquanto saíamos rastejando em um beco. — Você não resiste a um espetáculo, hein?

— Não sei do que você está falando — respondeu Emma, apesar de eu perceber que ela estava satisfeita consigo mesma.

Millard nos conduziu até uma carroça puxada por um cavalo que parecia estar à nossa espera. Subimos na parte de trás e nos escondemos embaixo de uma lona. No que pareceu meia fração de segundo, um homem se aproximou e subiu no cavalo, sacudiu as rédeas e partimos trotando.

Seguimos em silêncio durante algum tempo. Eu sentia, pelo caminho tomado pela carroça e pela mudança no barulho à nossa volta, que estávamos saindo da cidade.

Finalmente reuni coragem para fazer uma pergunta.

— Como você sabia da carroça? E dos aviões? Você é vidente ou alguma coisa assim?

Emma riu com desprezo.

— Longe disso — disse ela.

— Porque tudo aconteceu ontem — respondeu Millard —, e anteontem. Não é assim que as coisas funcionam na sua fenda?

— Minha o quê?

— Ele não é *de* nenhuma fenda no tempo — disse Emma em voz baixa. — Ele é um maldito acólito.

— Acho que não. Um acólito nunca deixaria que você o agarrasse com vida.

— Vejam bem — murmurei. — Não sou o que quer quc seja isso que estão dizendo. Eu sou o Jacob.

— A gente logo vai resolver isso — retrucou ela. — Agora fique quieto. — E então ela esticou o braço e levantou um pouquinho a lona, revelando uma faixa azul de céu agitado.

CAPÍTULO SEIS

Quando as últimas casinhas tinham desaparecido às nossas costas, saltamos da carroça em silêncio, subimos a colina a pé e descemos na direção da floresta do outro lado. Emma caminhava a meu lado, em silêncio e reflexiva, sem nunca soltar meu braço. Do outro lado, Millard cantarolava para si mesmo e, satisfeito, chutava pedras pelo caminho. Eu estava nervoso, intrigado e, ao mesmo tempo, meio zonzo e empolgado, com o estômago dando voltas. Parte de mim achava que algo muito importante estava prestes a acontecer. A outra parte esperava acordar a qualquer momento, sair deste sonho febril, deste episódio de estresse ou do que quer que fosse, despertando com o rosto em uma poça de baba em uma mesa na copa da Smart Aid e pensando: *Bem, isso foi estranho*, e então voltar ao entediante e velho negócio de ser eu mesmo.

Mas não acordei. Apenas continuamos a caminhar — a menina que fazia fogo com as mãos, o garoto invisível e eu — até a floresta, onde a trilha era tão larga e clara quanto qualquer trilha em um parque nacional, e então chegamos a um amplo gramado cheio de flores e marcado por longos canteiros bem cuidados.

Tínhamos chegado à casa. Olhei para ela, boquiaberto, não porque fosse horrível, mas porque era linda. Não havia uma telha fora do lugar nem uma janela rachada. Pequenas torres e chaminés que haviam despencado em ângulos lânguidos na casa de que eu me lembrava agora apontavam cheias de confiança para o céu. A floresta que parecia devorá-la agora se detinha a uma distância respeitosa.

Fui conduzido por um caminho de lajotas de pedra antes oculto pelo mato e subi um recém-pintado lance de escadas até a varanda. Emma não parecia mais me ver como a ameaça inicial, mas, antes de entrar, ainda assim ela amarrou minhas mãos às costas com um pedaço de corda, acho que apenas em prol das aparências. Ela estava fazendo o papel do caçador que voltava para casa, e eu era sua presa capturada. Ela endireitou as costas e estava prestes a entrar comigo quando Millard a deteve.

— Os sapatos dele estão cobertos de sujeira — disse ele. — Ele não pode deixar uma trilha de lama por aí, a Ave vai ter um ataque.

Então, enquanto meus captores aguardavam, tirei os sapatos, depois as meias, também sujas de lama, e, quando Emma ia entrar comigo, Millard sugeriu que eu enrolasse as pernas do meu *jeans* para que não se arrastassem no carpete; fiz isso também, e depois Emma me agarrou pelo nó da corda com impaciência e me arrastou porta adentro.

Seguimos por um corredor que eu me lembrava estar praticamente intransponível, repleto de móveis quebrados; passamos pela escada de verniz reluzente, de onde rostos curiosos me espiavam através dos vãos na balaustrada, e cruzamos a sala de jantar, onde não havia qualquer sinal de nevasca de gesso, e sim uma mesa comprida, intacta, cercada de cadeiras. Era a mesma casa que eu havia explorado, mas tudo ali havia sido restaurado à perfeição. Onde eu me lembrava haver uma pátina de bolor esverdeado havia papel de parede, lambris de madeira e tintas de cores alegres. Havia vasos com arranjos de flores. Pilhas de madeira apodrecida e tecidos esfarrapados tinham se reconstruído em sofás elegantes e poltronas com detalhes dourados, e a luz do sol entrava por janelas altas que antes estavam tão cobertas de sujeira que pareciam pintadas de preto.

Por fim chegamos a uma saleta com vista para os fundos da casa.

— Segure-o aí enquanto eu aviso a diretora — disse Emma para Millard, e eu senti a mão dele sobre o meu ombro. Quando ela saiu, ele me largou.

— Você não tem medo de que eu coma seu cérebro ou algo assim, não é?

— Não mesmo — respondeu Millard.

Virei-me na direção da janela e olhei lá para fora, maravilhado. O quintal estava cheio de crianças; quase todas elas eu reconheci das fotografias amareladas. Algumas descansavam à sombra de árvores frondosas, enquanto outras jogavam bola e corriam atrás umas das outras em meio a canteiros de flores que explodiam em cores. Era exatamente o paraíso que meu avô me descrevera em suas histórias. Essa era a ilha encantada; essas eram as crianças mágicas. Se eu estava sonhando, não queria mais acordar. Pelo menos, não por um bom tempo.

Lá no gramado, alguém chutou uma bola com força demais e ela voou, ficando presa em um arbusto podado na forma de um animal gigante. Havia, enfileirados, vários daqueles animais feitos de plantas, criaturas fantásticas tão altas quanto a casa, montando guarda contra a floresta — entre elas um grifo alado, um centauro empinando e golpeando o ar com seus cascos de folha e uma sereia que saía de um pedaço de madeira ondulada. Dois adolescentes foram atrás da bola e correram até a base do centauro, seguidos por uma garota mais nova. Eu a reconheci no ato como a "menina que levitava" das fotos de meu avô, só que agora não estava levitando. Ela andava devagar, cada passo uma tarefa árdua. Como se um excesso de gravidade a ancorasse ao chão.

Quando alcançou os garotos, ela levantou os braços e eles amarraram uma corda à sua cintura. Então ela saiu cuidadosamente de seus sapatos, um pé de cada vez, e quando ficou livre deles começou a flutuar no ar como um balão. Era impressionante. Ela elevou-se até esticar a corda que a prendia pela cintura e ficou ali, pairando, ancorada pelos dois garotos, a três metros do chão.

A menina disse algo, os garotos assentiram e começaram a mover a corda. Ela lentamente pairou pela lateral do centauro e, quando chegou ao nível de seu peito, enfiou os braços no arbusto para pegar a bola perdida, mas não conseguiu alcançá-la. Olhou para baixo e sacudiu a cabeça, e os garotos a puxaram de volta ao chão, onde ela tornou a calçar os pesados sapatos e desamarrou a corda.

— Está gostando do show? — perguntou Millard, e eu assenti com a cabeça, em silêncio. — Há vários modos bem mais fáceis de recuperar aquela bola — disse. — Mas eles perceberam que têm uma plateia.

Lá fora, uma segunda menina se aproximava do centauro. Ela devia ter cerca de dezoito anos e tinha um aspecto selvagem, os cabelos a meio caminho de se transformarem em *dreadlocks*. Ela se agachou e segurou a cauda comprida e cheia de folhas do arbusto esculpido e a envolveu em seu braço, mantendo os olhos fechados como se estivesse se concentrando. No instante seguinte, vi a mão do centauro se mexer. Fiquei olhando fixamente através do vidro para aquele pedaço de vegetação, pensando que devia ter sido o vento, mas então cada um de seus dedos se moveu, um depois do outro, como se a sensibilidade lentamente retornasse a eles, e depois todo o seu enorme braço enfiou-se no próprio peito, tirou de lá a bola e a entregou nas mãos dos meninos, que vibravam. Quando o jogo recomeçou, a garota de cabelos selvagens soltou a cauda do centauro e ele ficou novamente imóvel.

Millard também observava a cena, e sua respiração embaçava o vidro perto de mim. Virei-me para ele tomado de surpresa.

— Não quero ser rude, mas o que *são* essas pessoas? — perguntei.

— Nós somos peculiares — respondeu, soando um pouco intrigado. — Você não é?

— Não sei. Acho que não.

— É uma pena.

— Por que você o soltou? — perguntou uma voz às nossas costas, e eu me virei para ver Emma parada à porta. — Ah, deixa pra lá — disse ela, aproximando-se para agarrar o nó que me prendia. — Vamos lá. A diretora vai vê-lo agora.

***

Continuamos nosso passeio pela casa, passando por mais olhos curiosos que nos espiavam por frestas de portas e de trás de sofás, até chegar a uma saleta de estar ensolarada, onde sobre um tapete persa elaborado, sentada em uma cadeira de espaldar alto, estava uma senhora distinta, que tricotava. Toda vestida de preto, com os cabelos presos em um coque perfeitamente redondo no topo da cabeça e usando luvas de renda e uma blusa de gola alta bem ajustada no pescoço, tão fastidiosamente limpa e arrumada quanto a própria casa, eu adivinharia quem era no ato, mesmo que não me lembrasse da foto encontrada no baú que destruí. Aquela era a srta. Peregrine.

Emma me guiou até o tapete, pigarreou para chamar atenção, e a cadência firme das agulhas da srta. Peregrine se deteve.

— Boa tarde — disse a senhora, enquanto se levantava. — Você deve ser Jacob.

Emma olhou boquiaberta para ela.

— Como sabe o no...

— Eu sou a diretora Peregrine — disse ela, levantando um dedo para silenciar Emma. — Ou se preferir, como não está atualmente sob a provisão de meus cuidados, srta. Peregrine. É um prazer finalmente conhecê-lo.

A srta. Peregrine estendeu a mão enluvada em minha direção, e então, como não a apertei, percebeu a corda que amarrava meus pulsos.

— Senhorita Bloom — exclamou. — O que significa isso? Isso são modos de se tratar um hóspede? Solte-o imediatamente!

— Mas, diretora, ele é um bisbilhoteiro e um mentiroso, e eu não sei mais o quê! — Emma me lançou um olhar cheio de desconfiança e murmurou algo no ouvido da srta. Peregrine.

— Ora, senhorita Bloom! — disse a srta. Peregrine, soltando uma sonora gargalhada. — Que grande bobagem! Se esse garoto fosse um acólito, você já seria picadinho na panela dele. Se não consegue ver que esse é o neto de Abraham Portman só de olhar em seu rosto, você deve ser cega!

Senti um rubor de alívio; talvez eu não tivesse de me explicar no fim das contas. Ela estava me esperando!

Emma tentou protestar, mas a srta. Peregrine fez com que se calasse apenas com um olhar sério.

— Ah, está bem — suspirou Emma. — Mas não digam que eu não avisei. — E, com alguns puxões no nó, a corda caiu de minhas mãos.

— Peço que perdoe a senhorita Bloom — disse a srta. Peregrine enquanto eu esfregava os pulsos doloridos. — Ela adora fazer um drama.

— Percebi.

Emma fez uma cara feia.

— Se ele é quem diz ser, então por que ele *num* sabe nada sobre as fendas de tempo, nem mesmo em que ano ele está? Vá em frente, pergunte a ele!

— "Por que ele *não* sabe" — corrigiu a srta. Peregrine. — E a única pessoa que vou submeter a perguntas é você, amanhã à tarde, sobre a correta pronúncia das palavras!

Emma ficou resmungando.

— Agora, se não se importa — disse a srta. Peregrine —, preciso ter uma conversa em particular com o senhor Portman.

Emma sabia que não adiantava discutir e, de cabeça baixa, foi até a porta, mas antes de sair virou-se para me lançar um último olhar sobre o ombro. Havia em seu rosto uma expressão que eu ainda não vira nela antes: preocupação.

— Você também, senhor Nulings — exclamou em voz alta a srta. Peregrine. — Pessoas educadas não ficam ouvindo escondidas a conversa dos outros!

— Eu só esperei para perguntar se gostariam de um pouco de chá — disse Millard, que desconfiei ser um pouco puxa-saco.

— Não queremos, obrigada — respondeu lacônica a srta. Peregrine. Ouvi os pés descalços de Millard soarem no chão de madeira e se afastarem, e a porta se fechar quando saiu.

— Eu devia lhe pedir que se sentasse — disse a srta. Peregrine, fazendo um gesto para uma poltrona estofada atrás de mim. — Mas você parece estar incrustado dc sujcira. — Então mc ajoelhei no chão, me sentindo como um peregrino em busca de conselho diante de um oráculo onisciente.

— Você já está na ilha faz alguns dias — disse a srta. Peregrine. — Por que demorou tanto para nos fazer uma visita?

— Não sabia que vocês estavam aqui — respondi. — Como sabia que *eu* estava?

— Eu o tenho observado — disse ela. — Você também já me viu, mas talvez não tenha percebido. Eu estava em minha forma alternativa. — Ela levou a mão à cabeça e puxou uma pena grande e cinzenta dos cabelos. — É muito melhor assumir a forma de uma ave para observar humanos — explicou.

Meu queixo caiu.

— Era a *senhora* no meu quarto hoje de manhã? O gavião?

— O falcão — corrigiu. — Um peregrino, é claro.

— Então é verdade! — disse eu. — Você é *mesmo* uma Ave!

— É um apelido que eu tolero, mas não incentivo — respondeu ela. — De qualquer modo, voltemos à minha pergunta — prosseguiu a srta. Peregrine. — O que na face da terra você estava procurando naquela deprimente ruína de casa?

— A senhora — respondi, e os olhos dela se arregalaram um pouco. — Não sabia como encontrá-la. Só descobri ontem que vocês estavam todos... — Então parei e percebi como iria soar estranho o que estava prestes a dizer. — Não sabia que vocês estavam mortos — concluí o pensamento.

Ela me lançou um leve sorriso.

— Meu Deus. Seu avô não lhe contou *nada* sobre os velhos amigos dele?

— Algumas coisas. Mas por muito tempo achei que eram apenas contos de fadas.

— Entendo — retrucou ela.

— Espero que isso não a ofenda.

— De jeito nenhum. Na verdade, geralmente é assim que preferimos que as pessoas pensem sobre nós, pois isso ajuda a manter afastados os visitantes indesejáveis. Hoje em dia cada vez menos gente acredita nessas coisas, fadas, duendes e toda essa bobagem, por isso as pessoas comuns não fazem mais muita força para nos descobrir. Isso torna nossa vida muito mais fácil. Histórias de fantasmas e casas velhas assustadoras também foram muito úteis para nós, apesar de não, aparentemente, no seu caso. — Ela abriu um sorriso. — Um coração de leão deve ser uma característica de sua família.

— É, acho que sim — disse eu com um riso nervoso, sentindo-me prestes a desmaiar a qualquer momento.

— De qualquer modo, em relação a *este* lugar — disse ela, fazendo um gesto grandiloquente ao seu redor —, quando era criança, você acreditou que seu avô estava "delirando", como dizem por aí? Contando a você um monte de mentiras, é isso?

— Não exatamente *mentiras*, mas...

— Ficções, cascatas, inverdades, falsidades, seja lá a terminologia que você prefira. Quando percebeu que Abraham estava lhe contando a verdade?

— Bem — disse eu, encarando o labirinto de padrões entrelaçados tecidos no tapete —, para ser honesto, acho que só estou me dando conta disso agora.

A srta. Peregrine, que estava tão animada, pareceu murchar um pouco.

— Nossa — disse ela. — Entendo. — E depois fechou a cara, como se, no breve silêncio que caiu entre nós, ela houvesse intuído algo terrível que eu viera lhe dizer. E mesmo assim eu ainda tinha de encontrar um modo de exprimi-lo em palavras.

— Acho que meu avô queria me explicar tudo — disse eu. — Mas ele esperou demais. Então, em vez disso, ele me mandou aqui para encontrá-los. — Saquei a carta amarrotada do casaco e a entreguei à srta. Peregrine. — Isto é da senhora. Foi o que me trouxe aqui.

Ela a alisou com cuidado sobre o braço de sua poltrona e depois a ergueu para ler, movendo os lábios enquanto o fazia.

— Que tristeza! — disse ela ao terminar. — O modo como eu praticamente imploro a ele por uma resposta. — Ela sacudiu a cabeça, melancólica por um instante. — Sempre estivemos desesperados por notícias de Abe. Certa vez perguntei a ele se queria me matar de preocupação, pelo modo como insistia em viver lá fora, com o mundo daquele jeito. Ele podia ser extremamente teimoso!

Ela dobrou a carta e a guardou de volta no envelope. Ficou séria, como se houvesse uma nuvem negra pairando sobre ela.

— Ele morreu, não é?

Assenti com a cabeça, hesitante. E contei a ela o que havia acontecido, ou seja, contei a história aceita oficialmente pela polícia e na qual eu, após muita terapia, também começara a acreditar. Para segurar o choro enquanto a contava, dei a ela apenas as linhas gerais: ele morava nos arredores quase rurais da cidade; tínhamos passado por uma seca, e a mata estava cheia de animais famintos e desesperados. Ele estava no lugar errado na hora errada.

— Ele não devia estar morando sozinho — expliquei. — Mas, como a senhora disse, ele era teimoso.

— Temia isso — disse ela. — Eu o avisei para não partir. — Ela apertou as mãos que seguravam as agulhas de tricô em seu colo, como se pensasse em quem iria apunhalar com elas. — E depois fazer o pobre do neto nos trazer essas notícias terríveis.

Eu podia entender sua raiva. Também tinha passado por isso. Tentei confortá-la, recitando todas as meias verdades que meus pais e dr. Golan tinham me contado nos meus momentos mais depressivos no outono anterior.

— Era sua hora de partir. Ele estava com 86 anos. Era solitário. Minha avó morreu há muitos anos. E sua mente não estava mais tão lúcida; ele sempre esquecia coisas, se confundia... foi por isso, para começar, que ele foi até a mata.

A srta. Peregrine assentiu com tristeza.

— Ele se deixou envelhecer.

— De certa forma, ele teve sorte. Não demorou muito, nem houve grande sofrimento. Ele não passou meses no hospital ligado a máquinas. — Era ridículo, é claro; sua morte fora desnecessária, obscena, mas acho que dizer isso fez com que nós dois nos sentíssemos um pouco melhor.

A srta. Peregrine pôs o tricô de lado, se levantou e foi até a janela com passos pesados. Seu andar era rígido e estranho, e eu percebi que uma de suas pernas era menor que a outra.

Ela olhou para o quintal lá fora, para as crianças que brincavam ali.

— As crianças não devem saber disso — disse ela. — Pelo menos não agora. Isso só serviria para deixá-las nervosas.

— Está bem. Como preferir.

Ela ficou parada diante da vidraça por um tempo, com os ombros trêmulos. Quando finalmente se virou para me encarar outra vez, estava recomposta e concentrada.

— Bem, senhor Portman — disse ela, bruscamente —, acho que você foi devidamente interrogado. Agora deve ter suas próprias perguntas.

— Só umas mil — respondi.

Ela tirou um relógio do bolso e o consultou.

— Temos algum tempo antes da hora do jantar. Espero que seja suficiente para respondê-las.

A srta. Peregrine fez uma pausa e ergueu a cabeça. De repente, foi até a porta da sala de estar e a abriu num átimo para encontrar Emma agachada do outro lado, o rosto vermelho e marcado de lágrimas. Ela tinha ouvido tudo.

— Senhorita Bloom! — ralhou a diretora. — Estava escutando atrás da porta?

Emma levantou-se com dificuldade e soltou um soluço.

— Gente educada não escuta conversas que não lhe dizem respeito... — Mas Emma já tinha saído correndo dali, e a srta. Peregrine parou na metade do que dizia, com um suspiro de frustração. — Isso foi lastimável — disse ela. — Acho que ela tem sentimentos especiais por seu avô.

— Percebi. Por quê? Eles eram...?

— Quando Abraham foi embora daqui para lutar na guerra, ele nos deixou muito tristes, mas em especial a senhorita. Bloom. Sim, eles se gostavam, eram queridinhos, como namorados.

Comecei a entender por que Emma relutara tanto em acreditar em mim. Isso significava, muito provavelmente, que eu estava ali para dar alguma notícia muito ruim sobre Abe.

A srta. Peregrine bateu palmas como se quebrasse um feitiço.

— Ora — disse ela —, o que se há de fazer?

Saí da sala e a segui até a escada. A srta. Peregrine subiu com resolução amarga, segurando a balaustrada com as duas mãos para galgar os degraus, um a um, recusando qualquer ajuda. Quando chegamos ao andar de cima, ela me conduziu pelo corredor até a biblioteca. Ela agora se parecia com uma sala de aula de verdade, com as carteiras enfileiradas, um quadro-negro na parede e os livros limpos e organizados nas prateleiras. A srta. Peregrine apontou para uma carteira e disse:

— Sente-se.

Então me encolhi à carteira. Ela tomou seu lugar à frente da sala e me encarou.

— Permita-me fazer esta breve apresentação. Acho que você vai encontrar nela a resposta para a maioria de suas perguntas.

— Está bem.

— A composição da espécie humana é infinitamente mais diversa do que a maioria dos humanos suspeita — começou a srta. Peregrine. — A verdadeira taxonomia do *Homo sapiens* é um segredo conhecido por poucos, e você agora será um deles. Para começar, há uma dicotomia simples: existem os *coerlfolc*, a grande massa de pessoas comuns que formam a numerosa humanidade, e há o ramo oculto, os *cripto-sapiens*, se preferir, que são chamados de *syndrigast*, ou "espírito peculiar", na linguagem venerável de meus ancestrais. Como sem dúvida você já deve ter percebido, aqui nós somos desse último tipo.

Balancei a cabeça como se tivesse compreendido, mesmo que não estivesse entendendo mais nada. Torcendo para reduzir um pouco a velocidade da explicação, fiz uma pergunta.

— Mas por que as pessoas não sabem nada sobre vocês? Vocês são... aqui... os únicos?

— Há peculiares em todo o mundo — disse ela —, apesar de nosso contingente ser muito menor hoje do que já foi. Os que restaram vivem escondidos, como nós. — Ela baixou o tom para uma voz doce e entristecida. — Houve tempo em que podíamos nos misturar abertamente com as pessoas comuns. Em alguns lugares do mundo éramos vistos como xamãs e místicos, e nos consultavam em momentos difíceis. Algumas culturas mantêm relações harmoniosas com nossa gente, apesar de isso ocorrer apenas em lugares onde nem o mundo moderno nem as grandes religiões conseguiram penetrar, como a ilha da magia negra de Ambrym, nas Novas Hébridas. Mas a maior parte do mundo há muito tempo virou-se contra nós. Os muçulmanos nos expulsaram. Os judeus nunca nos entenderam. Os cristãos nos queimaram como bruxos. Até os pagãos de Gales e da Irlanda acabaram chegando à conclusão de que éramos todos fadas e fantasmas, formas mutantes do mal.

— Então por que vocês... sei lá... não fundaram seu próprio país em algum lugar? Por que não saem para viver a vida de vocês?

— Se tudo fosse tão simples assim — disse ela. — Os traços peculiares costumam pular uma geração, ou dez. Crianças peculiares nem sempre, tampouco normalmente, têm filhos peculiares. Imagine, em um mundo com tanto medo das diferenças, como isso não seria uma ameaça para todos os peculiares?

— Porque pais normais iam surtar se seus filhos começassem, digamos, a flutuar?

— Isso mesmo. Os filhos peculiares de pais normais geralmente sofrem abusos e são rejeitados dos modos mais horríveis que se pode imaginar. Não faz muitos séculos que os pais de crianças peculiares simplesmente aceitavam que seus verdadeiros filhos tinham sido trocados por fadas, por crianças encantadas e malignas, sem falar que eram completamente fictícias, o que, em tempos difíceis, era considerado permissão para abandonar a pobre criança, ou então matá-la.

— Meu Deus, isso é horrível!

— É mesmo. Era preciso fazer alguma coisa, por isso pessoas como eu criamos lugares onde jovens peculiares pudessem viver longe das pessoas comuns. Enclaves isolados no tempo e no espaço como este, do qual sou extremamente orgulhosa.

— Gente como a senhora?

— Nós peculiares somos abençoados com habilidades que as pessoas comuns não têm, tão infinitas em suas combinações e variedades quanto outras na pigmentação da pele ou no arranjo de traços faciais. Dito isso, há habilidades em comum, como ler pensamentos, e outras mais raras, tal qual a forma como eu manipulo o tempo.

— Tempo? — disse eu. — Achei que se transformasse em pássaro...

— É bom que saiba, e essa é a chave de minhas habilidades, que apenas aves podem manipular o tempo. Portanto, todos os manipuladores devem ser capazes de assumir a forma de uma ave.

Ela disse isso com tamanha seriedade, de modo tão direto, que demorei um segundo para processar a informação.

— Aves? São viajantes do tempo?

Senti um sorriso idiota se espalhar por meu rosto.

A srta. Peregrine assentiu com sobriedade.

— A maioria, entretanto, só viaja no tempo de vez em quando, por acidente. Nós, que podemos manipular os campos de tempo conscientemente, e não só para nós mesmos, mas para outras pessoas, somos conhecidos como *ymbrynes*. Criamos fendas de tempo nas quais pessoas peculiares podem viver indefinidamente.

— Uma fenda? — disse eu, recordando a ordem de meu avô: "*Encontre a Ave na fenda*". — É isso o que é este lugar?

— É. Apesar de você conhecê-lo como o dia 3 de setembro de 1940.

Debrucei-me sobre a carteira para me aproximar dela.

— Não estou entendendo... é apenas um dia? Ele se repete?

— Sempre, apesar de termos uma experiência contínua dele. Do contrário não teríamos memórias dos últimos, ah... setenta anos que vivemos aqui.

— É impressionante — disse eu.

— Claro, estávamos aqui em Cairnholm durante uma década ou mais, *antes* de 3 de setembro de 1940, fisicamente isolados, graças à geografia singular da ilha, mas só depois do dia 3 é que passamos a precisar, também, de isolamento temporal.

— Por que isso?

— Porque, do contrário, todos teríamos sido mortos.

— Pelas bombas?

— Sem dúvida.

Meu olhar fixou-se na superfície da velha carteira. Tudo começava a fazer sentido, apesar de só um pouco.

— Há outras fendas além desta aqui?

— Muitas — disse ela. — E quase todas as *ymbrynes* que cuidam delas são amigas minhas. Deixe-me ver: tem a senhorita Gannett na Irlanda, em junho de 1770; a senhorita Nightjar em Swansea, em 3 de abril de 1901; a senhorita Avocet e a senhorita Bunting juntas em Derbyshire, no dia de São Swithin, em 1867; a senhorita Treecreeper, não me lembro exatamente onde; e, claro, a querida senhorita Finch. Tenho uma ótima foto dela em algum lugar.*

A srta. Peregrine lutou para tirar um enorme álbum de retratos da estante e o pousou diante de mim sobre a carteira, debruçando-se sobre meu ombro enquanto virava as páginas endurecidas, à procura de certa foto, mas parando para olhar outras, os suspiros marcados por saudade e nostalgia. À medida que passavam, reconheci fotos do baú destroçado no porão e também da caixa de charutos de meu avô. A srta. Peregrine tinha juntado todas. Era estranho pensar que ela mostrara essas mesmas fotos ao meu avô tantos anos atrás, quando ele tinha a minha idade — talvez bem ali naquele mesmo aposento, na mesma escrivaninha —, e agora as mostrava para mim, como se de algum modo eu tivesse entrado no passado dele.

Por fim ela chegou à foto de uma mulher de aspecto diáfano com uma ave pequena e encolhida pousada na mão, e disse:

— Esta é a senhorita Finch e sua tia, a senhorita Finch. — A mulher e a ave pareciam estar se comunicando.

— Como conseguia diferenciá-las? — perguntei.

---

* *Gannet*: ganso-patola; *nightjar*: bacurau ou curiango; *avocet*: alfaiate ou tiziu; *bunting*: calandra ou trigueirão; *treecreeper*: trepadeira-comum; *finch*: tentilhão. (N. T.)

— A senhorita Finch mais velha preferia manter a forma de ave na maior parte do tempo, o que não fazia muita diferença. Ela não era mesmo de muita conversa.

A srta. Peregrine virou mais algumas páginas, dessa vez parando em um retrato de um grupo de mulheres e crianças desanimadas reunidas em torno de uma lua de papel.

— Ah, sim! — disse ela. — Eu quase me esqueci desta. — Ela retirou com cuidado a foto presa por cantoneiras e a ergueu com reverência. — A mulher na frente, aqui, é a senhorita Avocet. Ela é o mais próximo da realeza que nós peculiares temos. Eles tentaram por cinquenta anos elegê-la líder do conselho de *Ymbrynes*, mas a senhorita Avocet nunca ia desistir de dar aulas na academia que ela e a senhorita Bunting fundaram. Hoje não há sequer uma *ymbryne* digna de suas asas que não tenha passado pela tutela da senhorita Avocet em algum momento. Eu, entre elas! Na verdade, se olhar de perto, é possível que reconheça a garotinha de óculos.

Apertei os olhos. O rosto que ela apontava estava escuro e um pouco borrado.

— É a senhora?

— Fui uma das mais novas alunas aceitas pela senhorita Avocet — disse com orgulho.

— E os garotos na foto? — perguntei. — Eles parecem ainda mais jovens que a senhora.

A expressão da srta. Peregrine se fechou.

— Você se refere a meus irmãos desencaminhados. Em vez de nos separarem, eles vieram para a academia comigo. Mimados como uma dupla de pequenos príncipes, é o que eram. Acho que foi isso que os estragou.

— Eles não eram *ymbrynes*?

— Ah, *não*! — retrucou com raiva. — Só *mulheres* nascem *ymbrynes*, e graças aos céus por isso! Os machos não têm a severidade de temperamento exigida de pessoas com responsabilidades tão sérias. Nós *ymbrynes* temos de vasculhar o interior em busca de jovens peculiares em necessidade, manter-nos afastadas de quem possa nos fazer mal e manter nossos protegidos alimentados, vestidos, escondidos e impregnados com a doutrina de nosso povo... E, não fosse o bastante, também devemos nos assegurar de que nossas fendas no tempo sejam reiniciadas todos os dias como um relógio.

— O que aconteceria se isso não fosse feito?

Ela ergueu a mão trêmula até a testa e cambaleou para trás, fingindo horror.

— Catástrofe, cataclismo, desastre! Não ouso nem pensar nisso. Felizmente o mecanismo que reinicia as fendas é simples: um de nós deve cruzar o portal de entrada quando necessário. Isso o mantém aberto, sabe? O ponto de entrada é mais ou menos como um buraco em massa fresca; se você não enfiar um dedo nele de vez em quando, ele pode se fechar sozinho. E, se não houver entrada ou saída, se não houver uma válvula de escape para as pressões naturalmente resultantes em um sistema temporal fechado... — Ela fez um gesto de *puf!* com as mãos, como se fingisse a explosão de uma bombinha. — Bem, a coisa toda se torna instável.

Ela debruçou-se outra vez sobre o álbum e o folheou.

— Por falar nisso, devo ter uma foto de... sim, aqui está. Isto é o que eu chamo de um ponto de entrada! — Ela sacou outra foto do álbum e a ergueu. — Esta é a senhorita Finch e um de seus tutelados na magnífica entrada da fenda da senhorita Finch, uma parte raramente usada do metrô de Londres. Quando a fenda é reiniciada, o túnel se enche com um brilho fabuloso. Sempre achei que o nosso era bem modesto, em comparação — disse ela com uma ponta de inveja.

— Só para ter certeza de que entendi — disse eu. — Se hoje é 3 de setembro de 1940, então amanhã é... *também* 3 de setembro?

— Bem, por algumas das 24 horas da fenda, é dia 2, mas, *simplificando*, é dia 3, sim.

— Então o amanhã nunca chega.

— De certa forma, não — respondeu ela.

Lá fora houve um barulho surdo, que parecia um trovão, e a janela através da qual o horizonte escurecia estremeceu na esquadria. A srta. Peregrine ergueu os olhos e sacou outra vez seu relógio.

— Infelizmente esse é todo o tempo que tenho neste momento — disse ela —, mas espero que fique para o jantar.

Eu disse que ficaria. O fato de que meu pai podia estar se perguntando onde eu estava mal passou pela minha cabeça. Eu me esgueirei para fora da carteira e comecei a seguir a srta. Peregrine até a porta, mas outra pergunta me surgiu, algo que havia muito tempo vinha me incomodando.

— Senhorita Peregrine?

Ela virou-se e olhou para mim, já fora da sala.

— Sim?

— Meu avô estava mesmo fugindo dos nazistas quando veio para cá?

— Estava — respondeu ela. — Muitas crianças chegaram até nós durante aqueles anos terríveis que levaram à guerra. Havia tantas revoltas... — Ela pareceu entristecer-se, como se as memórias ainda estivessem frescas. — Encontrei Abraham em um campo de refugiados no continente. Ele era um pobre menino torturado, mas tão forte... Percebi no ato que ele pertencia a nós.

Eu me senti aliviado; pelo menos parte da vida dele fora como eu tinha entendido que era. Havia, porém, mais uma coisa que eu queria perguntar, e não sabia como fazê-lo.

— Ele era, meu avô... era como...

— Se ele era como nós?

— Isso.

Ela deu um sorriso estranho.

— Ele era como você, Jacob. — Em seguida, virou-se e foi mancando na direção da escada.

***

A srta. Peregrine insistiu que eu lavasse a lama da charneca antes de me sentar para o jantar e mandou que Emma me preparasse um banho. Acho que ela esperava que, conversando um pouco comigo, Emma começasse a se sentir melhor. Mas ela nem olhava para mim. Observei surpreso e em silêncio enquanto ela deixava cair água fria na banheira para depois esquentá-la com as mãos, mexendo até o vapor começar a subir.

— Isso é incrível! — disse eu, mas ela foi embora sem dizer uma palavra.

Depois de deixar a água totalmente marrom, eu me sequei com uma toalha e encontrei uma muda de roupa pendurada atrás da porta: calças *baggy* de *tweed*, uma camisa de abotoar e um par de suspensórios curto demais, que eu não consegui descobrir como ajustar. Isso me deixou com a opção de vestir calças na altura do tornozelo, ou na altura do umbigo. Este último, senti, era o menor dos males, então, vestido como um palhaço sem maquiagem, desci para o que seria provavelmente a refeição mais estranha da minha vida.

O jantar foi uma profusão vertiginosa de nomes e rostos, muitos deles semifamiliares das fotografias e das descrições feitas muito tempo antes por meu avô. Quando cheguei à sala de jantar, as crianças, que disputavam com muito barulho os assentos ao redor da mesa comprida, ficaram imóveis e me encararam. Tive a sensação de que elas não recebiam muitos convidados para o jantar. A srta. Peregrine, já sentada à cabeceira da mesa, se levantou e aproveitou a oportunidade do silêncio repentino para me apresentar.

— Para aqueles de vocês que ainda não tiveram o prazer de conhecê-lo — anunciou ela —, este é o neto de Abraham, Jacob. Ele é nosso convidado de honra e veio de muito longe para estar aqui. Espero que vocês o tratem bem. — Ela apontou para cada pessoa na sala e recitou seu respectivo nome, a maioria dos quais esqueci imediatamente, como costuma acontecer quando estou nervoso. A isso se seguiu uma saraivada de perguntas das crianças, da qual a srta. Peregrine conseguiu se desvencilhar com rapidez e eficiência.

— Jacob vai ficar conosco?

— Não que eu saiba.

— Onde está Abe?

— Abe está ocupado nos Estados Unidos.

— Por que Jacob está usando as calças de Victor?

— Victor não precisa mais delas, e as do senhor Portman estão sendo lavadas.

— O que Abe ainda está fazendo nos Estados Unidos?

Quando ouvi esta pergunta, vi Emma, que se mantivera sombria a um canto me olhando com raiva, levantar-se de sua cadeira e ir embora da sala. Os outros, aparentemente acostumados a seu temperamento imprevisível, não deram atenção.

— Não importa o que Abe está fazendo — respondeu a srta. Peregrine.

— Quando ele vai voltar?

— Isso também não importa. Agora vamos comer!

Todos correram para seus lugares. Pensando ter achado uma cadeira vazia, fui me sentar e senti um garfo espetar minha coxa.

— Com licença, este lugar está ocupado! — exclamou Millard. Mas a srta. Peregrine o fez cedê-lo a mim de qualquer jeito, ao mandá-lo vestir suas roupas.

— Quantas vezes tenho de dizer a você! — ela ralhou. — Pessoas educadas não jantam peladas.

As crianças que tinham tarefas na cozinha trouxeram travessas de comida. Estavam todas cobertas com tampas de prata reluzentes, de modo que não dava para ver o que havia dentro, levantando em mim todo o tipo de especulação bizarra sobre o que teríamos para o jantar.

— Lontra à Wellington! — gritou um garoto.

— Gato salgado com fígado de musaranho! — disse outro, ao que as crianças responderam com risos. Mas, quando as tampas foram finalmente levantadas, revelou-se um banquete de proporções reais: havia um ganso assado, sua carne de um marrom-dourado perfeito; um salmão e um bacalhau inteiros abertos ao meio e enfeitados com rodelas de limão e funcho fresco, cobertos de manteiga derretida; uma caçarola de mariscos fumegantes; travessas de legumes grelhados, pães recém-saídos do forno e todos os tipos de geleias e molhos que não reconheci, mas que pareciam deliciosos. Tudo reluzia convidativamente sob a luz tremeluzente das luminárias a gás, a um mundo de distância dos guisados gordurosos de origem indeterminada que eu vinha comendo no Buraco do Padre. Eu não comia desde o café da manhã, e comecei a devorar o jantar até me empanturrar.

Não devia ter ficado surpreso pelo fato de crianças peculiares terem hábitos alimentares peculiares, mas entre garfadas glutonas de comida eu me vi olhando de esguelha ao redor da sala. Por exemplo: antes de começar a comer, Olive, a menina que levitava, tinha de ser afivelada à sua cadeira aparafusada no chão de modo que não fosse parar no teto. Para que o resto de nós não fosse incomodado por insetos durante a refeição, Hugh, o menino que tinha abelhas morando na barriga, comia sob um grande mosquiteiro em uma mesa individual no canto. Claire, uma menina que parecia uma boneca com seus cachos imaculados, sentava-se ao lado da srta. Peregrine, mas não comia absolutamente nada.

— Você não está com fome? — perguntei a ela.

— Claire não come com a gente — interveio Hugh, deixando uma abelha escapar de sua boca. — Ela fica com vergonha.

— Não fico! — disse ela, encarando-o friamente.

— É? Então coma alguma coisa!

— Ninguém aqui tem *vergonha* de seus dons — disse a srta. Peregrine. — A senhorita Densmore simplesmente prefere jantar sozinha. Não é verdade, senhorita Densmore?

A menina olhava fixamente para o lugar arrumado e vazio diante dela, claramente desejando que toda aquela atenção terminasse.

— Claire tem uma boca atrás — explicou Millard, que agora estava sentado ao meu lado usando um paletó de *smoking* (e mais nada).

— Uma o quê?

— Vá em frente, mostre a ele! — disse alguém. Logo todos na mesa pressionavam Claire para comer algo e, finalmente, só para calá-los, ela o fez.

Puseram uma coxa de ganso diante dela, que se virou, sentou-se ao contrário na cadeira e, segurando seu espaldar, inclinou-se para trás e levou a nuca até o prato. Ouvi um estalo nítido quando ela tornou a erguer a cabeça. Um grande naco havia desaparecido da coxa de ganso. Por baixo de seus cabelos dourados havia um par de mandíbulas com dentes afiados. De repente, compreendi o retrato estranho de Claire que vira no álbum da srta. Peregrine, ao qual o fotógrafo curiosamente dedicara dois painéis: um para seu rosto de traços bonitos e outro para seus cachos, que mascaravam completamente a parte de trás de sua cabeça.

Claire virou-se para a frente e cruzou os braços, chateada por ter se deixado convencer a fazer uma demonstração tão humilhante. Ela ficou sentada em silêncio enquanto os outros me cobriam de perguntas. Depois que a srta. Peregrine respondeu a algumas delas sobre meu avô, as crianças se voltaram para outros assuntos. Elas pareciam especialmente interessadas em como era a vida no século XXI.

— Que tipos de carro motorizado voador vocês têm? — perguntou um adolescente chamado Horace, em um terno escuro que lhe dava a aparência de um aprendiz de agente funerário.

— Nenhum — respondi. — Pelo menos, ainda não.

claire
tem cachinhos
dourados

— Eles construíram cidades na Lua? — perguntou esperançoso outro garoto.

— Deixamos um monte de lixo e uma bandeira lá, mas foi só.

— A Grã-Bretanha ainda domina o mundo?

— Hum... não exatamente.

Eles pareceram desapontados. Ao sentir uma oportunidade, a srta. Peregrine disse:

— Estão vendo, crianças? O futuro não é tão grandioso, no fim das contas. Não há nada de errado com o velho aqui e agora!

Senti que isso era algo que ela sempre tentava botar na cabeça deles, com pouco sucesso. Mas isso me fez pensar: há quanto tempo eles estavam no "velho aqui e agora"?

— Você se importa que eu pergunte sua idade? — disse eu.

— Tenho 83 — disse Horace.

Olive ergueu a mão, empolgada.

— Vou fazer 75 e meio na semana que vem! — proclamou.

Eu me perguntei como conseguiam manter controle dos meses e anos se os dias nunca mudavam.

— Eu tenho 117 ou 118 — disse um garoto de pálpebras pesadas chamado Enoch. Ele não parecia ter mais que treze anos. — Vivi em outra fenda antes de vir para cá — explicou.

— Tenho quase 87 — disse Millard, a boca coberta de gordura de ganso, e, enquanto falava, um bolo disso girava em sua mandíbula invisível para que todos vissem. As pessoas soltaram gemidos e cobriram ou desviaram os olhos.

Então chegou a minha vez. Eu tinha dezesseis anos, contei a eles. Vi os olhos de alguns garotos se arregalarem. Olive riu com surpresa. Para eles, era estranho que eu fosse tão jovem, mas, para mim, estranho era como *eles* pareciam jovens. Eu conhecia muitas pessoas com mais de oitenta anos na Flórida, e esses garotos não agiam em nada como elas. Era como se a constância da vida deles ali, os dias sem mudanças, aquele verão perpétuo e imortal, tivesse prendido suas emoções como fizera com seus corpos, selando-os em juventude como Peter Pan e seus Meninos Perdidos.

Um estrondo repentino soou do lado de fora — o segundo naquela noite, mas mais alto e mais próximo que o primeiro, fazendo tremer os talheres e pratos sobre a mesa.

— Terminem logo, apressem-se todos! — disse a srta. Peregrine, e, assim que ela disse isso, outro abalo sacudiu a casa e fez com que um quadro na parede caísse atrás de mim.

— O que *é* isso? — perguntei, tentando não mostrar meu nervosismo.

— Os malditos alemães de novo! — rosnou Olive, batendo o pequeno punho na mesa, sem dúvida numa imitação de algum adulto enfurecido. Os outros riram, e a srta. Peregrine lançou um olhar de advertência para ela. Então ouvi o que soou como um zumbido em algum lugar ao longe, e de repente percebi o que estava acontecendo. Era o dia 3 de setembro de 1940, e em pouco tempo uma bomba cairia do céu e abriria um buraco gigante na casa. O zumbido era uma sirene que soava no alto da colina.

— Temos de sair daqui — disse eu, o pânico subindo na garganta. — Temos de ir antes que a bomba nos atinja!

Ouvi mais risos, só que agora se dirigiam a mim.

— Ele não sabe! — riu Olive. — Acha que nós vamos morrer.

— É apenas o processo de transição — disse Millard, com um dar de ombros de seu paletó de *smoking*. — Não precisa botar os sapatos de corrida.

— Isso acontece toda noite?

A srta. Peregrine assentiu.

— Toda noite — disse ela. Mas, de algum modo, não me senti reconfortado.

— Podemos ir lá fora e mostrar a Jacob? — disse Hugh.

— É, podemos? — repetiu Claire, repentinamente entusiasmada após vinte minutos de silêncio emburrado. — A transição é sempre tão bonita!

A srta. Peregrine ficou contrariada e observou que as crianças ainda não tinham terminado o jantar, mas elas imploraram até que ela cedesse.

— Está bem, desde que todos vocês usem suas máscaras — disse ela.

As crianças se levantaram apressadas de seus lugares e saíram correndo da sala, deixando a pobre Olive para trás até que alguém ficou com pena e voltou para soltá-la de sua cadeira. Corri atrás deles pela casa. Entramos no salão com paredes forradas de madeira, onde cada um pegou alguma coisa em um armário antes de sair pela porta. A srta. Peregrine também me deu uma daquelas coisas, e eu fiquei girando aquilo na mão. Parecia um rosto murcho de borracha negra, com grandes escotilhas de vidro como olhos congelados em estado de choque, com uma trompa pendente que terminava em uma lata perfurada.

— Vá em frente — disse a srta. Peregrine. — Coloque-a. — Então percebi o que era: uma máscara de gás.

Eu a prendi sobre o rosto e depois segui a srta. Peregrine até o jardim, onde as crianças estavam de pé, espalhadas como peças de xadrez em um tabuleiro em branco, anônimas por trás de suas máscaras viradas para o alto, observando ondas de fumaça negra rolar pelo céu. Topo de árvores queimava ao longe. O ronco de aviões invisíveis parecia vir de todos os lados.

Então houve um estrondo abafado que pude sentir no peito como a pulsação de um segundo coração, seguido por ondas de forte calor, como se alguém estivesse abrindo e fechando um forno na minha frente. Eu me agachava a cada estrondo, mas as crianças nem piscavam. Em vez disso, cantavam, a letra se encaixando perfeitamente ao ritmo das bombas.

Pule, coelho, pule, coelho, pam, pam, PAM!
Bum, bum, BUM, fazem o fazendeiro e seu pistolão.
Por isso ele não vai comer esse coelho,
Pule, coelho, pule, coelho, PAM!

Balas traçantes iluminadas marcavam os céus enquanto a canção terminava. As crianças aplaudiam como a plateia de um espetáculo de fogos de artifícios, com vibrantes faixas coloridas refletidas no vidro de suas máscaras. Esse ataque noturno tinha se tornado uma parte tão constante de suas vidas que eles pararam de pensar naquilo como algo aterrorizante — na verdade, a foto que eu tinha visto no álbum da srta. Peregrine estava legendada como *Nossa bela exibição*. E, de um modo mórbido, acho que era mesmo.

Começou a cair uma chuva fraca, como se todo aquele metal voador tivesse perfurado as nuvens. As explosões tornaram-se menos frequentes. O ataque parecia estar no fim.

Nossa bela exibição

As crianças começaram a ir embora. Apesar de eu achar que voltaríamos para a casa, elas passaram direto pela porta da frente a caminho de outra parte do jardim.

— Aonde estamos indo? — perguntei a dois garotos mascarados.

Eles não disseram nada, mas, parecendo sentir minha ansiedade, me tomaram pela mão com gentileza e me conduziram junto com os outros. Contornamos a casa até os fundos, onde todos estavam reunidos em torno de um gigante arbusto esculpido. Esse, porém, não era uma criatura mítica, mas um homem descansando na grama, apoiado em um braço enquanto o outro apontava para o céu. Levei um tempo para me dar conta de que era uma réplica em folhas do afresco superfamoso de Michelangelo na Capela Sistina. Considerando que era feito apenas de arbustos, era bem impressionante: você quase podia perceber a expressão plácida no rosto de Adam, onde ele tinha duas gardênias azuis no lugar dos olhos.

Vi a garota de cabelos selvagens parada ali perto, as mechas emaranhadas saindo da parte de trás de sua máscara. Ela usava um vestido com estampa floral remendado tantas vezes que parecia quase um *patchwork*. Como costumo falar quando estou nervoso, fui até ela e, apontando para o alto, para Adam, disse:

— Foi você quem fez isso?

Ela assentiu.

— Como?

Ela se abaixou e levou a palma da mão a alguns centímetros da grama. Poucos segundos depois, uma área na forma de uma mão encheu-se de brotos que cresceram até tocarem a palma dela.

— Isso é loucura — disse eu. Sem dúvida não estava em um dos meus momentos mais articulados.

Alguém me pediu silêncio. Todas as crianças aguardavam quietas com o pescoço esticado, apontando para uma área do céu. Ergui os olhos, mas só consegui ver nuvens de fumaça e o tremeluzir alaranjado das chamas refletido nelas.

Então ouvi o motor de um único avião destacar-se de todo o resto. Estava perto, e se aproximando mais. Fui tomado de pânico. *Esta é a noite em que foram mortos. Não apenas a noite, mas o momento exato.* Será que essas crianças morriam toda noite para ser ressuscitadas pela fenda, como em algum culto suicida de Sísifo, condenadas a ser pulverizadas e remendadas por toda a eternidade?

Então algo cinza e pequeno afastou as nuvens e veio veloz em nossa direção. Uma pedra, pensei, mas rochas não assobiam ao cair.

Pule, coelho, pule, coelho, pam — e eu teria saído dali num pulo, mas agora não havia tempo: tudo o que podia fazer era gritar e me deitar no chão para me proteger, mas não havia lugar onde me esconder, então mergulhei na grama e cobri a cabeça com os braços como se de alguma forma isso fosse mantê-los presos ao meu corpo.

Cerrei os dentes, fechei os olhos e prendi a respiração, mas, em vez do estrondo ensurdecedor para o qual estava preparado, tudo caiu em um absoluto e completo silêncio. De repente, não havia mais o ronco de motores nem o silvo de bombas, nem o pipocar distante de armas. Era como se alguém tivesse emudecido o mundo.

Será que eu estava morto?

Descobri a cabeça e virei-me devagar para olhar às minhas costas. Os galhos das árvores envergados pelo vento tinham sido imobilizados. O céu era uma foto estática de chamas lambendo um grupo de nuvens imóveis. Gotas de chuva estavam suspensas no ar, em formas ovais perfeitas diante de meus olhos. E no meio do círculo de crianças, como o objeto de algum ritual arcano, uma bomba pairava no ar, seu bico parecendo equilibrar-se na ponta do dedo esticado de Adam.

Como um filme que se queima dentro do projetor durante a exibição, uma florescência de calor e perfeita alvura espalhou-se à minha frente e engoliu tudo.

***

A primeira coisa que escutei quando consegui ouvir de novo foram risos. O branco desapareceu e vi que estávamos todos posicionados ao redor de Adam do modo em que nos encontrávamos antes, mas agora a bomba tinha desaparecido e a noite estava silenciosa, sendo a única luz no céu sem nuvens a de uma lua cheia. A srta. Peregrine apareceu acima de mim e esticou a mão; eu a segurei e me levantei, ainda zonzo.

— Por favor, aceite minhas desculpas — disse ela. — Eu devia tê-lo preparado melhor para isso. — Ela, porém, não conseguia esconder o sorriso, nem os outros garotos enquanto tiravam suas máscaras. Eu tinha quase certeza de que haviam feito uma brincadeira comigo.

Estava aturdido; não entendia nada direito.

— Provavelmente está na hora de ir para casa dormir — disse eu para a srta. Peregrine. — Meu pai vai ficar preocupado. — Então pensei em uma coisa e acrescentei rapidamente: — *Posso* ir para casa, certo?

— Claro que pode — respondeu ela, e em voz alta pediu um voluntário para me acompanhar de volta ao *cairn*. Para minha surpresa, foi Emma quem levantou o braço e se ofereceu. A srta. Peregrine pareceu satisfeita.

— A senhora tem certeza sobre isso? — murmurei para a diretora. — Há poucas horas ela queria cortar meu pescoço.

— A senhorita Bloom pode ter a cabeça quente, mas é uma de nossas vigilantes mais confiáveis. E acho que vocês dois devem ter algumas coisas para discutir longe de ouvidos curiosos.

Cinco minutos depois, nós dois estávamos a caminho, só que dessa vez minhas mãos não estavam amarradas nem ela me espetava as costas com a ponta de uma faca. Algumas das crianças menores nos seguiram até o limiar do jardim. Queriam saber se eu voltaria no dia seguinte. Dei-lhes garantias muito vagas, pois eu mal podia entender direito o que estava acontecendo ao meu redor naquele instante, muito menos o que aconteceria no futuro.

Passamos sozinhos pela floresta escura e quando a casa desapareceu às nossas costas Emma ergueu a palma da mão e girou o pulso, e uma pequenina bola de fogo acendeu-se para a vida pouco acima de seus dedos. Ela a conduzia à frente, como um garçom levando uma bandeja, iluminando o caminho e projetando nossas sombras gêmeas sobre as árvores.

— Já disse a você como isso é legal? — eu comentei, tentando quebrar um silêncio que a cada segundo ficava mais desconfortável.

— Não é nem um pouco legal — ela retrucou, e aproximou tanto a chama de mim que pude sentir o calor que irradiava. Eu me encolhi e recuei alguns passos.

— Eu não quis dizer isso — balbuciei. — Quis dizer que é legal você poder *fazer* uma coisa dessas.

— Se você falasse direito, talvez eu entendesse — respondeu ela, e parou de caminhar quando percebeu que eu tinha me detido.

Ficamos parados um de frente para o outro a uma distância cuidadosa.

— Você não precisa ter medo de mim — disse ela.

— Ah, é? Como posso saber que você não acha mais que sou uma criatura do mal, e que tudo isso faz parte de um plano para ficar sozinha comigo e finalmente me matar?

— Não seja idiota — disse ela. — Você chegou aqui sem ser anunciado, um estranho que não reconheci, e aí saiu correndo atrás de mim como se fosse um maluco. O que eu devia pensar?

— Está bem, entendi — disse eu, apesar de não ser totalmente sincero.

Ela baixou os olhos e começou a fazer um buraquinho no cascalho com a ponta da bota. A chama em sua mão mudou de cor, indo de laranja a um azul-escuro menos caloroso.

— Não é verdade o que eu disse. Eu o reconheci — disse ela, erguendo os olhos e encontrando os meus. — Você se parece tanto com ele.

— As pessoas às vezes dizem isso.

— Desculpe por ter falado todas aquelas coisas terríveis mais cedo. Não queria acreditar em você, que você fosse quem dizia ser. Eu sabia o que isso significava.

— Tudo bem — respondi. — Quando eu era pequeno, queria tanto conhecer todos vocês. Agora que finalmente isso está acontecendo... — Sacudi a cabeça. — Acho chato que tenha sido por esse motivo.

Então ela correu até mim e jogou os braços em volta do meu pescoço, a chama em sua mão apagando instantes antes que me tocasse, a pele ainda quente onde ela a mantivera, e, por um tempo, ficamos parados daquele jeito na escuridão repentina, eu e aquela mulher adolescente idosa, a garota linda que amara meu avô quando ele tinha a minha idade. Não havia nada que eu pudesse fazer além de abraçá-la também, por isso retribuí, e em pouco tempo acho que estávamos os dois chorando. Depois, de modo tão repentino quanto nosso abraço começou, ela se afastou de mim.

Ouvi-a respirar fundo no escuro e acender de novo a chama na mão.

— Me desculpe por isso — disse ela. — Não costumo...

— Não se preocupe.

— A gente devia ir andando.

— Mostre o caminho — disse eu.

Caminhamos em silêncio pela mata, apesar de não ser mais um silêncio desconfortável. Quando chegamos à charneca, ela disse:

— Só pise onde eu pisar. — E foi o que fiz, plantando meus pés em suas pegadas, vendo os gases da charneca pantanosa queimar em piras verdes ao longe enquanto passávamos, como se simpatizassem com a luz de Emma.

Quando chegamos ao *cairn*, entramos agachados e rastejamos um atrás do outro até a câmara dos fundos, depois saímos em um mundo envolto em neblina. Ela me guiou de volta à trilha e, quando chegamos lá, entrelaçou os dedos nos meus e os apertou, e ficamos um momento em silêncio. Então ela se virou e foi embora, engolida pela névoa tão rapidamente que por um instante eu me perguntei se ela tinha realmente estado ali.

***

De volta à cidade, eu meio que esperava encontrar carroças puxadas a cavalo pelas ruas. Em vez disso fui recebido pelo ronco dos geradores e o brilho das telas de TV atrás das janelas das casas. Eu estava em casa, tal como a deixara.

Nenhum dos homens no *pub* pareceu disposto a me linchar. Kev estava atrás do balcão e ergueu um copo em minha direção quando entrei. Tudo estava certo com o mundo.

Subi e encontrei meu pai dormindo à mesa, debruçado em cima do *laptop*. Quando fechei a porta, ele acordou assustado.

— Oi! Ei? Você chegou tarde, não? Que horas são?

— Não sei — respondi. — Antes das nove, acho. Os geradores ainda estão ligados.

Ele se espreguiçou e esfregou os olhos.

— O que você fez hoje? Achei que íamos jantar juntos.

— Explorei umas casas antigas e outros lugares.

— Encontrou alguma coisa legal?

— Ah, na verdade, não — respondi, percebendo que devia ter pensado em uma história mais elaborada para despistar.

Ele me olhou de modo estranho.

— Onde arranjou isso?

— Isso o quê?

— Essas roupas — disse ele.

Olhei para mim mesmo e me dei conta de que tinha me esquecido completamente das calças de *tweed* e dos suspensórios que eu estava vestindo.

— Encontrei na casa — disse eu, porque não tive tempo de pensar em uma resposta menos estranha. — Não são legais?

Ele fez uma careta.

— Você vestiu roupas que achou por aí? Jake, isso não é higiênico. E o que aconteceu com suas calças e seu casaco?

Eu precisava mudar de assunto.

— Eles estavam supersujos, então eu, ah... — deixei a frase morrer e fiz questão de observar o documento em Word aberto na tela do computador do meu pai.

— Ei? É seu livro? Como está indo?

Ele fechou rapidamente o *laptop*.

— Meu livro não está em discussão agora — resmungou. — O importante é que as horas que você passe aqui sejam terapêuticas. E não estou certo de que passar os dias sozinho naquela casa velha sejam exatamente o que doutor Golan tinha em mente quando deu sinal verde para esta viagem.

— Ei, você quase bateu o recorde — disse eu.

— O quê?

— O intervalo mais longo sem mencionar meu psiquiatra. — Fingi olhar para meu relógio de pulso inexistente. — Quatro dias, cinco horas e 26 minutos — suspirei. — Foi bom enquanto durou.

— Esse homem tem ajudado muito — disse ele seriamente. — Só Deus sabe o estado em que você estaria agora se nós não o tivéssemos encontrado.

— Você tem razão, pai. Doutor Golan me ajudou. Mas isso não significa que ele tem de controlar todos os aspectos da minha vida. Quero dizer, nossa, você e a mamãe também podiam me comprar uma dessas pulseirinhas que dizem *O que Golan faria?* Assim eu posso perguntar a mim mesmo antes de fazer qualquer coisa. Antes de ir ao banheiro. Como doutor Golan gostaria que eu cagasse desta vez? Qual a maneira mais psicologicamente benéfica de fazer cocô? Quero dizer, fala sério! Entendeu?

Ele ficou quieto por alguns segundos. Quando falou, sua voz saiu muito estranha, muito baixa e grave, e ele me disse que no dia seguinte eu ia sair com ele para observar pássaros, quisesse ou não, ao que respondi que ele estava totalmente enganado e, sem dizer mais nada, ele se levantou e desceu para o *pub*. Achei que ia beber alguma coisa, por isso fui trocar de roupa, mas alguns minutos depois ele bateu à porta do meu quarto e disse que havia alguém ao telefone que precisava falar comigo.

Achei que fosse minha mãe, por isso rangi os dentes e desci atrás dele até a cabine telefônica no canto mais afastado do *pub*. Ele me entregou o fone e foi sentar sozinho a uma mesa. Fechei a porta da cabine e disse "alô". Do outro lado, para minha surpresa, estava dr. Golan.

— Acabei de falar com seu pai — disse ele. — Ele pareceu um pouco preocupado.

Eu queria dizer ao dr. Golan que ele e meu pai podiam ir à merda, mas eu sabia que aquela era uma situação que exigiria tato. Se eu o irritasse, seria o fim da minha viagem, e eu não ia embora agora de jeito nenhum, quando havia tanto mais a descobrir sobre as crianças peculiares. Então entrei no jogo e disse a ele o que eu andara fazendo — contei tudo, menos a parte das crianças numa fenda no tempo —, tentando dar a impressão de que chegava à conclusão de não ter nada de especial na ilha ou em meu avô. Foi como uma miniconsulta por telefone.

— Espero que você não esteja me dizendo apenas o que quero ouvir — disse ele. Isso tinha virado seu bordão. — Talvez eu devesse ir até aí para ver você pessoalmente. Na verdade, umas férias agora, longe do consultório, me fariam bem. O que acha disso?

Congelei. *Por favor, que seja uma brincadeira! Por favor, por favor!*

— Estou bem, sério — disse eu.

— Pode ficar tranquilo, Jacob, só estou brincando, apesar de ser verdade que eu *preciso* de umas férias. E, para ser honesto, acredito em você. Você parece bem. Na verdade, acabei de dizer a seu pai que provavelmente a melhor coisa que ele pode fazer por você é lhe dar espaço para respirar e resolver as coisas sozinho por um tempo.

— Sério?

— Já faz um bom tempo que eu e seus pais estamos em cima de você. A partir de certo ponto, isso é contraproducente.

— Bem, agradeço por isso.

Ele disse mais alguma coisa, mas havia muito barulho na linha e eu não entendi direito.

— Está difícil escutá-lo — disse eu. — O senhor está num *shopping* ou algo assim?

— No aeroporto — respondeu ele. — Vim buscar minha irmã. Enfim, o que quero dizer é: divirta-se. Explore e não se preocupe demais. Vejo você de novo em breve, certo?

— Claro. Obrigado de novo, doutor Golan.

Quando desliguei o telefone, me senti mal por ter reclamado dele mais cedo. Era a segunda vez, agora, que ele ficava do meu lado quando meus pais não estavam.

Meu pai estava do outro lado do salão, parado em frente a um copo de cerveja. Parei ao lado da mesa dele antes de subir para o quarto.

— Sobre amanhã... — disse eu.

— Acho que você pode fazer o que quiser.

— Tem certeza?

Ele deu de ombros, chateado.

— Ordens médicas.

— Volto antes do jantar, prometo.

Ele apenas assentiu com a cabeça. Eu o deixei no bar e fui para a cama.

Ao dormir, meus pensamentos viajaram até as crianças peculiares, e a primeira pergunta que elas fizeram quando a srta. Peregrine me apresentou: *Jacob vai ficar conosco? Claro que não*, pensei. Mas por que não? Se eu nunca voltasse para casa, o que ficaria faltando? Pensei em minha casa escura e cavernosa, em minha cidade hostil e cheia de lembranças ruins, na vida absolutamente sem graça que tinha sido traçada para mim. E me dei conta de que nunca passara por minha cabeça que eu pudesse abrir mão de tudo isso

CAPÍTULO SETE

A manhã trouxe chuva, vento e neblina, um tempo opressivo que tornou difícil acreditar que a véspera não passara de um sonho estranho e maravilhoso. Engoli apressadamente o café da manhã e disse ao meu pai que ia sair. Ele me olhou como se eu estivesse maluco.

— Com *esse* tempo? Fazer o quê?

— Ver as pessoas... — comecei a dizer sem pensar muito e, então, para continuar a besteira que tinha falado, fingi pigarrear para tirar algo preso da garganta. Mas era tarde demais para voltar atrás. Ele tinha me ouvido.

— Ver que pessoas? Não aqueles *rappers* delinquentes, espero.

O único modo de sair daquele buraco, pensei, seria ir mais fundo.

— Não — respondi. — Você não os conhece; eles moram do outro lado, hum... da ilha, e...

— Sério? Achei que ninguém morava lá.

— Ora, bem, é pouca gente. Pastores de ovelhas, gente assim. Enfim, eles são legais e tomam conta de mim enquanto estou na casa. — Amigos e segurança, duas coisas às quais meu pai jamais poderia se opor.

— Quero conhecê-los — disse ele, tentando demonstrar seriedade. Ele costumava fazer essa cara, fingindo ser o pai enfezado que aspirava ser.

— Claro. Mas nós vamos nos encontrar lá, então fica para a próxima.

Ele assentiu e deu outra garfada no café da manhã. Relaxei um pouco. Talvez essa mentira não fosse nada de mais.

— Quero você de volta antes do jantar.

— Pode ficar tranquilo, pai.

Praticamente corri até a charneca. Enquanto encontrava meu caminho em meio à sua lama traiçoeira, tentando com pouco sucesso me lembrar da rota de ilhas de grama semi-invisíveis que Emma usara para atravessá-lo, fiquei preocupado em encontrar do outro lado apenas mais chuva e a casa em ruínas. Então, foi com grande alívio que emergi do túmulo antigo para encontrar o dia 3 de setembro de 1940 igualzinho a como eu o deixara: quente, ensolarado e sem névoa, o céu de um azul confiável, com nuvens em formas que pareciam reconfortantemente familiares. Melhor ainda: Emma estava à minha espera, sentada na beirada da elevação, jogando pedras no pântano.

— Já não era sem tempo! — exclamou, ficando de pé em um salto. — Vamos, todos estão esperando por você.

— Estão?

— *Es-tão*! — disse ela, revirando os olhos com impaciência. Então tomou minha mão e me puxou atrás dela. Estremeci de excitação ao seu toque e ao pensar no dia que havia pela frente, cheio de possibilidades intermináveis. Mesmo que de milhões de modos superficiais ele fosse idêntico ao dia anterior — a mesma brisa ia soprar, os mesmos galhos cairiam na floresta e as pessoas na cidade fariam as mesmas coisas que tinham feito ontem —, minha experiência não seria a mesma. Nem a das crianças peculiares. Eles eram deuses desse pequeno e estranho paraíso, e eu era o hóspede.

Corremos pela charneca e pela floresta como se estivéssemos atrasados para um compromisso, e quando chegamos à casa Emma me conduziu até os fundos, onde um pequeno palco de madeira tinha sido montado no quintal. As crianças entravam e saíam da casa carregando objetos de cena, abotoando seus paletós e fechando os zíperes de vestidos de cetim. Uma pequena orquestra se aquecia, apenas um acordeão, um trombone velho e um serrote musical que Horace tocava com um arco.

— O que é isso? — perguntei a Emma. — Vocês vão fazer uma peça de teatro?

— Você vai ver — disse ela.

— Quem vai participar?

— Você vai ver.

— É sobre o quê?

Ela me deu um beliscão.

Um apito soprou e todos correram para arranjar lugar em uma das fileiras de cadeiras dobráveis armadas diante do palco. Emma e eu nos sentamos no momento em que as cortinas se abriram, revelando um chapéu de palhinha flutuando acima de um paletó listrado de vermelho e branco. Só quando ele começou a falar eu percebi o óbvio: era Millard que estava vestido com aquelas roupas.

— Senhooraaas e senhooorees! — anunciou ele. — Tenho o maior prazer em trazer para vocês um espetáculo como nenhum outro na história! Um show de ousadia e coragem inigualáveis, de magia tão poderosa que vocês simplesmente não vão acreditar em seus próprios olhos. Meus caros cidadãos, apresento-lhes a senhorita Peregrine e suas crianças peculiares!

A pequena plateia irrompeu em uma grande salva de palmas. Millard os saudou com o chapéu.

— Para nossa primeira ilusão, vou fazer a própria senhorita Peregrine aparecer! — Ele se agachou atrás da cortina para, um momento depois, surgir com um lençol dobrado pendurado sobre um braço e um falcão-peregrino empoleirado no outro. Ele acenou com a cabeça para a orquestra, que começou a tocar uma espécie de música festiva assobiada.

Emma me cutucou com o ombro.

— Preste atenção — sussurrou.

Millard baixou a ave, ergueu o lençol para escondê-la do público e começou uma contagem regressiva.

— Três, dois, um!

No *um*, ouvi o bater de asas inconfundível, e então a cabeça da srta. Peregrine — sua cabeça *humana* — surgiu de trás do lençol para uma salva de palmas ainda mais alta. Seus cabelos estavam despenteados, e eu só podia vê-la dos ombros para cima, mas ela parecia estar nua atrás do lençol. Aparentemente, quando você se transforma em ave, suas roupas não se transformam junto. Ela segurou as pontas do lençol e o envolveu castamente em torno do corpo.

— Senhor Portman! — disse ela, olhando para mim do alto do palco. — Estou tão feliz por tê-lo de volta. Esta é uma pequena apresentação com a qual costumávamos sair em turnê pelo continente em tempos mais tranquilos. Imaginei que você poderia achá-la educativa! — Então ela deixou o palco com um floreio e sumiu para vestir suas roupas.

Uma atrás da outra, as crianças peculiares saíram da plateia e subiram ao palco, cada uma delas com um número próprio. Millard tirou o *smoking* para ficar totalmente invisível e fez malabarismo com garrafas de vidro. Olive tirou os sapatos de chumbo e fez um número de ginástica em barras paralelas que desafiava a gravidade. Emma produziu fogo, então o engoliu e soprou outra vez, sem se queimar. Eu aplaudi tudo até começar a achar que ficaria com bolhas nas mãos.

Quando Emma voltou a se sentar, virei-me para ela e disse:

— Não entendo... vocês apresentavam isso para as pessoas?

— Claro — respondeu.

— Pessoas *normais*?

— Claro que pessoas normais. Por que os peculiares pagariam para ver coisas que eles mesmos podem fazer?

— Mas isso não pode, digamos, estragar o disfarce de vocês?

Ela riu da minha ingenuidade.

— Ninguém suspeitava de nada — respondeu. — As pessoas vão a apresentações como essa para ver façanhas, truques e coisas assim, e para todos os efeitos era exatamente isso o que mostrávamos a elas.

— Então vocês se escondiam em plena vista.

— Esse era o modo como a maioria dos peculiares ganhava a vida.

— E ninguém nunca percebeu nada?

— De vez em quando aparecia algum chato nos bastidores fazendo perguntas enxeridas, por isso sempre tivemos um braço forte à mão para chutá-los para longe. Por falar no diabo, olha ela aí agora!

No alto do palco, uma menina de aspecto masculinizado, com o corpo em forma de um hidrante, arrastava uma pedra do tamanho de uma geladeira detrás da cortina.

— Ela pode não ser a coisa mais bonita do mundo — sussurrou Emma —, mas tem um coração enorme e defenderia seus companheiros até a morte. Somos muito unidas, Bronwyn e eu.

Alguém tinha passado uma pilha de cartões promocionais que a srta. Peregrine usava no passado para anunciar seu espetáculo. Quando chegou a mim, o cartão de Bronwyn estava em cima. Ela estava de pé e descalça, desafiando a câmera com um olhar gelado. No fundo, lia-se a inscrição A GAROTA DE FORÇA DESCOMUNAL DE SWANSEA!

— Por que ela não está erguendo uma pedra, se é isso que ela faz no palco? — perguntei.

— Ela estava de mau humor porque a Ave a fez se vestir como uma dama para a foto. Ela se recusou a levantar até mesmo uma caixa de chapéu.

— Parece que ela se recusou, também, a calçar sapatos.

— Ela normalmente faz isso.

Quando Bronwyn terminou de arrastar a rocha até o meio do palco, houve um momento estranho no qual ela apenas encarou a plateia, como se alguém lhe tivesse dito para fazer uma pausa que aumentasse o efeito dramático. Depois ela se abaixou e agarrou a rocha com suas grandes mãos e, lentamente, ergueu-a acima da cabeça. Todos aplaudiram e gritaram, as crianças totalmente entusiasmadas, apesar de, provavelmente, já terem visto Bronwyn fazer aquilo mil vezes antes. Era quase como ir a uma apresentação de alunos de uma escola que você não frequentava.

Bronwyn bocejou e deixou o palco com a rocha embaixo do braço. Então a garota de cabelos selvagens subiu ao palco. O nome dela era Fiona, disse Emma. A garota parou de frente para a plateia atrás de um vaso cheio de terra, as mãos erguidas sobre ele como um maestro. A orquestra começou a tocar *O voo do besouro* — do jeito que conseguiam —, e Fiona acariciou o ar acima do vaso enquanto fazia expressões torturantes, até que uma fileira de margaridas projetou a cabeça para fora da terra e se abriu no ar. Era como um daqueles vídeos acelerados de plantas brotando, exceto que ela parecia puxar as flores do leito de terra semeada por meio de fios invisíveis. As crianças adoraram e pularam da cadeira para aplaudi-la.

Emma folheou a pilha de cartões até achar o de Fiona.

— O dela é o meu favorito — disse. — Trabalhamos juntas por dias em seu figurino.

Olhei para o cartão.

— O que ela devia parecer? — perguntei. — Uma mendiga maluca?

Emma me beliscou.

— Ela devia parecer *natural*, como se fosse uma pessoa selvagem. Nós a chamávamos de Jill das Selvas.

— Ela veio mesmo da floresta?

— Ela é da Irlanda.

— Há muitas galinhas na floresta?

Ela me beliscou outra vez. Enquanto sussurrávamos, Hugh se juntou a Fiona no palco. Ele estava parado de boca aberta e soltava abelhas por ela para que polinizassem as flores que Fiona fizera crescer, como um estranho ritual de acasalamento.

— O que mais Fiona faz crescer além de flores e arbustos?

— Todas essas verduras e legumes — disse Emma, apontando para canteiros nas extremidades do quintal. — E às vezes árvores.

— Sério? Árvores inteiras?

Ela procurou outra vez na pilha de cartões.

— Às vezes brincamos de Jill e o pé de feijão. Alguém pega uma muda na beira da floresta e vemos até que altura Fiona consegue fazê-la crescer enquanto estamos montados sobre ela. — Emma chegou à imagem que procurava e a apontou com o dedo. — Bem aqui. Este foi o recorde — disse com orgulho. — Vinte metros.

— Vocês ficam mesmo muito entediados por aqui, hein?

Ela moveu-se para me beliscar outra vez, mas detive sua mão. Não sou especialista em garotas, mas, quando uma delas o belisca quatro vezes, tenho quase certeza de que está paquerando você.

Havia outros números, por isso Fiona e Hugh deixaram o palco. Mas as crianças estavam ficando impacientes e logo nos dispersamos para passar o resto do dia em um idílio de verão: bebemos limonada deitados preguiçosamente ao sol, jogamos croqué, cuidamos dos jardins que, graças a Fiona, mal precisavam de cuidados e discutimos nossas opções para o almoço. Eu queria perguntar à srta. Peregrine mais sobre meu avô — um assunto que eu tomava o cuidado de evitar tocar com Emma, que ficava entristecida e pensativa a qualquer menção de seu nome —, mas a diretora tinha ido para a biblioteca dar algum tipo de aula para as crianças. Parecia, porém, que eu tinha muito tempo, e o ritmo lânguido e o calor do meio-dia minaram meu desejo de fazer qualquer coisa mais exigente que circular pela propriedade fascinado, como se estivesse sonhando.

Após um almoço pantagruélico de sanduíches de ganso e pudim de chocolate, Emma começou a incitar os garotos mais velhos para irmos nadar.

— Nem pensar — resmungou Millard, que estava com o botão superior da calça quase estourando. — Estou tão cheio quanto um peru de Natal recheado. — Nós estávamos jogados em móveis muito estofados

pela sala de estar, cheios a ponto de estourar. Bronwyn estava deitada sobre um divã com a cabeça enfiada entre duas almofadas.

— Eu iria afundar direto — ouvi sua voz abafada dizer.

Mas Emma era persistente. Dez minutos depois de muito insistir, ela conseguiu arrancar Hugh, Fiona e Horace de suas sestas e desafiou Bronwyn, que aparentemente não resistia a qualquer tipo de competição, a uma prova de natação. Quando nos viu todos saindo de casa juntos, Millard nos deu uma bronca por tentar deixá-lo para trás.

O melhor lugar para nadar era na baía, mas chegar lá significava caminhar pela cidade.

— E esses bêbados malucos que acham que sou um espião alemão? — disse eu. — Hoje não me sinto com vontade de ser perseguido com porretes.

— Seu pateta — disse ela. — Isso foi *ontem*. Eles não vão se lembrar de nada.

— Só se enrole numa toalha para que eles não vejam suas, hum, roupas do futuro — disse Horace. Eu estava vestindo calças *jeans* e camisa, meu traje habitual, e Horace vestia o seu terno preto de costume. Ele parecia seguir a escola de vestuário da srta. Peregrine: morbidez ultraformal, independentemente da ocasião. A foto dele estava entre as que eu encontrara no baú despedaçado e, numa tentativa de se "embecar" como sugeria o retrato, ele tinha exagerado completamente: cartola, bengala e monóculo, uma produção total.

— Tem razão — disse eu, apontando Horace com um gesto de sobrancelha. — Eu não ia querer ninguém achando que me visto de modo estranho.

— Se está se referindo a meu paletó — respondeu ele com arrogância —, sim, admito ser um seguidor da moda. — Os outros riram. — Podem ir em frente, riam à custa do velho Horace! — disse ele. — Podem me chamar de dândi se quiserem, mas só o fato de os moradores do vilarejo não se lembrarem do que você veste não lhe dá o direito de se vestir como um vagabundo! — Dito isso, ele ajeitou a lapela, o que só fez com que os garotos rissem com mais força. Furioso, ele apontou um dedo acusador para as minhas roupas. — E, em relação a ele, Deus nos ajude se *essas* são todas as roupas que o futuro nos reserva!

Depois que os risos morreram, puxei Emma de lado e murmurei:

— O que exatamente faz de Horace peculiar, além de suas roupas, quero dizer?

— Ele tem sonhos proféticos — respondeu ela. — Tem esses grandes pesadelos premonitórios de vez em quando, que têm a perturbadora tendência de se tornar realidade.

— Com que frequência? Muita?

— Pergunte você mesmo a ele.

Mas Horace não estava no clima de responder às minhas perguntas. Quando chegamos à cidade, enrolei uma toalha em volta da cintura e pendurei outra nos ombros, e, apesar de não ser exatamente uma profecia, Horace estava certo sobre uma coisa: ninguém me reconheceu. Descemos direto pela trilha principal e, mesmo recebendo alguns olhares de estranheza, ninguém nos incomodou. Passamos até pelo gordo que tinha pegado no meu pé no bar — o sujeito estava enchendo um cachimbo diante da charutaria e discursando sobre política para uma mulher que parecia prestar pouca atenção a ele. Não consegui evitar encará-lo quando passamos. Ele devolveu o olhar, sem sequer um momento de reconhecimento.

Era como se alguém tivesse "reiniciado" a cidade. Eu continuava a perceber coisas que tinha visto no dia anterior: a mesma carroça correndo loucamente trilha abaixo, sua roda traseira derrapando no cascalho; as mesmas mulheres em fila para pegar água no poço; um homem calafetando o fundo de um barco a remo, não mais adiantado em sua tarefa do que 24 horas antes. Eu quase esperava ver meu sósia correndo pela cidade perseguido por uma turba, mas acho que as coisas não funcionavam assim.

— Cara, vocês devem saber muito do que rola por aqui — disse eu. — Como ontem, com os aviões e aquela carroça.

— É Millard que sabe tudo — disse Hugh.

— Isso mesmo — disse Millard. — Na verdade, estou a caminho de completar o primeiro relato completo de um dia na vida de uma cidade, como foi experimentado por todos os seus habitantes. Todas as ações, todas as conversas, todos os sons feitos por cada um dos 159 humanos e 332 animais residentes na cidade de Cairnholm, minuto a minuto, do alvorecer ao pôr do sol.

— Isso é incrível! — falei.

— Não posso fazer outra coisa senão concordar — retrucou Millard. — Em 27 anos observei metade dos animais e quase todos os humanos.

Fiquei boquiaberto.

— Vinte e sete *anos*?

— Ele passou três só com os porcos! — disse Hugh. — Isso significa todos os dias de três anos inteiros tomando notas sobre *porcos*! Você pode imaginar? Esse aí fez um monte de cocô! Aquele disse *oinc-oinc* e depois foi dormir na própria sujeira!

— As anotações são absolutamente essenciais no processo — disse Millard. — Mas posso entender sua inveja, Hugh. Minha obra promete ser um trabalho sem precedentes na história das pesquisas acadêmicas.

— Não seja metido — disse Emma. — Também não terá precedentes na história das coisas sem graça. Pode ser a coisa mais sem graça já escrita!

Em vez de responder, Millard começou a apontar coisas antes que acontecessem.

— A senhora Higgins está prestes a ter um acesso de tosse — dizia ele, e então uma mulher na rua começava a tossir com força, até ficar com o rosto vermelho. Ou: — Agora um pescador vai lamentar a dificuldade de ganhar a vida com seu ofício em tempos de guerra. — E em seguida um homem recostado em uma carroça cheia de redes virou-se para outro homem e disse:

— Tem tantos malditos submarinos na água agora que não é seguro para ninguém jogar suas linhas de pesca por aí!

Fiquei bem impressionado e disse isso a Millard.

— Fico satisfeito por *alguém* apreciar meu trabalho — respondeu.

Caminhamos pela orla da baía até o fim das docas, depois seguimos pela costa rochosa na direção do pontal até chegarmos a uma enseada com praia de areia. Nós rapazes tiramos a roupa e ficamos de cuecas (todos menos Horace, que tirou apenas os sapatos e a gravata), enquanto as meninas sumiram para se trocar e vestir maiôs recatados e antiquados, e então fomos nadar. Bronwyn e Emma apostaram corrida uma com a outra enquanto o resto ficou só boiando e nadando sem rumo. Quando ficamos exaustos, voltamos para a areia e tiramos um cochilo. Depois, com o sol quente demais, voltamos para a água, e, quando o mar frio nos fez tremer, voltamos para a praia, ficando assim até que nossas sombras começaram a se projetar compridas na enseada.

Começamos a conversar. Eles tinham um milhão de perguntas para mim, e com a srta. Peregrine longe eu podia respondê-las com franqueza. Como era meu mundo? O que as pessoas comiam, bebiam e vestiam? Quando a morte e as doenças seriam dominadas pela ciência? Eles viviam em esplendor, mas estavam famintos por novos rostos e histórias. Contei a eles tudo o que pude, revirando o cérebro em busca de pérolas da história do século XX da aula da sra. Johnston — a aterrissagem na Lua, o Muro de Berlim! O Vietnã... Mas eram histórias pouco compreendidas.

Foram a tecnologia e o padrão de vida de meu tempo que os impressionaram mais. As casas tinham ar-condicionado. Eles tinham ouvido falar em televisão, mas nunca haviam visto uma, e ficaram chocados ao saber que minha família tinha uma dessas caixas de imagens falantes em praticamente todos os aposentos da casa. Viagens pelo ar eram tão comuns e baratas quanto as viagens de trem eram para eles. Nosso exército lutava com aviões guiados por controle remoto. Tínhamos computadores-telefone que cabiam no bolso; e, mesmo que o meu não funcionasse lá (nada eletrônico parecia funcionar), eu o peguei só para mostrar seu invólucro reluzente e espelhado.

O crepúsculo se aproximava quando finalmente resolvemos voltar. Emma grudou-se em mim como cola, as costas de sua mão se esfregando na minha enquanto andávamos. Quando passamos por uma macieira nos limites da cidade, ela parou para apanhar uma fruta, mas, mesmo na ponta dos pés, a maçã mais baixa estava fora de seu alcance, por isso fiz o que qualquer cavalheiro faria e a ajudei, abraçando-a pela cintura e tentando não gemer enquanto a erguia, ela com o alvo braço estendido, os cabelos molhados brilhando com os reflexos do sol poente. Quando a abaixei, ela me deu um beijo leve no rosto e me entregou a maçã.

— Aqui — disse ela. — Você fez por merecer.

— A maçã ou o beijo?

Ela riu e saiu correndo para alcançar os outros. Eu não sabia como chamar aquilo que acontecia entre nós, mas estava gostando. Era uma sensação tola, frágil e boa. Guardei a maçã no bolso e fui correndo atrás de Emma.

Quando chegamos à charneca pantanosa e eu disse que precisava ir para casa, ela fingiu fazer um biquinho.

— Pelo menos me deixe acompanhá-lo — disse ela; então acenamos, nos despedimos dos outros e seguimos até o túmulo de pedra, enquanto eu fazia o máximo possível para memorizar o lugar onde ela botava os pés no caminho.

Quando chegamos lá, eu disse:

— Venha até o outro lado comigo por um minuto.

— Eu não devia. Tenho de voltar ou a Ave vai desconfiar de nós.

— Desconfiar de nós? De quê?

Ela deu um sorriso recatado.

— De... alguma coisa.

— Alguma coisa.

— Ela está sempre à procura de alguma coisa — respondeu rindo.

Mudei de tática.

— Por que não vem me ver amanhã, então?

— Ver você? Do outro lado?

— Por que não? A senhorita Peregrine não estará por perto para nos ver. Você podia até conhecer meu pai. É óbvio que não vamos dizer a ele quem você é. E ele vai relaxar um pouco em relação a onde vou e ao que faço o tempo todo. Eu saindo com uma garota bonita? Isso seria o melhor dos sonhos para meu pai!

Pensei que ela pudesse sorrir à menção do "garota bonita", mas em vez disso ela ficou séria.

— A Ave só nos deixa ir ao outro lado por alguns minutos de cada vez, apenas para manter a fenda aberta, você sabe.

— Então diga a ela que é isso o que você vai fazer!

Ela deu um suspiro.

— Eu quero. Quero mesmo. Mas é uma má ideia.

— Ela mantém vocês na coleira.

— Você não sabe o que está dizendo — disse ela de cara fechada. — E obrigada por me comparar a um cachorro; isso foi brilhante.

Eu me perguntei como tínhamos passado da paquera à discussão tão rapidamente.

— Não quis dizer isso — retruquei.

— Não é que eu não queira ir — disse ela, acalmando-se. — Simplesmente não posso.

— Está bem, vamos fazer um trato. Esqueça o dia inteiro. Só venha por um minuto, agora mesmo.

— Um minuto? O que você pode fazer em um minuto?

Sorri.

— Você vai ficar surpresa.

— Me conte! — disse ela, empurrando-me.

— Tirar seu retrato.

O sorriso dela desapareceu.

— Não estou exatamente com minha melhor aparência — disse ela, avaliando-se com desconfiança.

— O que é isso? Você está ótima. De verdade.

— Só um minuto? Promete?

Deixei que entrasse à minha frente no *cairn*. Ela sacudiu o pulso e uma pequena chama azul se acendeu acima de sua mão, mais que suficiente para iluminar nosso caminho. Quando saímos outra vez, o mundo estava frio e enevoado, apesar de, misericordiosamente, a chuva ter parado. Saquei meu celular e adorei ver que minha teoria estava certa — desse lado da fenda, as coisas eletrônicas funcionavam direito.

— Onde está sua câmera? — disse, tremendo. — Vamos acabar logo com isso.

Ergui o celular e tirei uma foto dela. Ela apenas sacudiu a cabeça, como se nada mais em meu mundo bizarro pudesse surpreendê-la. Então se esquivou e se afastou, e tive de ir atrás dela em volta do *cairn* para conseguir fotografá-la, enquanto nós dois ríamos, Emma se agachando para sair da minha vista só para surgir de novo e fazer pose para a câmera. Um minuto depois, eu tinha tirado tantas fotos que a memória do telefone estava quase esgotada.

Emma correu até a boca do *cairn* e me soprou um beijo todo teatral.

— Vejo você amanhã, garoto do futuro.

Ergui a mão para um aceno de despedida e ela entrou agachada no túnel de pedra.

***

Corri de volta para a cidade, molhado e congelando, sorrindo como um idiota. Ainda estava a várias quadras do *pub* quando ouvi um barulho estranho surgir acima do ruído dos geradores — alguém chamando meu nome. Corri na direção da voz e encontrei meu pai parado no meio da rua com o suéter ensopado, a fumaça de sua respiração à sua frente, como a válvula de uma panela de pressão em uma manhã fria.

— Jacob, eu estava te procurando!

— Você disse para voltar para o jantar, então aqui estou eu!

— Esqueça o jantar. Venha comigo.

Meu pai nunca pulava o jantar. Algo estava definitivamente errado.

— O que está acontecendo?

— Vamos — disse ele. — Explico no caminho. — Ele me olhou com atenção. — Você está todo molhado! — exclamou. — Pelo amor de Deus, você perdeu o *outro* casaco também?

— Eu, hum...

— E por que seu rosto está vermelho? Você parece queimado de sol.

Droga. Uma tarde inteira na praia sem usar protetor solar.

— Estou com calor de tanto correr até aqui — respondi, apesar de a pele nos meus braços estar arrepiada de frio. — O que aconteceu? Alguém morreu, ou o quê?

— Não, não, não — disse ele. — Bem, algo do tipo. Uma ovelha.

— O que isso tem a ver com a gente?

— Eles acham que crianças fizeram isso. Como um ato de vandalismo.

— Eles quem? A polícia das ovelhas?

— Os fazendeiros — respondeu. — Eles basicamente interrogaram todo mundo com menos de vinte anos, todo mundo menos você. E, é claro, estão muito interessados em saber onde esteve o dia inteiro.

Senti um aperto no estômago. Mais uma vez eu não tinha uma desculpa muito boa e me apressei a pensar em uma enquanto seguíamos para o Buraco do Padre.

Diante do *pub* havia uma pequena multidão reunida em torno de um grupo de criadores de ovelhas muito furiosos. Um deles usava um macacão enlameado e se apoiava ameaçadoramente sobre um forcado. Outro segurava Verme pela gola. Verme estava vestido com calças de agasalho esportivo fluorescentes e uma camiseta onde se lia EU ADORO QUANDO ME CHAMAM DE PAIZÃO. Ele tinha chorado e havia uma bolota de catota acima de seu lábio superior.

Um terceiro fazendeiro, muito magro e com uma boina de tricô, apontou para mim quando nos aproximávamos.

— Por onde você andou, filho?

Meu pai me deu um tapinha nas costas.

— Conte a eles — disse com confiança.

Tentei agir como se não tivesse nada a esconder.

— Estava explorando o outro lado da ilha. A casa grande.

O homem de boina de tricô pareceu confuso.

— Que casa grande?

— Ele está falando daquele monte de destroços velho na floresta — disse o do forcado. — Só um completo idiota poria os pés lá. O lugar é enfeitiçado e também muito perigoso.

Boina de Tricô apertou os olhos para me ver melhor.

— Na casa grande com *quem*?

— Ninguém — respondi, no que meu pai me lançou um olhar engraçado.

— Mentira! Acho que você estava junto com este aqui — disse o homem que segurava Verme.

— Eu não matei ovelha nenhuma! — berrou Verme.

— Cale a boca! — rosnou o homem.

— Jake? — disse meu pai. — E os seus amigos?

— Ah, bobagem, pai.

Boina de Tricô virou-se e cuspiu.

— Seu mentiroso. Eu devia lhe dar uma surra de cinto em frente de Deus e de todo mundo!

— Fique longe dele — disse meu pai, com sua melhor voz de progenitor sério. Boina de Tricô praguejou e deu um passo na direção dele, e os dois se encararam como se um pudesse socar o outro. Antes que um dos dois fizesse isso, ouvi uma voz familiar.

— Calma, Dennis. Vamos resolver isso. — E Martin deu um passo à frente do grupo para se meter entre os dois. — Comece contando o que quer que seu garoto tenha lhe dito — disse ele para meu pai.

Meu pai me lançou um olhar gelado.

— Ele disse que ia ver amigos do outro lado.

— *Que* amigos? — perguntou Forcado.

Percebi que as coisas iam ficar mais feias a menos que eu fizesse algo drástico. Obviamente não podia contar a ele sobre as crianças — mesmo porque não iam acreditar —, por isso assumi um risco calculado.

— Ninguém — falei, baixando os olhos para fingir vergonha. — Eles são imaginários.

— O que ele disse?

— Ele disse que os amigos são imaginários — repetiu meu pai, parecendo preocupado.

Os fazendeiros trocaram olhares intrigados.

— Viram? — disse Verme. — O garoto é um psicopata completo! Só *pode* ter sido ele!

— Eu nunca toquei nelas! — disse eu, apesar de ninguém estar realmente escutando.

— Não foi o americano — disse o fazendeiro que segurava Verme, puxando com força a camiseta do garoto. — Não é de hoje que este aqui tem história. Há uns anos eu vi quando ele chutou um cordeiro num precipício. Eu não teria acreditado se não tivesse visto com meus próprios olhos. Depois que ele fez aquilo, eu perguntei por quê. Ele disse que era pra ver se o bicho podia voar. Estou dizendo que ele é doente.

As pessoas resmungaram, insatisfeitas. Verme não parecia à vontade, mas não negou a história.

— Onde está o peixeiro amigo dele? — perguntou Forcado. — Se esse aí está metido nisso, podem apostar que o outro também está.

Alguém disse ter visto Dylan perto da baía, e um grupo foi enviado para trazê-lo até ali.

— Não pode ter sido um lobo ou um cão selvagem? — disse meu pai. — Meu próprio pai foi morto por cães.

— Os únicos cães em Cairnholm são pastores — respondeu Boina de Tricô. — E não é exatamente da natureza de cães pastores sair por aí matando ovelhas.

Eu torcia para que meu pai desistisse e fosse embora enquanto as coisas estavam bem, porém ele estava metido no caso como Sherlock Holmes.

— Mas de quantas ovelhas estamos falando? — perguntou.

— Cinco — respondeu o quarto fazendeiro, um homem baixo e de rosto zangado que até então não havia falado. — Todas minhas. Mortas dentro do curral. Pobres coitadas, nem tiveram chance de correr.

— Cinco ovelhas. Quanto sangue acha que há em cinco ovelhas?

— Imagino que uma banheira cheia — disse Forcado.

— Então quem fez isso devia estar coberto de sangue, não?

Os fazendeiros olharam uns para os outros, depois para mim e em seguida para Verme. Então deram de ombros e coçaram a cabeça.

— É, podem ter sido raposas — disse Boina de Tricô.

— Talvez um bando grande de raposas — disse Forcado, duvidando —, se é que a ilha tem tantas raposas assim.

— Eu ainda acho que os cortes são limpos demais — disse o que segurava Verme. — Só podem ter sido feitos com uma faca.

— Não pode ser — retrucou meu pai.

— Então venha ver com seus próprios olhos — disse Boina de Tricô.

Enquanto a multidão começava a se dispersar, seguimos os fazendeiros em um pequeno grupo à cena do crime, subindo uma ladeira até um terreno próximo, onde havia um pequeno barraco marrom e um curral retangular nos fundos. Hesitantes, aproximamo-nos do curral e espiamos pelos vãos da cerca.

A violência lá dentro era quase caricata, como a obra de algum impressionista louco que só pintasse com vermelho. A grama pisoteada estava banhada em sangue, bem como os cochos do curral e os próprios corpos brancos e rígidos das ovelhas, jogados pelo chão em posições de agonia submissa. Uma tentara subir pela cerca e ficara com as pernas finas presas em seus vãos. Estava à minha frente em posição estranha, com o ventre aberto do pescoço até as pernas, como se tivessem simplesmente aberto seu zíper.

Tive de desviar o olhar. Outros murmuraram e sacudiram a cabeça, e alguém soltou um assobio baixo. Verme gaguejou e começou a chorar, o que foi visto como admissão tácita de culpa: o criminoso que não conseguia encarar o próprio crime. Ele foi levado para ser trancafiado no museu de Martin, no lugar que costumava ser a sacristia e agora funcionava como a cela provisória da ilha, até que pudesse ser enviado para a delegacia de polícia no continente.

Deixamos o fazendeiro pensativo, olhando para suas ovelhas mortas, e voltamos para a cidade, caminhando com dificuldade por colinas encharcadas sob uma noite cor de granito. De volta ao quarto, eu sabia que era a hora de o pai severo falar, por isso fiz o possível para desarmá-lo antes que ele pudesse começar a pegar pesado comigo.

— Menti para você, pai. Me desculpe.

— É? — disse ele com sarcasmo, enquanto trocava o suéter molhado por outro seco. — Dessa vez você se superou. Diga de que mentira estamos falando. Eu não consigo acompanhar todas.

— Sobre encontrar amigos. Não há mais nenhum garoto na ilha. Inventei isso porque não queria que você se preocupasse quando eu fosse lá sozinho.

— Ora, eu me preocupo até quando o médico diz para eu não me preocupar.

— Eu sei que se preocupa.

— E sobre esses amigos imaginários? Doutor Golan sabe disso?

Sacudi a cabeça.

— Isso também foi mentira. Eu só queria que aqueles caras saíssem de cima de mim.

Meu pai cruzou os braços, sem saber no que acreditar.

— É mesmo?

— Melhor que eles acreditassem que sou um pouco excêntrico do que um assassino de ovelhas, não é?

Eu me sentei à mesinha. Meu pai ficou me olhando por um bom tempo. Eu não estava certo se ele confiava em mim ou não, mas então ele foi até a pia e jogou água no rosto; quando terminou de se secar e se virou outra vez, parecia ter resolvido que seria muito menos complicado confiar em mim.

— Tem certeza de que não precisamos ligar de novo para doutor Golan?

— Só se você quiser. Eu estou bem.

— Era exatamente por isso que eu não queria você por aí com esses *rappers* — disse ele. Precisava se aproximar de algo paternal o suficiente para que aquilo contasse como uma conversa séria.

— Você tinha razão sobre eles, pai — concordei. Mas por dentro eu não conseguia acreditar que algum deles fosse capaz daquilo. Verme e Dylan falavam demais, mas era só isso.

Meu pai se sentou à minha frente. Ele parecia cansado.

— Eu ainda gostaria de saber como alguém consegue se queimar de sol num dia como este.

Claro. O bronzeado.

— Acho que minha pele é muito sensível — falei.

— É? — disse ele secamente. — Se é você quem diz...

Ele tinha terminado. Fui tomar um banho e pensei em Emma. Então escovei os dentes e pensei em Emma e lavei o rosto e pensei em Emma. Depois disso fui para o quarto e peguei do bolso a maçã que ela me dera e a coloquei sobre a mesinha de cabeceira. Como para me assegurar de que ela ainda existia, peguei o celular e comecei a olhar as fotos tiradas naquela tarde. Ainda as olhava quando ouvi meu pai se deitar no quarto ao lado; continuei olhando quando os geradores se desligaram e meu abajur se apagou, e também quando já não havia mais luz em lugar nenhum além do rosto dela naquela telinha. Fiquei ali no escuro, sem conseguir parar de olhar.

CAPÍTULO OITO

Na tentativa de evitar um novo sermão, eu me levantei cedo e saí antes que meu pai acordasse. Deixei um bilhete embaixo de sua porta e então fui pegar a maçã de Emma para comer no caminho, mas ela não estava na mesa de cabeceira onde eu a deixara. Uma busca cuidadosa pelo chão revelou uma grossa camada de poeira e uma coisa dura e ressecada que parecia esterco, do tamanho de uma bola de golfe. Estava começando a me perguntar se alguém tinha roubado minha maçã, quando me dei conta de que aquele pedaço de esterco *era* a maçã, e que em algum momento durante a noite ela tinha se estragado muito, apodrecendo como nunca vi um pedaço de fruta apodrecer. Parecia que tinha passado um ano trancada num desidratador de alimentos. Tentei pegá-las, e ela se desfez em pedaços na minha mão como um torrão de terra seca.

Intrigado e com o estômago roncando, joguei fora o que restara dela e deixei para trás a chuva que caía em troca do confiável sol da fenda. Dessa vez, porém, não havia garotas bonitas à minha espera do outro lado do *cairn* — nem qualquer outra pessoa, para dizer a verdade. Tentei não ficar muito desapontado, mas estava, um pouco.

Quando cheguei à casa, imediatamente comecei a procurar por Emma, mas a srta. Peregrine me interceptou antes que eu passasse pelo saguão de entrada.

— Uma palavra com você, senhor Portman — disse ela, e me conduziu para a privacidade de sua cozinha, ainda impregnada dos cheiros deliciosos do café da manhã que eu tinha perdido. Eu me senti como se tivesse sido chamado ao gabinete do diretor.

A srta. Peregrine se acomodou contra o fogão gigante, um equipamento formidável que podia muito facilmente ter cem anos, quando a fenda no tempo ainda era nova.

— Está gostando dessa temporada aqui conosco? — ela perguntou.

Respondi que estava, muito. Meu estômago roncou.

— Que bom — retrucou ela, e então seu sorriso desapareceu. — Soube que passou uma tarde agradável com alguns de meus tutelados ontem. E que também tiveram uma conversa bem interessante.

— Foi ótimo — disse eu. — Eles são todos muito simpáticos. — Tentava manter a leveza daquela conversa, mas sabia que ela estava me preparando alguma.

— Diga-me, como descreveria a natureza de sua conversa?

Tentei me lembrar.

— Não sei... conversamos sobre várias coisas. Como as coisas são aqui. Como elas são de onde eu venho.

— De onde você vem.

— Isso.

— E você acha inteligente discutir eventos do futuro com crianças do passado?

— Crianças? É isso mesmo que a senhora pensa deles? — Eu me arrependi de dizer isso antes mesmo de terminar de pronunciar as palavras.

— É como eles também veem a *si mesmos* — disse ela com irritação. — Do que mais você poderia chamá-los?

Levando em conta seu humor, essa não era uma sutileza que eu estava preparado para discutir.

— Crianças, acho...

— Isso mesmo. Agora, como eu dizia — prosseguiu ela, enfatizando as palavras com pancadas dadas com a lateral da mão no fogão —, você acha inteligente discutir o futuro com crianças do passado?

Decidi me fazer de bobo.

— Não?

— Ah, mas parece que acha, sim! Sei disso porque ontem à noite, no jantar, Hugh nos presenteou com um relato fantástico sobre as maravilhas das tecnologias de telecomunicações do século XXI. — A voz dela estava impregnada de sarcasmo. — Você sabia que quando envia uma carta no século XXI ela pode ser recebida quase instantaneamente?

— Acho que a senhora está falando sobre *e-mails*.

— Bem, Hugh sabia *tudo* sobre isso.

— Não entendo. Isso é um problema? — perguntei.

Ela se empertigou, afastou-se do fogão e deu um passo claudicante em minha direção. Apesar de ser uns bons trinta centímetros mais baixa que eu, ainda assim ela conseguia ser intimidadora.

— Como uma *ymbryne*, é meu dever, sob juramento, manter essas crianças em segurança — começou ela. — E acima de tudo isso significa mantê-las *aqui*, dentro da fenda, nesta ilha.

— Está bem.

— Elas nunca poderão fazer parte de seu mundo, senhor Portman, então de que adianta encher a cabeça delas com grandes discursos sobre as maravilhas exóticas do futuro? Agora metade das crianças está implorando por uma viagem de avião aos Estados Unidos, e a outra metade sonhando com o dia em que poderão ter um computador-telefone pessoal, como o seu.

— Desculpe-me. Eu não tinha ideia...

— Este é o lar delas. Tento fazer daqui o melhor lugar que posso. Mas a verdade nua e crua é que elas não podem sair, e eu agradeceria se você não as deixasse com vontade de fazer isso.

— Mas por que elas não podem? — perguntei.

Ela me olhou por um instante com os olhos apertados, então sacudiu a cabeça.

— Perdoe-me. Continuo a subestimar o tamanho de sua ignorância. — A srta. Peregrine, que parecia ser essencialmente incapaz de qualquer instante de ócio, pegou uma frigideira de cima do fogão e começou a esfregá-la com uma escova de aço. Eu me perguntei se ela estava ignorando minha pergunta ou simplesmente estudando como simplificar a resposta.

Quando a frigideira já estava limpa, ela a colocou de volta sobre o fogão e disse:

— Elas não podem permanecer no seu mundo, senhor Portman, porque em pouco tempo iriam envelhecer e morrer.

— O que quer dizer com morrer?

— Não sei como eu poderia ser mais direta. Eles morrem, Jacob — respondeu de modo direto, como se desejasse superar esse assunto o mais rapidamente possível. — Você pode achar que encontramos uma forma de enganar a morte, mas é uma ilusão. Se as crianças ficarem por tempo demais do seu lado da fenda, todos os muitos anos dos quais se abstiveram cairão de uma vez sobre elas, em questão de horas.

Comecei a imaginar uma pessoa se encolhendo e se desfazendo em poeira.

— Isso é horrível — falei, com um tremor.

— As poucas ocasiões em que tive o desprazer de testemunhar algo assim estão entre as piores memórias da minha vida. E posso garantir a você que já vivi tempo bastante para ver coisas realmente horrorosas.

— Então já aconteceu antes.

— A uma moça sob meus cuidados, infelizmente, muitos anos atrás. O nome dela era Charlotte. Foi a primeira e última vez que fiz uma viagem para visitar uma de minhas irmãs *ymbrynes*. Nesse breve período, Charlotte conseguiu escapar das crianças mais velhas que cuidavam dela e saiu da fenda. Foi em 1985, 1986, eu acho. Charlotte estava vagando sozinha pelo vilarejo quando foi descoberta por um policial. Quando ela não soube explicar quem era ou de onde tinha vindo — pelo menos não de forma que o satisfizesse —, a coitada da menina foi mandada para o juizado de menores no continente. Demorei dois dias para encontrá-la e, quando isso aconteceu, ela tinha envelhecido 35 anos.

— Acho que vi uma foto dela. Uma mulher adulta em roupas de criança — disse eu.

A srta. Peregrine assentiu com ar severo e preocupado.

— Ela nunca mais foi a mesma depois disso. Ficou ruim da cabeça.

— O que aconteceu com ela?

— Atualmente ela vive com a senhorita Nightjar. A senhorita Nightjar e a senhorita Thrush cuidam de todos os casos difíceis.

— Mas as crianças não estão confinadas na ilha, não é? — perguntei. — Elas não poderiam deixá-la *agora*, ainda em 1940?

— Sim, e começar a envelhecer de novo, como pessoas normais. Mas com que objetivo? Serem pegas no meio de uma guerra feroz? Encontrar pessoas que as temem e não as compreendem? E há outros perigos também. Por isso é melhor ficarem aqui.

— Que outros perigos?

O rosto dela se fechou, como se estivesse arrependida de ter levantado o assunto.

— Nada com que você deva se preocupar — disse a srta. Peregrine. — Pelo menos, não agora.

Com isso ela me enxotou da casa. Perguntei outra vez o que ela queria dizer com "outros perigos", mas ela fechou a porta de tela na minha cara.

— Aproveite a manhã! — exclamou, forçando um sorriso. — Vá procurar a senhorita Bloom. Tenho certeza de que ela está louca para vê-lo.

Caminhei até o jardim me perguntando como fazer para tirar da cabeça a imagem daquela maçã ressecada. Mas em pouco tempo consegui. Não a esqueci, ela só parou de me incomodar. Foi algo bem estranho.

Retomando minha missão original de encontrar Emma, soube por meio de Hugh que ela tinha ido fazer compras no vilarejo, então me sentei à sombra de uma árvore para esperá-la. Em menos de cinco minutos estava quase dormindo sobre a grama, sorrindo como um idiota, perguntando-me com serenidade qual poderia ser o cardápio do almoço. Era como se estar ali tivesse alguma espécie de efeito narcótico sobre mim; como se a própria fenda fosse a droga — ao mesmo tempo um estimulante e um sedativo —, e, se eu ficasse lá tempo demais, nunca mais ia querer sair.

Se isso fosse verdade, porém, podia explicar muitas coisas, como por que as pessoas podiam ficar ali por décadas sem enlouquecer. Sim, o lugar era belo e a vida, boa, mas, se todos os dias eram exatamente iguais, e se as crianças não podiam partir, como dissera a srta. Peregrine, aquele lugar não era apenas um paraíso, e sim uma espécie de prisão. Era tão agradavelmente hipnotizante que podia levar anos para uma pessoa perceber, e então seria tarde demais: sair dali seria muito perigoso.

Por isso, na verdade, não chega a haver possibilidade de uma decisão. Você fica. Só mais tarde — anos e anos mais tarde — você começa a se perguntar o que teria acontecido se tivesse feito o contrário.

***

Devo ter cochilado, porque acordei no meio da manhã com alguém cutucando meu pé. Entreabri um olho para descobrir um soldadinho tentando se esconder dentro de meu sapato, mas ele se prendeu nos cadarços. Tinha as pernas juntas e rígidas, e era meio estranho, com uns vinte centímetros de altura e usando trajes militares. Observei-o tentar se livrar por um instante e depois ficar rígido — um brinquedo mecânico cuja corda terminara.

Desamarrei o sapato para soltar o soldado, então o virei de costas em busca da chave para lhe dar corda outra vez. Não encontrei nenhuma. Olhando de perto, era algo estranho, de aspecto tosco, que tinha uma bola de barro como cabeça e uma marca de dedo para assinalar sua face.

— Traga-o aqui! — Ouvi alguém gritar do outro lado do jardim. Havia um garoto sentado sobre um toco de árvore, à beira da floresta, acenando para mim.

Sem qualquer outro compromisso importante, peguei o soldado de barro e saí andando. Havia outros dispostos em torno do garoto — toda uma coleção de soldadinhos de corda, cambaleando de um lado para o outro, como robôs defeituosos. Quando me aproximei, o que estava em minha mão começou a se contorcer, quase como se tentasse escapar. A corda dele não tinha acabado, afinal de contas. Coloquei-o junto dos outros e limpei a sujeira de barro das minhas calças.

— Eu sou Enoch — disse o garoto. — Você deve ser "ele".

— Acho que sou — respondi.

— Desculpe se ele o perturbou — Enoch disse, conduzindo o soldado que eu devolvera até os outros. — Sabe, eles têm ideias próprias. Ainda não estão bem treinados. Eu só os fiz na semana passada. — Ele falava com um leve sotaque londrino. Círculos negros cadavéricos circundavam seus olhos como os de um guaxinim, e seu macacão, o mesmo que usava nas fotos que eu vira, como um uniforme que nunca tirasse, tinha marcas de lama e terra. Não fosse seu rosto rechonchudo, ele poderia ser um limpador de chaminés tirado de *Oliver Twist*, mas nenhuma dessas crianças jamais precisava implorar por seu mingau ou por uma segunda porção de nada.

— Você que os fez? — perguntei, impressionado. — Como?

— São *homunculi* — respondeu. — Às vezes ponho cabeças de bonecas neles, mas dessa vez estava com pressa e não me dei ao trabalho.

— O que é um *homunculi*?

— Mais de um *homunculus* — respondeu, como se fosse algo que qualquer imbecil soubesse. — Algumas pessoas acham que o certo é homúnculos, mas acho que isso soa bem idiota, não acha?

— Com certeza.

O homem de barro que eu devolvera a ele saiu andando outra vez, então Enoch o jogou de qualquer jeito junto com os outros. Eles pareciam totalmente confusos, batendo uns nos outros como se estivessem muito nervosos.

— Lutem, seus frescos! — ele ordenou aos homens de barro errantes, e nesse momento eu me dei conta de que os outros não estavam apenas se esbarrando, mas se socando e se chutando. O homem de barro que tinha fugido, porém, não estava interessado em lutar e, quando ele começou a se afastar outra vez, Enoch o agarrou e arrancou suas pernas.

— É isso o que acontece com desertores do meu exército! — gritou, e jogou o aleijado na grama, onde ficou se contorcendo de modo grotesco enquanto os outros caíam sobre ele.

— Você trata todos os seus brinquedos assim?

— Por quê? Está com pena deles?

— Não sei. Devia estar?

— Não. Eles não estariam vivos se não fosse por mim.

Ri, e Enoch me olhou com expressão séria.

— Qual é a graça?

— Você fez uma piada.

— Você é meio estúpido, hein? Veja aqui. — Ele pegou um dos soldados e tirou suas roupas, então o quebrou ao meio e removeu do interior pegajoso de seu peito um coraçãozinho pulsante. O soldado ficou imediatamente imóvel. Enoch segurou o coração entre o polegar e o indicador para que eu o visse.

— É de um rato — explicou. — É isso o que posso fazer: tomar a vida de uma coisa e dá-la a outra, mesmo que seja de barro como esta, ou que já tenha estado viva mas não esteja mais. — Ele guardou o coração gosmento no macacão. — Em breve, quando eu descobrir um modo de treiná-los adequadamente, farei um exército inteiro deles. Só que serão enormes. — Levantou o braço acima da cabeça para me mostrar o tamanho. — O que *você* sabe fazer? — perguntou ele.

— Eu? Nada. Quero dizer, nada especial como você.

— É uma pena — respondeu. — Mas você vem morar com a gente mesmo assim? — Ele não disse isso como se desejasse mesmo que eu o fizesse. Só parecia curioso.

— Não sei — respondi. — Não pensei nisso. — Era mentira, claro, eu pensava nisso, mas mais como numa espécie de sonho acordado.

Ele me olhou desconfiado.

— Mas você não *quer*?

— Ainda não sei.

Ele apertou os olhos sem parar de me encarar e começou a balançar lentamente a cabeça, como se tivesse acabado de me entender. Então se inclinou para perto de mim e disse em voz baixa:

— Emma contou a você sobre o Ataque ao Vilarejo, não contou?

— Ataque ao quê?

Ele desviou o olhar.

— Ah, não é nada, só uma brincadeira que alguns de nós fazemos.

Tive a clara sensação de que estavam me aprontando alguma.

— Ela não me contou — disse eu.

Enoch veio apressado até o tronco de árvore cortado onde eu estava.

— *Aposto* que não. Tem *muitas* coisas neste lugar que ela não gostaria que você soubesse.

— Ah, é? Por quê?

— Porque aí você veria que não é tão bom quanto todo mundo quer que você pense que é e não ficaria aqui.

— Que tipo de coisas? — perguntei.

— Não posso contar — respondeu, lançando-me um sorriso diabólico. — Eu teria sérios problemas.

— Deixa pra lá — retruquei. — Foi você que tocou no assunto.

Eu me levantei para ir embora.

— Espere! — exclamou, segurando a manga da minha camisa.

— Por que esperar se você não vai me contar nada?

Ele esfregou o queixo, avaliando a situação.

— É verdade, não tenho permissão de *dizer* nada... mas acho que não posso impedi-lo de ir lá em cima e dar uma olhada no quarto no fim do corredor.

— Por quê? O que tem lá? — perguntei.

— Meu amigo Victor — respondeu. — Ele quer conhecer você. Vá lá em cima conversar com ele.

— Está bem, eu vou.

Saí andando na direção da casa, então ouvi o assobio de Enoch. Ele imitou o gesto de tatear a parte de cima de uma porta com a mão. *A chave*, disse com os lábios, sem emitir nenhum som.

— Para que preciso de chave se tem alguém lá dentro?

Ele se virou, fingindo não ter ouvido.

***

Entrei na casa, fui até as escadas e subi ao andar de cima como se tivesse algo importante a fazer ali e não me importasse em ser visto. Cheguei ao segundo andar despercebido, então andei em silêncio até o quarto no fim do corredor e tentei abrir a porta. Estava fechada. Bati, mas ninguém respondeu. Olhando para trás, por cima do ombro, para me assegurar de que ninguém me observava, corri a mão pelo alto do portal e, claro, encontrei uma chave.

Destranquei a porta e entrei. Era igual aos outros quartos da casa — tinha uma cômoda, um guarda-roupa, um vaso de flores e uma mesa de cabeceira. O sol do fim da manhã entrava através de cortinas fechadas cor de mostarda, lançando uma luz amarela por toda parte, de modo que todo o quarto parecia envolto em âmbar. Só depois de ver tudo isso percebi o jovem deitado na cama, de olhos fechados e boca entreaberta, semioculto atrás de uma cortina de renda.

Fiquei imóvel, com medo de acordá-lo. Reconheci-o do álbum da srta. Peregrine — apesar de não tê-lo visto nas refeições e de não termos sido apresentados —, e na foto ele estava dormindo na cama, do mesmo modo que naquele momento. Será que ele estava ali em quarentena, contaminado por alguma doença do sono? Será que Enoch queria que eu pegasse a doença também?

— Oi? — sussurrei. — Está acordado?

Ele não se mexeu. Levei a mão a seu braço e o sacudi levemente. Sua cabeça rolou para o lado.

Então algo terrível me ocorreu, e para testar uma teoria levei a mão aberta até sua boca. Não conseguia sentir sua respiração. Meu dedo roçou em seus lábios, que estavam frios como gelo. Afastei a mão assustado.

Depois ouvi passos e me virei para ver Bronwyn à porta.

— Você não devia estar aqui! — disse em voz baixa.

— Ele está morto — falei, ainda em choque.

Os olhos de Bronwyn foram até o rapaz, e o rosto dela ficou tenso.

— Esse é Victor — disse ela.

De repente me lembrei onde tinha visto aquele rosto antes. Ele era o garoto que levantava uma rocha nas fotos de meu avô. Victor era irmão de Bronwyn. Não era possível dizer há quanto tempo estava morto. Enquanto a fenda estivesse aberta, podiam ser cinquenta anos e parecer apenas um dia.

— O que aconteceu a ele? — perguntei.

— Talvez eu acorde o velho Victor — disse uma voz às nossas costas. — E você mesmo pode perguntar a ele. — Era Enoch. Ele entrou atrás de Bronwyn e fechou a porta.

Bronwyn olhou para ele através de uma torrente de lágrimas.

— Você o faria despertar? Ah, *por favor*, Enoch!

— Mas eu não devia — respondeu ele. — No momento, estou com poucos corações; são necessários muitos deles para levantar um ser humano, mesmo que por apenas um minuto.

Bronwyn caminhou até o garoto morto e começou a acariciar seus cabelos com os dedos.

— Por favor — implorou ela. — Faz muito *tempo* que não falo com Victor.

— Bem, tenho alguns corações de vaca guardados em conserva, em vidros no porão — disse ele, fingindo pensar seriamente na possibilidade. — Mas *odeio* usar ingredientes inferiores. Os frescos são sempre melhores!

Bronwyn começou a chorar. Uma de suas lágrimas caiu sobre o paletó do garoto e ela se apressou a limpá-la com sua manga.

— Não precisa chorar desse jeito — disse Enoch. — Você sabe que não suporto isso. De qualquer modo, acordar Victor é uma crueldade, ele gosta do lugar onde está.

— E onde é isso? — perguntei.

— Quem sabe? Mas, sempre que o despertamos para bater um papo, ele parece muito apressado para voltar.

— Crueldade é você brincar com ela desse jeito e me enganar — disse eu. — E, se Victor está morto, por que simplesmente não o enterram?

Bronwyn me lançou um olhar de completo desprezo.

— Porque assim não poderíamos *vê-lo* nunca mais — disse ela.

— Isso é um problema, meu chapa — disse Enoch, fingindo uma expressão derrotada. — Só falei para subir até aqui porque queria que você soubesse de todos os fatos. Estou do seu lado.

— É? Então quais são os fatos? Como Victor morreu?

Bronwyn ergueu os olhos.

— Ele foi morto por um... *aiiiiii*! — gritou ela ao receber um beliscão de Enoch no braço.

— Quieta! — exclamou ele. — Você não deve contar!

— Isso é ridículo! — bradei. — Se nenhum de vocês vai me contar, vou perguntar à senhorita Peregrine.

Enoch rapidamente se aproximou de mim com os olhos arregalados.

— Ah, não, você não pode fazer isso.

— É? Por que não?

— A Ave não gosta que falemos sobre Victor — respondeu ele. — É por isso que ela veste preto o tempo todo, sabia? Enfim, ela não pode saber que estivemos aqui. Ela vai nos pendurar pelo dedinho do pé!

Como se fosse uma deixa, ouvimos o som inconfundível da srta. Peregrine subindo as escadas. Bronwyn ficou branca e saiu correndo pela porta, mas, antes que Enoch conseguisse escapar, bloqueei seu caminho.

— Saia da frente! — rosnou ele.

— Me conte o que aconteceu com Victor!

— *Não posso!*

— Então me conte sobre o Ataque ao Vilarejo.

— Também não posso falar sobre isso! — Ele me empurrou para tentar passar, mas, quando percebeu que não ia conseguir, desistiu. — Está bem. Feche a porta que eu conto baixinho para você.

Fechei a porta no momento em que a srta. Peregrine chegou ao segundo andar. Ficamos parados em silêncio com os ouvidos encostados na porta por um momento, tentando escutar algum sinal de que tínhamos sido apanhados. Os passos da diretora vieram em direção a nós e depois pararam. Uma porta abriu e depois fechou.

— Ela foi para o quarto — Enoch sussurrou.

— Certo — disse eu. — O Ataque ao Vilarejo.

Ele parecia arrependido de ter levantado o assunto, mas me conduziu para longe da porta. Eu o segui, agachado, para que ele pudesse sussurrar em meu ouvido.

— Como eu disse, é uma brincadeira nossa. Funciona exatamente como diz o nome.

— Você quer dizer *atacar* o vilarejo de verdade?

— Quebrar tudo, perseguir gente, pegar o que der vontade, incendiar as coisas. É uma grande diversão.

— Mas isso é terrível!

— Temos de praticar nossas habilidades de alguma forma, não é? No caso de um dia precisarmos nos defender. De outro modo, ficaríamos muito enferrujados. Além do mais, há regras. Não podemos matar ninguém. Só assustá-los um pouco, sabe? E se alguém se machucar, bem, estará novinho em folha no dia seguinte e não vai se lembrar de nada.

— Emma também participa?

— Não. Ela é como você. Diz que é *maldade*.

— E é mesmo.

Ele revirou os olhos.

— Vocês dois se merecem.

— O que quer dizer com *isso*?

Ele se levantou, em todo o seu um metro e sessenta, e meteu um dedo no meu peito.

— Quero dizer que é melhor você não ficar com raiva e se meter a valentão *comigo*, parceiro, porque, se não atacássemos o maldito vilarejo de vez em quando, a maior parte desse grupo teria enlouquecido há muito tempo, inclusive sua amiguinha. — Ele caminhou para a porta, levou a mão à maçaneta e virou-se para me encarar. — E, se você acha que *somos* malvados, espere só até conhecer os *outros*.

— Os outros *quem*? De quem diabos está falando?

Ele ergueu um dedo para que eu fizesse silêncio, depois saiu do quarto.

Fiquei sozinho de novo. Meus olhos foram atraídos para o garoto na cama. *O que aconteceu com você, Victor?*

Talvez ele tenha enlouquecido e se matado, tenha ficado tão cheio dessa eternidade alegre mas sem futuro que tomou veneno de rato ou pulou de um despenhadeiro de paraquedas. Ou talvez tivessem sido eles, os outros "perigos" mencionados de modo tão misterioso pela srta. Peregrine.

Saí do quarto e, no corredor, quando começava a me encaminhar para a escada, ouvi a voz da srta. Peregrine por trás de uma porta entreaberta. Entrei no quarto mais próximo e me escondi atrás da porta; cinco segundos depois ela passou mancando por mim no corredor. Fiquei escondido até que ela terminasse de descer a escada. Enquanto estava ali agachado, meus olhos examinaram o quarto. Havia duas camas muito bem-arrumadas encostadas à parede, uma em frente à outra. Ao pé de uma delas havia um par de botas de couro. Eu as reconheci imediatamente: eram de Emma. Aquele era o quarto dela.

Eu me arrisquei e saí de onde estava para olhar melhor. Havia uma arca com gavetas e um espelho grudados a uma parede, e uma escrivaninha com uma cadeira colada a outra. Era o quarto de uma garota organizada sem nada a esconder, ou pelo menos era o que parecia, até que encontrei uma caixa de sapatos dentro do armário. Ela estava amarrada com barbante e havia as seguintes palavras escritas com giz de cera:

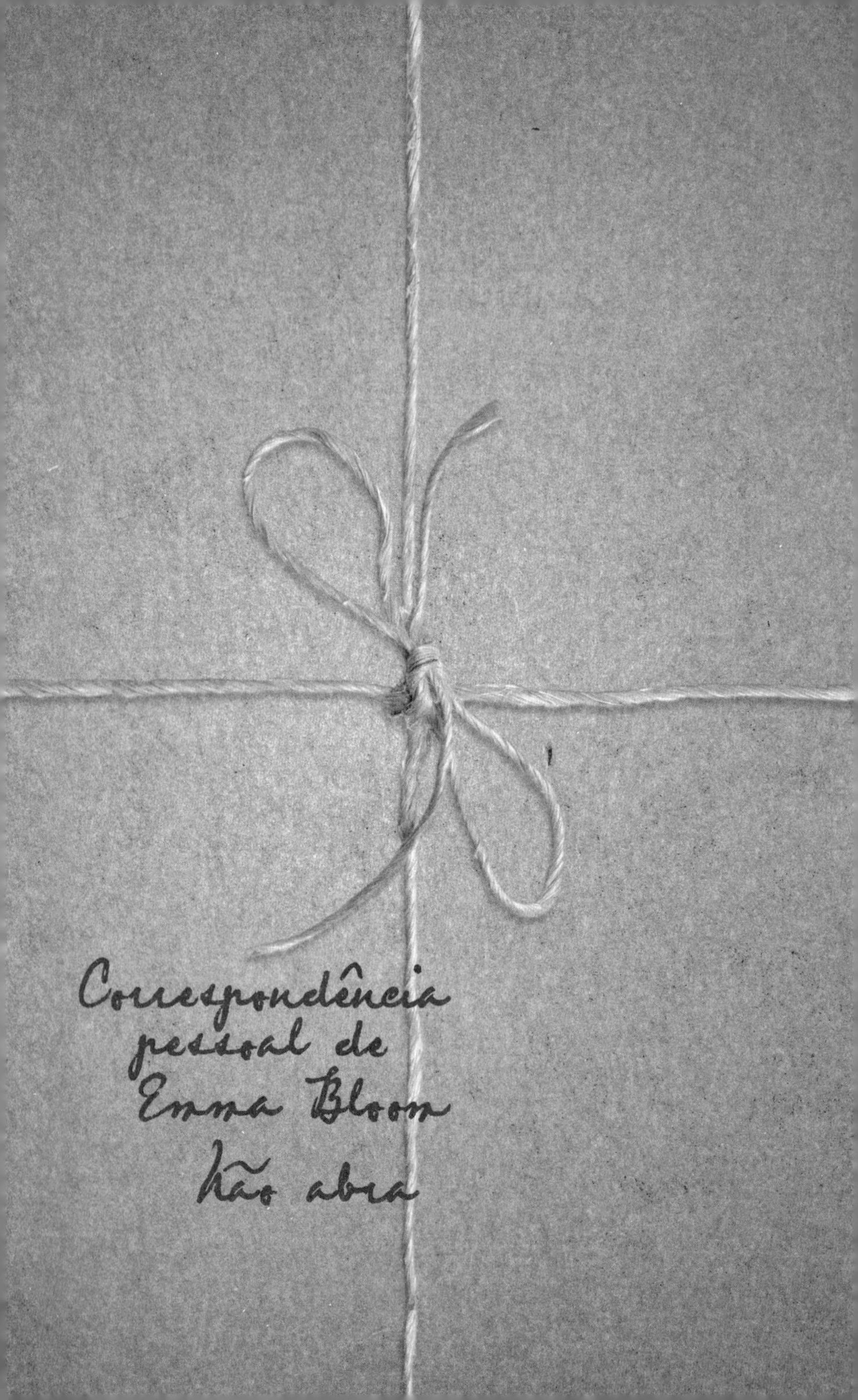
Correspondência
pessoal de
Emma Bloom
Não abra

Sentei-me com a caixa no colo e desamarrei o barbante. Estava bem cheia, com cem ou mais cartas, e todas, todas elas do meu avô. Meu coração se acelerou. Era exatamente o tipo de mina de ouro que eu esperava encontrar na velha casa em ruínas. Eu me senti mal por estar bisbilhotando, mas, se as pessoas ali insistiam em esconder as coisas de mim, bem, eu precisava encontrar tudo por conta própria.

Queria ler todas, mas tinha medo de ser descoberto por alguém, por isso eu as folheei rapidamente para ter uma visão geral. Muitas cartas eram do início dos anos 1940, durante o período em que vovô Portman esteve no exército. Uma amostra aleatória revelou que eram cartas longas e sentimentais, cheias de declarações de amor dele e estranhas descrições da beleza de Emma no inglês capenga do meu avô na época. ("Você, bela como flor, tem bom perfume também; posso colhê-la?") Em outra ele incluiu uma foto dele posando sentado como um jóquei sobre uma bomba, com um cigarro pendurado nos lábios.

Com o tempo, as cartas dele foram ficando mais curtas e menos frequentes. Da década de 1950, havia mais ou menos uma por ano. A última era datada de abril de 1963 e não havia sequer uma carta no envelope, apenas algumas fotos. Duas eram de Emma, fotos que ela mesma enviara a ele ao longo dos anos. Ele as tinha devolvido. A primeira era bem antiga, uma foto que fazia uma brincadeira com a que ele enviara, dela descascando batatas enquanto fingia fumar um dos cachimbos da srta. Peregrine. A segunda também era com pose, mas mais triste, e imaginei que ela a enviara depois de meu avô passar muito tempo sem escrever. A última foto, na verdade a última coisa que ele enviou a ela, era de meu avô na meia-idade, com uma garotinha no colo.

Precisei olhar por um ou dois minutos para a última foto para perceber quem era a garotinha — minha tia Susie, talvez com quatro anos na época. Depois disso, as cartas terminaram. Eu me perguntei por quanto tempo mais a coitada da Emma tinha continuado a escrever para meu avô sem receber resposta — e o que ele fizera com as cartas dela. Tinha jogado fora? Escondido em algum lugar, sem respondê-las? Sem dúvida tinha sido uma dessas cartas — sentimentais, saudosas e transbordantes de um amor desesperado e carente — que meu pai e minha tia encontraram quando crianças, uma carta que os fizera achar que seu pai era mentiroso e adúltero. Como estavam errados.

Pfff-t
Isso lhe lembra algo?
Para uma garota que é um estouro.
Com amor, Abe

Descascando batatas e pensando em você. Volte logo para casa.
Com amor, sua batatinha.

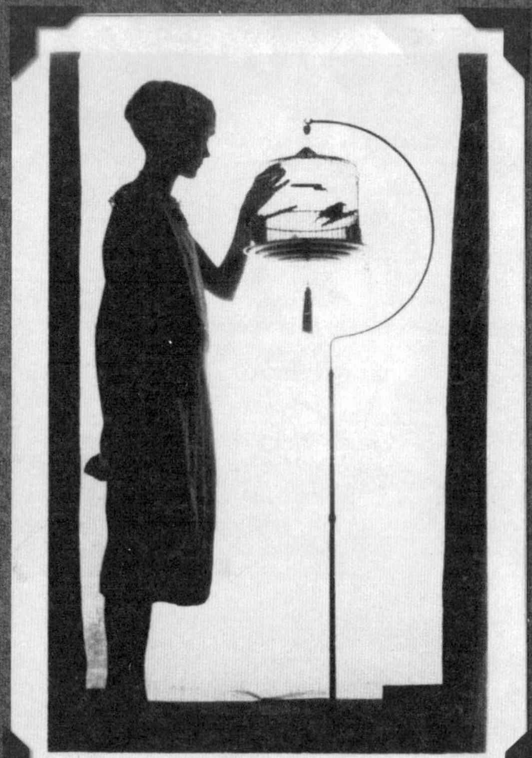

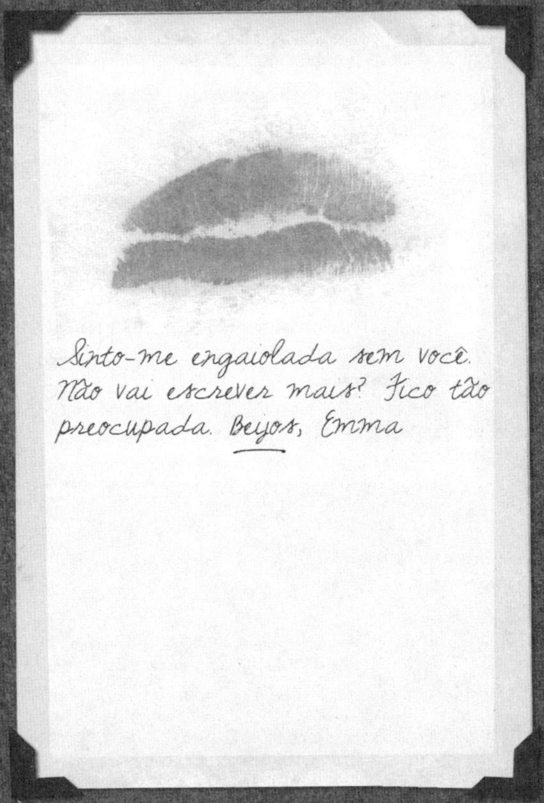

Sinto-me engaiolada sem você.
Não vai escrever mais? Fico tão
preocupada. <u>Beyos</u>, Emma

É por causa disso

Então escutei alguém pigarrear atrás de mim, olhei para trás e deparei com Emma me olhando da porta. Tentei apressadamente arrumar as cartas, com o rosto vermelho, mas era tarde demais: eu tinha sido pego.

— Desculpe. Eu não devia estar aqui.

— Eu sei muito bem disso — disse ela. — Mas, por favor, não quero de jeito nenhum interromper sua leitura. — Ela caminhou com passos largos até a cômoda, puxou uma gaveta e a jogou no chão, fazendo um tremendo barulho.

— Já que está aqui, por que não espia minhas calcinhas também?

— Sinto muito, mesmo — repeti. — Eu *nunca* faço coisas assim.

— Ah, isso não é surpresa. Você deve estar sempre ocupado demais espiando pelas janelas das mulheres, imagino!

Ela parou acima de mim, trêmula de raiva, enquanto eu lutava para colocar todas as cartas de volta naquela caixa atulhada.

— Isso tem um *sistema*, sabia? Me dê aqui, você está bagunçando tudo! — Sentou-se e me afastou para o lado, então esvaziou a caixa no chão e começou de novo, organizando as cartas em pilhas com a velocidade e a prática de um funcionário dos correios. Achei melhor ficar com a boca fechada por um tempo e observar docilmente enquanto ela trabalhava.

Depois de algum tempo, quando tinha se acalmado um pouco, ela disse:

— Você quer saber sobre Abe e mim, é isso? Você podia simplesmente ter perguntado.

— Jamais quis me intrometer.

— Isso agora é um detalhe irrelevante, não?

— Acho que sim.

— Então, o que você quer saber?

Pensei no assunto. Não tinha muita certeza de por onde começar.

— Só... o que aconteceu?

— Está bem, vamos deixar os detalhes para lá e ir direto ao ponto. Na verdade, é simples: ele foi embora. Disse que me amava e prometeu voltar um dia. Mas nunca voltou.

— Mas ele tinha de ir, não? Para lutar?

— *Tinha*? Não sei. Acho que tinha. Ele disse que não ia conseguir viver consigo mesmo se ficasse sentado durante a guerra enquanto seu povo era caçado e assassinado. Disse que era seu dever. Acho que o dever significava mais para ele do que eu. Mas mesmo assim eu esperei. Esperei preocupada durante toda aquela maldita guerra, imaginando que cada carta que chegava trazia a notícia de sua morte. Então, quando a guerra finalmente terminou, ele disse que não tinha como regressar. Disse que enlouqueceria. Contou que tinha aprendido a se defender no exército e não precisava mais de uma babá como a Ave para cuidar dele, por isso ia para os Estados Unidos montar uma casa para a gente e depois mandaria me buscar. Então esperei mais. Esperei por tanto tempo que, se fosse realmente ficar com ele, eu teria quarenta anos de idade. E nessa época ele já estava casado com uma comum, e isso, como dizem por aí, foi o fim.

— Sinto muito. Eu não fazia ideia.

— É uma história antiga. Já não ligo muito para ela.

— Você o culpa por ter ficado presa aqui?

Ela me lançou um olhar penetrante.

— Quem disse que estou presa? — Ela deu um suspiro. — Não. Na verdade, não. Só sinto falta dele, é tudo.

— Ainda?

— Todo dia.

Ela terminou de arrumar as cartas.

— Pronto — disse ela, fechando a tampa da caixa sobre a correspondência. — Toda a história da minha vida amorosa em uma caixa empoeirada dentro de um armário. — Ela respirou fundo, fechou os olhos e apertou a ponta do nariz, e por um instante eu quase consegui ver a mulher velha escondida por trás de seus traços suaves. Meu avô tinha pisado em seu pobre coração comprometido e a ferida ainda era recente, mesmo tantos anos depois.

Pensei em passar o braço em torno dela, mas algo me deteve. Lá estava aquela garota bonita, divertida e fascinante — e, o milagre dos milagres mais intrigantes, ela parecia mesmo *gostar* de mim —, mas agora eu tinha entendido que não era de mim que ela gostava. Estava desesperada e sofrendo de ciúme de outra pessoa, de quem eu era um mero e pálido substituto: meu avô. Isso é o bastante para fazer uma pessoa recuar. Não importa quanto esteja entusiasmado. Conheço caras que não gostam nem de sair com a ex de um *amigo*. Segundo esse padrão, sair com a ex de seu avô seria praticamente incesto.

Quando percebi, a mão de Emma estava em meu braço. Então ela pousou a cabeça em meu ombro e senti seu queixo se aproximar lentamente do meu rosto. Isso significava "beije-me" em linguagem corporal, se é que essa linguagem já existiu. Em um minuto nossos rostos estariam no mesmo nível e eu teria de escolher entre beijá-la ou afastá-la, ofendendo-a seriamente neste último caso, algo que eu já havia feito uma vez. Não é que eu não quisesse — mais que tudo, eu queria, Deus é testemunha —, mas a ideia de beijá-la a meio metro de uma caixa com cartas de amor de meu avô obsessivamente preservadas fazia com que eu me sentisse estranho e nervoso.

Seu rosto se encostou no meu, e eu sabia que tinha de apertar o botão de emergência. Era agora ou nunca. Resolvi dizer a primeira coisa que me veio à cabeça para quebrar o clima.

— Tem algo rolando entre você e Enoch?

Ela se afastou no ato, olhando-me como se eu sugerisse que comêssemos filhotinhos de cachorro no jantar.

— O quê? Não! De onde você tirou uma ideia maluca como essa?

— Dele mesmo. Ele parece um pouco amargo quando fala de você, e eu tive a clara sensação de que ele não me quer por aqui, como se eu estivesse me intrometendo na área dele ou algo assim.

Os olhos dela ficavam cada vez mais arregalados.

— Antes de mais nada, ele não tem área nenhuma na qual você possa se intrometer, isso eu garanto. Ele é um bobo, ciumento e mentiroso.

— É mesmo?

— É o quê?

— Mentiroso.

Ela apertou os olhos.

— Por quê? Com que tipo de besteira ele andou enchendo sua cabeça?

— Emma, o que aconteceu com Victor?

Ela ficou pálida, sacudiu a cabeça e murmurou:

— Garoto egoísta, desgraçado!

— Tem alguma coisa aqui que ninguém quer me contar, e eu quero saber o que é.

— Eu não posso — disse ela.

— É só isso o que eu escuto! Não posso falar do futuro. Vocês não podem falar do passado. A senhorita Peregrine tem todos nós sob seu controle, e isso é ridículo. O último desejo de meu avô foi que eu viesse aqui para descobrir a verdade. Será que isso não significa nada?

Ela segurou minha mão, levou-a até o colo e baixou o olhar para ela. Parecia estar à procura das palavras certas.

— Você tem razão — disse finalmente. — Há uma coisa.

— Conte-me.

— Aqui não — sussurrou ela. — Esta noite.

Combinamos de nos encontrar mais tarde naquela noite, quando meu pai e a srta. Peregrine estivessem dormindo. Emma insistiu que era a única maneira de aquilo acontecer, porque "as paredes têm ouvidos" e era impossível que os dois escapassem juntos de dia sem levantar suspeitas. Para completar a ilusão de que não tínhamos nada a esconder, passamos o resto da tarde no jardim, à vista de todos, e quando o sol começou a se pôr fui embora sozinho na direção da charneca.

***

Era outra noite chuvosa no século XXI, e quando cheguei ao *pub* estava grato por entrar em um lugar seco. Encontrei meu pai sozinho a uma mesa diante de uma cerveja, puxei uma cadeira e comecei a contar histórias inventadas sobre meu dia enquanto secava o rosto com guardanapos. (Começava a descobrir uma coisa sobre mentir: quanto mais eu mentia, mais fácil ficava.)

Mas ele mal me escutava.

— Hum — dizia. — Interessante. — E então seu olhar se perdia e ele tomava outro gole da cerveja e suspirava amargurado.

— O que aconteceu com você? Ainda está com raiva de mim? — perguntei.

— Não, nada disso. — Ele estava prestes a me explicar, mas mudou de assunto com um aceno de mão. — Ah, é bobagem.

— Pai, pode me contar.

— É só... esse cara que apareceu há uns dias. Outro observador de aves.

— Alguém que você conhece?

Ele sacudiu a cabeça.

— Nunca o vi antes. No início, achei que fosse apenas um amador apaixonado que fizesse isso por *hobby*, mas ele sempre retorna aos mesmos locais, às mesmas áreas de nidificação, sempre tomando notas. Não há dúvida de que ele sabe o que está fazendo. E hoje eu o vi com um alçapão e um par de Predators, por isso sei que é profissional.

— Predators?

— Binóculos profissionais. E dos bons. — Ele tinha dobrado as bordas da bolacha de chope e as arrumou três vezes, num tique nervoso. — É só que eu achava que fosse o único a estudar essa população de aves, sabe? Queria muito que este livro fosse algo especial.

— E então esse babaca aparece.

— Jacob.

— Quero dizer, esse filho da puta do mal.

Ele riu.

— Obrigado, filho, já basta.

— Ele *vai* ser especial — falei.

Ele deu de ombros.

— Não sei. Espero que sim. — Mas ele não parecia muito seguro de si.

Eu sabia exatamente o que estava prestes a acontecer. Era parte desse ciclo patético pelo qual meu pai sempre passava. Ele ficava completamente apaixonado por um projeto, falava sobre isso sem parar por meses. Então, inevitavelmente, algum pequeno problema aparecia e jogava areia em tudo, mas em vez de lidar com isso ele ficava completamente devastado. Depois, a primeira coisa que qualquer pessoa ouvia sobre o assunto era que o projeto seria abandonado e que ele embarcaria em outro, e o ciclo recomeçava. Ele ficava desestimulado com muita facilidade. Era por isso que tinha uma dúzia de manuscritos inacabados trancados em sua escrivaninha, e também o motivo de a loja de pássaros que tentou abrir com tia Susie nunca ter tido para a frente, e também por isso que era formado em línguas asiáticas e nunca fora à Ásia. Ele tinha 46 anos e ainda tentava se encontrar; ainda tentava provar que não precisava do dinheiro da minha mãe.

Ele precisava de palavras de estímulo que eu não me sentia qualificado para lhe dizer. Em vez disso, tentei mudar de assunto.

— Onde esse intrometido está hospedado? — perguntei. — Achei que estávamos nos únicos quartos da cidade.

— Suponho que esteja acampado — respondeu meu pai.

— Com esse tempo?

— É uma espécie de ornitologia radical praticada por *nerds*. Quanto mais difícil sua situação, mais perto de seu objeto de pesquisa você chega, física e psicologicamente.

Ri e disse:

— Então por que *você* não está lá fora? — E imediatamente desejei não ter dito isso.

— Pelo mesmo motivo que meu livro provavelmente não vai sair — disse ele de modo melancólico. — Sempre há alguém mais dedicado que eu.

Eu me mexi na cadeira com desconforto.

— Eu não quis dizer isso. O que quis dizer foi que...

— Sshhh! — Meu pai se retesou inteiro e lançou um olhar furtivo para a porta. — Olhe rápido, mas não dê bandeira. Ele acabou de entrar.

Escondi o rosto com o cardápio e espiei por cima dele. Um sujeito de barba e aparência desmazelada estava parado à porta. De óculos escuros, ele usava chapéu para chuva e o que pareciam ser vários casacos sobrepostos, fazendo-o parecer ao mesmo tempo gordo e vagamente um andarilho.

— Adoro esse ar de Papai Noel sem-teto que ele tem — sussurrei para meu pai. — Não é fácil se vestir assim. Vai ser moda na próxima estação.

Ele me ignorou. O homem foi até o bar, e as conversas ao seu redor baixaram de tom um ou dois pontos. Kev perguntou o que ele desejava, o homem disse algo e Kev desapareceu na cozinha. Ele olhava direto para a frente enquanto esperava, e um minuto mais tarde Kev voltou e entregou a ele uma embalagem de viagem. Ele a pegou, jogou algumas notas no balcão e se dirigiu para a porta. Antes de sair, porém, virou-se lentamente para examinar o salão. Então, depois de um longo instante, ele partiu.

— O que ele pediu? — gritou meu pai quando a porta se fechou.

— Uns bifes — respondeu Kev. — Disse que não se importava como eles estivessem, então ele os levou muito, muito malpassados. Sem reclamações.

As pessoas começaram a murmurar e a especular, e o volume das conversas começou a subir outra vez.

— Bife cru — disse eu para meu pai. — Você tem de reconhecer que, mesmo para um ornitólogo, isso é estranho.

— Talvez seja um desses adeptos de comidas cruas — retrucou meu pai.

— Pode ser. Ou talvez tenha cansado de se banquetear com o sangue de ovelhas.

Meu pai revirou os olhos.

— É óbvio que o homem tem um fogareiro de acampamento. Provavelmente só prefere cozinhar ao ar livre.

— Embaixo de chuva? E, mesmo assim, por que você o está defendendo? Achei que ele fosse seu arquirrival.

— Não espero que você entenda, mas seria melhor se não zombasse de mim — disse ele. Depois se levantou e foi até o bar.

***

Algumas horas mais tarde meu pai subiu cambaleante as escadas, fedendo a álcool, e caiu na cama. Ele apagou instantaneamente, emitindo roncos monstruosos. Peguei um casaco e saí para me encontrar com Emma, sem ter de fazer isso escondido.

As ruas estavam desertas e tão silenciosas que era possível ouvir o sereno caindo. Nuvens se esticavam finas pelo céu, deixando passar luz da lua suficiente apenas para iluminar meu caminho. Quando cheguei ao alto da colina, fui tomado por uma sensação estranha. Parei para olhar ao redor e vi um homem me observando do alto de um afloramento rochoso ao longe. Suas mãos estavam sobre o rosto, e os cotovelos, abertos como se estivesse observando através de binóculos, e a primeira coisa que pensei foi *Droga, me pegaram!*, supondo que fosse um dos criadores de ovelhas em vigília noturna, brincando de detetive. Mas então por que ele não se aproximava para me confrontar? Em vez disso, apenas ficou parado me olhando enquanto eu também o observava.

Finalmente cheguei à conclusão de que, *se fui pego, já era*, porque, se eu voltasse agora ou continuasse em frente, a história chegaria a meu pai de qualquer jeito. Por isso ergui o braço, fiz uma saudação com o dedo médio e desci, entrando no nevoeiro frio do outro lado do morro.

Quando saí do *cairn*, parecia que as nuvens tinham sido arrancadas e a lua pulsava como uma roda grande e reluzente, tão brilhante que eu quase tive de semicerrar os olhos. Alguns minutos mais tarde, Emma chegou, caminhando com dificuldade pela charneca, desculpando-se e falando a cem quilômetros por hora.

— Desculpa pelo atraso. Levou horas para que todos fossem para a cama! Daí, quando eu estava de saída, esbarrei com Hugh e Fiona se beijando no jardim, mas não se preocupe: eles prometeram ficar quietos se eu também não dissesse nada!

Ela jogou os braços em torno do meu pescoço.

— Senti sua falta — disse ela. — Desculpe por hoje cedo.

— Eu também — disse eu, dando tapinhas em suas costas sem me sentir à vontade. — Bom... vamos conversar.

Ela saiu andando.

— Aqui não. Há um lugar melhor para ir. Um lugar especial — disse ela.

— Não sei...

Ela tomou minha mão.

— Não fique assim. Você vai adorar, prometo. E quando chegarmos lá vou lhe contar tudo.

Eu estava quase certo de que aquele era um plano nada sutil para que eu a beijasse, e se eu fosse um pouco mais velho ou mais sábio, ou um desses caras para quem ficar com as garotas fosse algo tão frequente que se tornava um ato inconsequente, poderia ter tido força emocional suficiente para exigir que ela parasse com aquilo e me contasse tudo ali mesmo e naquela hora. Mas eu não era nenhuma dessas coisas — e, além disso, havia o modo como me olhava, toda sorrisos, e a forma como um simples gesto recatado, como ajeitar o cabelo, me fazia desejar segui-la, ajudá-la, fazer qualquer coisa que ela pedisse —, e em pouquíssimo tempo estava irremediavelmente derrotado.

Eu vou, mas não vou beijá-la, disse para mim mesmo. Repeti isso como um mantra enquanto ela me conduzia pela charneca pantanosa. *A namorada do vovô, a namorada do vovô, não a beije!*

Seguimos em direção à cidade, pegamos o rumo da praia rochosa que dava para o farol e descemos pela trilha íngreme até a areia.

Ao chegar à beira da água, ela disse:

— Espere aqui. — E saiu correndo para buscar algo.

Fiquei parado observando o facho de luz do farol girar e passar por cima de tudo — um milhão de aves marinhas adormecidas nos penhascos cheios de buracos; rochas gigantescas expostas pela maré baixa, reluzindo como ovos molhados; um bote apodrecido se afundando na areia. Quando Emma voltou, vestia sua roupa de baixo e segurava um par de máscaras de mergulho com *snorkel*.

— Ah, não — disse eu. — Sem chance.

— Você pode ficar só com a roupa de baixo — disse ela, olhando desconfiada para meus *jeans* e meu casaco. — Seu traje não é nada apropriado para nadar.

— É porque eu *não vou* nadar! Concordei em dar uma escapada para me encontrar com você no meio da noite, tudo bem, mas só para *conversar*, não para...

— Nós *vamos* conversar — insistiu ela.

— Embaixo d'água. E eu de cuecas.

Ela chutou areia em mim e começou a se afastar, mas depois se virou.

— Não vou atacar você, se é isso o que o está deixando tão preocupado. Não seja tão convencido.

— Não sou.

— Genial, então pare de enrolar e tire logo essas malditas calças! — Ela me atacou, me derrubou no chão e lutou para arrancar meu cinto com uma das mãos enquanto esfregava areia na minha cara com a outra.

— Argh! — exclamei, cuspindo areia. — Você joga sujo, você joga sujo! — Eu não tinha escolha além de devolver o favor com um punhado de areia também, e em pouco tempo as coisas tomaram as proporções de uma guerra de areia descontrolada e sem limites. Quando terminou, nós dois estávamos rindo e tentando sem sucesso tirar toda a areia dos cabelos.

— Bem, agora você precisa de um banho, então entre logo nessa droga de água, por favor.

— Certo, eu *vou*.

Caminhamos dentro d'água para além das rochas com suas piscinas cheias de vida se movendo nos esconderijos rasos entre elas, e subimos em uma canoa que ela havia escondido numa pequena angra isolada. Emma me entregou um remo e me mandou remar, e seguimos rumo ao farol. A noite estava quente e o mar, calmo, e por alguns minutos eu me perdi completamente no ritmo agradável de nossos remos batendo na água e na brisa da noite. Então, a uns cem metros do farol, Emma parou de remar e desceu do barco para a água. Entretanto, para minha surpresa, não afundou nas ondas, mas ficou de pé, com água apenas até os joelhos.

— É tão raso assim? — disse eu.

— Não — respondeu, então pegou uma âncora dentro da canoa e a jogou na água. Ela afundou cerca de um metro e parou de repente com um *clang* metálico. No momento seguinte o facho de luz do farol passou por nós e eu pude ver o casco de um navio que se estendia para todos os lados a nossa volta.

— Um naufrágio! — exclamei. — Era isso que você queria me mostrar?

— Quase — respondeu, ainda toda misteriosa. — Vamos, estamos quase lá, e traga sua máscara. — E saiu andando pelo casco do navio afundado.

Saí da canoa com cuidado e fui atrás dela. Para qualquer um que nos visse da margem pareceria que estávamos caminhando sobre a água. Andamos até a canoa ficar bem pequena às nossas costas.

— Mas, afinal, de que tamanho é essa coisa? — perguntei.

— Enorme. É um navio de guerra aliado. Acertou uma mina amiga e afundou bem aqui.

Ela parou.

— Pare de olhar para o farol por um minuto — disse ela. — Deixe que seus olhos se acostumem à escuridão.

Então ficamos parados olhando para a orla e esperamos que as pupilas se dilatassem, com marolas batendo nas coxas. Depois de algum tempo, ela disse:

— Tudo bem, agora me siga e respire bem fundo. — Em seguida, ela andou até um buraco escuro no casco do navio (pela aparência, uma porta), sentou-se em sua borda, jogou as pernas para dentro e mergulhou.

Isso é loucura!, pensei. Mas coloquei a máscara que ela tinha me dado e a segui.

A água se fechou sobre minha cabeça. Olhei para a escuridão envolvente entre meus pés e vi Emma se afastar e descer cada vez mais por uma escada. Agarrei os primeiros degraus e a segui, descendo lentamente até parar em uma superfície de metal, onde ela me esperava. Parecíamos ter descido até uma espécie de compartimento de carga, apesar de estar escuro demais para dizer mais do que isso.

Toquei seu cotovelo e apontei para minha boca. *Preciso respirar, idiota.* Ela deu um tapinha condescendente em meu braço, esticou a mão e pegou um tubo plástico que estava pendurado ali perto, ligado a um cano que subia juntamente com a escada até a superfície. Ela pôs o tubo na boca e respirou por ele, soltando bolhas pelo nariz ao expirar, depois o passou para mim. Botei os lábios em torno do tubo e enchi os pulmões de ar com a maior das alegrias. Estávamos a uns sete metros de profundidade, dentro de um velho navio de guerra, e respirávamos.

Emma apontou uma porta a nossa frente, pouco mais que um buraco negro. Sacudi a cabeça. *Não quero.* Mas ela me pegou pela mão, como se faz com uma criança pequena assustada, e me arrastou naquela direção, levando com a gente o tubo comprido.

Passamos pela porta e entramos na escuridão profunda. Por algum tempo apenas ficamos ali, passando o tubo de respiração um para o outro, e não havia nenhum som além das bolhas de nossa respiração subindo e ruídos abafados obscuros de peças quebradas do navio se chocando por causa da corrente. Não poderia estar mais escuro, mesmo que eu fechasse os olhos. Éramos astronautas flutuando em um universo sem estrelas.

Mas então algo intrigante e magnífico aconteceu. Uma a uma, surgiram as estrelas, lampejos verdes no escuro, aqui e ali. Sem dúvida eu estava tendo alucinações. Só que mais estrelas se acenderam, e depois mais, até haver toda uma constelação se agitando à nossa volta como um milhão de estrelas verdes piscando, iluminando nossos corpos, refletindo em nossas máscaras. Emma esticou a mão e moveu o pulso, mas, como seu fogo não se acendia embaixo d'água, a mão brilhou com um halo azul cintilante em torno do qual as estrelas verdes se aglutinaram, brilhando e girando, seguindo seus movimentos como um cardume de peixes. Só aí me dei conta de que elas eram exatamente isso.

Perdi completamente a noção do tempo. Ficamos ali pelo que pareceram horas, enfeitiçados, apesar de provavelmente terem se passado apenas alguns minutos. Em determinado momento, Emma me cutucou, voltamos pela porta e subimos a escada. Quando surgimos outra vez na superfície, a primeira coisa que vi foi a grande faixa larga da Via Láctea pintada no céu acima de nós, e imaginei que, juntos, os peixes e as estrelas formavam um sistema completo, partes coincidentes de algum todo antigo e misterioso.

Subimos de novo no casco e tiramos as máscaras. Por algum tempo, ficamos apenas sentados ali, semissubmersos, as pernas encostadas e sem falar.

Finalmente eu disse:

— O que era aquilo?

— Nós os chamamos de peixes-lanterna.

— Nunca tinha visto um desses antes.

— A maioria das pessoas nunca vê — disse ela. — Porque eles se escondem.

— Eles são lindos.

— São.

— E muito peculiares.

Emma abriu um sorriso.

— Também são isso, sim.

Nesse momento, a mão dela deslizou até o meu joelho. Deixei que ficasse ali, porque seu toque era quente e agradável na água fria, e tentei ouvir a voz em minha cabeça que tinha passado a noite inteira me dizendo para não beijá-la, mas ela estava em silêncio.

Então nos beijamos. A magnitude do fato de nossos lábios se tocarem, de nossas línguas se comprimirem uma contra a outra e de minha mão envolver seu rosto branco e perfeito repelia quaisquer pensamentos de certo ou errado, ou de devo ou não devo, ou qualquer memória do motivo que me fizera, para começar, segui-la até ali. Nós nos beijamos, nos beijamos, e de repente terminou. Quando ela afastou o rosto, eu o segui com o meu. Ela pôs a mão em meu peito, um gesto ao mesmo tempo gentil e firme.

— Preciso respirar — disse ela, rindo.

— Está bem.

Ela pegou minhas mãos e mirou-me nos olhos, e eu a encarei em resposta. Apenas olhar era quase tão intenso quanto os beijos. Então ela disse:

— Você devia ficar.

— Ficar — repeti.

— Aqui. Com a gente.

Aos poucos comecei a compreender a realidade do que ela estava dizendo, e a magia pulsante do que transpirara entre nós dois foi se esmaecendo.

— Eu tenho vontade — respondi. — Mas acho que não posso.

— Por que não?

Pensei no assunto. O sol, as festas, os amigos que eu teria — e a mesmice, os dias perfeitamente idênticos. Mas você pode enjoar de qualquer coisa se tiver doses demais, como todos os luxos insignificantes que minha mãe comprava e dos quais se cansava.

Mas Emma. Havia Emma. Talvez não fosse tão estranho o que nós podíamos ter. Talvez eu pudesse ficar apenas por um período e amá-la, e depois voltar para casa. Mas não; quando eu resolvesse voltar seria tarde demais. Ela era uma isca convidativa, uma sereia. Eu tinha de ser forte.

— É a ele que você quer, não a mim. Não posso ser para você quem não sou.

Ela afastou os olhos, sentida.

— Não é por isso que você deve ficar — disse ela. — Você pertence a este lugar, Jacob.

— Não pertenço. Não sou como vocês.

— É, sim — insistiu ela.

— Não sou. Sou comum, como era o meu avô.

Emma sacudiu a cabeça.

— É isso mesmo o que você pensa?

— Se eu pudesse fazer algo espetacular como você, não acha que eu já teria percebido?

— Eu não devia lhe contar isso — disse ela. — Mas pessoas comuns não podem passar pelas fendas de tempo.

Refleti sobre aquilo por um instante, mas não fazia o menor sentido.

— Não há nada peculiar em mim. Sou a pessoa mais comum que você vai conhecer.

— Duvido muito disso — retrucou ela. — Abe tinha um talento muito raro e peculiar, algo que quase mais ninguém podia fazer.

Ela me olhou nos olhos e completou:

— Ele podia ver os monstros.

CAPÍTULO NOVE

Ele podia ver os monstros. No momento em que ela disse isso, todos os horrores que eu acreditava ter deixado para trás voltaram numa enxurrada. Eles eram reais. Eram reais e tinham matado meu avô.

— Eu também posso vê-los — disse a ela, sussurrando como se fosse um segredo vergonhoso.

Seus olhos se encheram de lágrimas, e ela me abraçou.

— Sabia que havia algo peculiar em você — disse ela. — E digo isso como o maior dos cumprimentos.

Sempre soube que eu era estranho. Nunca sonhei que fosse peculiar. Mas isso explicava por que Ricky não tinha visto nada na mata na noite em que meu avô foi morto. Não, eu não era louco nem tinha alucinações, nem tive uma reação ao estresse; a sensação de pânico no estômago sempre que eles estavam por perto — isso, e ver sua aparência aterradora —, eis o meu dom.

— E você não consegue vê-los de jeito nenhum? — perguntei a ela.

— Só suas sombras, e é por isso que eles caçam principalmente à noite.

— O que os impede de vir aqui e matar todos vocês agora mesmo? — perguntei, e em seguida me corrigi. — Quero dizer, todos nós.

Isso fez com que ela desse um sorriso, mas depois ficou séria.

— Eles não sabem onde nos encontrar — respondeu. — Tem também o fato de eles não poderem entrar nas fendas. Por isso estamos seguros na ilha, mas não podemos sair.

— Mas Victor saiu.

Ela assentiu com tristeza.

— Ele disse que estava enlouquecendo aqui. Disse que não aguentava mais. Coitada da Bronwyn. Meu Abe também partiu, mas pelo menos ele não foi assassinado por etéreos.

Fiz força para olhar para ela.

— Eu sinto muito por ter de lhe contar isso — disse eu.

— O quê? Ah, não...

— Eles me convenceram de que eram animais selvagens. Mas, se o que você está dizendo é verdade, meu avô também foi morto por eles. A primeira e única vez em que vi um desses monstros foi na noite em que ele morreu.

Ela abraçou os joelhos e fechou os olhos, e um minuto se passou até recuperar a fala. Eu a envolvi com o braço, e ela inclinou a cabeça e a apoiou na minha.

— Eu sabia que um dia eles iam pegá-lo — murmurou. — Ele me garantiu que estaria em segurança nos Estados Unidos. Que podia se proteger. Mas nós nunca estamos seguros, nenhum de nós, não de verdade.

Ficamos conversando ali, sentados no casco do navio naufragado, até a lua ficar baixa no céu, a água alcançar nosso pescoço e Emma começar a tremer. Então demos as mãos e andamos pela água de volta até a canoa. Enquanto remávamos para a praia, ouvimos vozes que chamavam nosso nome. Vimos Hugh e Fiona parados na areia, acenando para nós. Mesmo a distância, estava claro que havia algo errado.

Amarramos a canoa e corremos para encontrá-los. Hugh estava ofegante, e as abelhas voavam ao seu redor em estado de agitação.

— Aconteceu uma coisa! — disse ele. — Vocês precisam voltar conosco!

Não havia tempo para discussões. Emma vestiu as roupas por cima do traje de banho e eu entrei em minha calça, toda cheia de areia. Hugh me olhou desconfiado.

— Ele não. Isso é sério.

— Não, Hugh — disse Emma, entrelaçando seu braço no meu. — A Ave tinha razão, ele é um de nós.

Ele a encarou boquiaberto, depois a mim.

— Você *contou* a ele?

— Tive de contar. De qualquer modo, ele praticamente descobriu tudo sozinho.

Hugh pareceu surpreso por um instante, mas logo se virou e me deu um aperto de mão decidido.

— Então, bem-vindo à família — disse.

Eu não sabia o que dizer, por isso respondi apenas:

— Obrigado.

A caminho da casa, juntamos pedaços de histórias sem muitos detalhes do que tinha acontecido contadas por Hugh, mas na maior parte do tempo apenas corremos. Quando paramos na floresta para tomar fôlego, ele nos informou:

— É uma das amigas *ymbryne* da Ave. Ela saiu voando há uma hora num estado lastimável, berrando loucamente e tirando todo mundo da cama, mas, antes que conseguíssemos entender qual era o problema, ela desmaiou e apagou completamente. — Ele apertava as mãos, o que lhe dava um ar de total desespero e impotência. — Ah, simplesmente *sei* que algo horrível aconteceu.

— Espero que você esteja errado — disse Emma, e voltamos a correr.

***

Dentro da casa, no vestíbulo adjacente à porta fechada da sala de estar, as crianças, vestindo pijamas amarrotados, estavam agitadas ao redor de um lampião a querosene e trocavam rumores sobre o que podia ter acontecido.

— Talvez tenham se esquecido de reiniciar a fenda — disse Claire.

— Aposto que foram os etéreos — disse Enoch. — Aposto que comeram um monte deles até as botas!

Claire e Olive choravam e escondiam o rosto com as mãozinhas. Horace se ajoelhou ao lado delas e disse com uma voz reconfortante:

— Calma, calma, não deixem que Enoch encha a cabeça de vocês com bobagens. Todos sabem que os etéreos preferem os mais jovens. É por isso que soltaram a amiga da senhorita Peregrine: ela tem gosto de pó de café velho!

Olive deu uma espiada pela fresta entre seus dedos.

— Qual é o gosto dos mais novos?

— Framboesa silvestre — disse ele muito sério, e as garotas começaram a chorar de novo.

— Deixe-as em paz! — berrou Hugh, e um enxame de suas abelhas expulsou Horace dali aos gritos.

— O que está acontecendo aí fora? — ralhou a senhorita Peregrine da sala de estar. — É a voz do senhor Apiston que estou ouvindo? Onde estão a senhorita Bloom e o senhor Portman?

Emma ficou tensa de medo e lançou um olhar nervoso para Hugh.

— Ela sabe?

— Quando descobriu que vocês não estavam aqui, ela surtou, achou que tinham sido raptados por acólitos ou alguma outra emergência. Desculpe, Emma, eu tive de contar a ela.

Emma sacudiu a cabeça, mas não havia nada que pudéssemos fazer além de entrar lá e enfrentar o que nos esperava. Fiona nos deu um leve aceno, como se para nos desejar sorte, e nós abrimos a porta.

Dentro da sala de estar, a única luz vinha da lareira que projetava nossas sombras trêmulas contra a parede. Enoch e Bronwyn caminhavam ansiosamente em torno de uma senhora de idade que se balançava semiconsciente em uma cadeira, enrolada num cobertor como uma múmia. A srta. Peregrine estava sentada em uma otomana, alimentando-a com colheradas cheias de um líquido escuro.

Emma congelou ao ver o rosto da mulher.

— Oh, meu Deus — sussurrou ela. — É a senhorita Avocet.

Só então eu a reconheci, apesar de não totalmente, da foto que a srta. Peregrine me mostrara dela quando moça. A srta. Avocet aparentava ser tão forte e segura no retrato, mas agora parecia fraca e frágil. Tinha envelhecido terrivelmente.

Enquanto observávamos ali parados, a srta. Peregrine levou um frasco de prata aos lábios da srta. Avocet e o virou, e por um instante a velha *ymbryne* pareceu reviver, sentando-se ereta, os olhos brilhantes, mas logo depois sua expressão ficou embotada outra vez e ela afundou de novo na poltrona.

— Senhorita Bruntley — disse a srta. Peregrine para Bronwyn —, vá e arrume a *chaise longue* para a senhorita Avocet, e depois vá buscar uma garrafa de vinho de coca e outra de conhaque.

Bronwyn saiu às pressas, cumprimentando-nos solenemente com um aceno de cabeça ao passar, e a srta. Peregrine se voltou para nós.

— Estou extremamente decepcionada com você, senhorita Bloom. Extremamente — disse ela sem levantar a voz. — E, entre tantas noites, deu sua escapada logo nesta.

— Sinto muito, senhorita Peregrine, mas como eu podia saber que algo ia acontecer?

— Eu devia castigá-la, mas, dadas as circunstâncias, o esforço não parece valer a pena. — Ela ergueu a mão e ajeitou o cabelo branco de sua mentora. — A senhorita Avocet nunca teria deixado seus pupilos para vir até aqui a menos que algo grave tivesse acontecido.

O fogo crepitante fez gotas de suor irromperem em minha testa, mas, em sua poltrona, a srta. Avocet tremia. Será que ela ia morrer? Será que a cena trágica que se desenrolou entre mim e meu avô ia se repetir entre a srta. Peregrine e sua professora? Eu a visualizei: eu com o corpo de meu avô nos braços, apavorado e confuso, sem suspeitar da verdade sobre ele, ou sobre mim. Essa situação, pensei, nada tinha a ver com o que se passara comigo. A srta. Peregrine sempre soubera quem eu era.

Esse não parecia o momento certo para tocar no assunto, mas eu estava com raiva e não consegui me conter.

— Senhorita Peregrine? — disse eu, e ela olhou para mim. — Quando ia me contar?

Ela estava prestes a perguntar o *quê*, mas seu olhar se moveu até Emma, no rosto de quem ela pareceu ler a resposta.

— Logo, meu jovem — respondeu ela. — Mas, por favor, entenda, jogar toda a verdade sobre você na primeira vez em que nos encontramos teria sido um choque terrível. Seu comportamento era imprevisível. Poderia ter ido embora, para nunca mais voltar, um risco que eu não podia correr.

— Então, em vez disso, tentou me seduzir com comida e garotas enquanto mantinha em segredo todas as coisas ruins?

Emma quase perdeu o fôlego.

— *Seduzir*? Por favor, não pense isso de mim, Jacob, eu não poderia suportar.

— Temo que você tenha nos interpretado muito mal — disse a srta. Peregrine. — E, quanto a seduzi-lo, o que viu aqui é como vivemos. Não houve nenhuma mentira, apenas a omissão de alguns detalhes-chave.

— Bem, aqui está um detalhe-chave para vocês — disse eu. — Uma dessas criaturas matou meu avô.

A srta. Peregrine empalideceu por um instante, mas pareceu se recuperar.

— Sinto muito por isso — disse ela.

— Eu vi uma delas com meus próprios olhos, mas, quando contei às pessoas, elas tentaram me convencer de que eu estava louco. Mas eu não estava, nem meu avô. Durante toda a vida ele me contou a verdade, e eu não acreditei nele. — Sentia-me envergonhado. — Se tivesse acreditado, talvez ele ainda estivesse vivo.

A srta. Peregrine percebeu que meus pés hesitavam e que eu estava atordoado, e pediu que me sentasse. Eu me joguei na poltrona em frente à da srta. Avocet.

Emma se agachou ao meu lado.

— Ele devia saber que você era peculiar — disse ela — e devia ter uma boa razão para não contar isso a você.

— Ele sabia, sim — disse a srta. Peregrine. — Ele contou isso em uma carta.

— Não entendo — disse eu. — Se era tudo verdade, todas as histórias dele, e se ele sabia que eu era como ele, por que guardar segredo até o último minuto de sua vida?

A srta. Peregrine deu mais uma colherada de conhaque na boca da srta. Avocet, que gemeu e se ergueu um pouco, antes de se afundar outra vez na poltrona.

— Só posso imaginar que ele quisesse protegê-lo — disse a srta. Peregrine, agora com voz mais tranquila. — Nossas vidas podem ser cheias de provações e privações. A vida de Abe duas vezes mais, porque ele nasceu judeu na pior época possível. Ele encarou um genocídio duplo, dos judeus pelos nazistas e dos peculiares pelos etéreos. Ele vivia atormentado pela ideia de que estava aqui escondido enquanto seu povo, tanto judeus quanto peculiares, estava sendo massacrado.

— Ele costumava contar que tinha ido para a guerra para lutar contra monstros — disse eu.

— E foi mesmo — disse Emma. — Dos dois tipos.

— A guerra acabou com o domínio nazista, mas os etéreos saíram dela mais fortes que nunca — prosseguiu a srta. Peregrine. — Por isso, como muitos peculiares, nós nos mantivemos escondidos. Mas seu avô voltou um homem mudado. Tinha se transformado em um guerreiro e estava determinado a construir para si uma vida fora da fenda. Ele se recusou a se esconder.

— Implorei que ele não fosse para os Estados Unidos — disse Emma. — Todos imploramos.

— Por que os Estados Unidos? — perguntei a eles.

— Havia poucos etéreos por lá naquela época — respondeu a srta. Peregrine. — Depois da guerra houve um pequeno êxodo de peculiares para os Estados Unidos. Durante algum tempo, alguns conseguiram passar por pessoas comuns, como fez seu avô. Seu maior desejo era ser comum, viver uma vida comum. Ele sempre dizia isso em suas cartas. Tenho certeza de que foi por isso que escondeu a verdade de você por tanto tempo: ele queria que você tivesse o que ele nunca poderia ter.

— Ser comum — disse eu.

A srta. Peregrine assentiu.

— Mas ele nunca pôde escapar de sua peculiaridade. Sua habilidade única, aliada ao talento desenvolvido na guerra como caçador de etéreos, tornou-o muito valioso. Ele era sempre forçado a agir; sempre lhe pediam para erradicar bolsões problemáticos de etéreos. Ele tinha uma natureza tal que raramente se recusava.

Pensei sobre as longas viagens de caça que o vovô Portman costumava fazer. Minha família tinha uma foto dele durante uma delas, apesar de eu não saber quem tinha feito a foto, nem quando, já que ele quase sempre ia sozinho, mas sempre achei aquilo a coisa mais engraçada, porque na foto ele vestia um terno. Quem usa terno numa viagem de caça?

Agora eu tinha minha resposta: alguém que está à caça de mais do que apenas animais.

Fiquei comovido com essa nova imagem de meu avô, não um maníaco por armas e paranoico, nem um adúltero mentiroso, tampouco um homem que nunca estava presente para sua família, mas um cavaleiro andante que arriscava a vida pelos outros, vivendo em carros e hotéis baratos, na perseguição de sombras mortais, e que voltava para casa com algumas dúzias de balas a menos e ferimentos que nunca explicou direito, além de pesadelos sobre os quais não podia falar. E, por esses muitos sacrifícios, tudo o que recebia era desprezo e desconfiança daqueles que amava. Acho que por isso ele escreveu tantas cartas para Emma e a srta. Peregrine. Elas compreendiam.

Bronwyn voltou com um decantador de vinho de coca e outra garrafa de conhaque, e a srta. Peregrine misturou os dois em uma xícara. Então dispensou Bronwyn e, depois que ela saiu, começou a dar tapinhas carinhosos no rosto cheio de veias azuis da srta. Avocet.

— Esmerelda — disse ela. — Esmerelda, você precisa se levantar e beber este tônico que preparei.

A srta. Avocet soltou um gemido. A srta. Peregrine ergueu a xícara até seus lábios. A senhora de idade tomou alguns goles e então cuspiu e tossiu, mas a maior parte do líquido arroxeado desapareceu em sua garganta. Por um momento, ficou encarando o nada com olhar vazio, como se estivesse prestes a afundar de volta em seu estupor, mas depois se aprumou na poltrona, a vida voltando a seu rosto.

— Nossa — disse a srta. Avocet, e sua voz era como um arranhão seco. — Eu dormi? Que falta de educação a minha. — Ela olhou para cada um de nós com leve surpresa, como se tivéssemos acabado de surgir do nada. — Alma? É você?

A srta. Peregrine segurou e massageou as mãos ossudas daquela senhora.

— Esmerelda, você veio de muito longe para nos ver no meio da noite. Você deixou a todos nós nervosos e preocupados.

— Deixei? — disse apertando os olhos e franzindo o cenho, e seus olhos pareceram se fixar na parede em frente, viva com sombras tremeluzentes. Então uma expressão de medo tomou seu rosto. — É — disse —, eu vim avisá-la, Alma. Vocês devem ficar em alerta. Não podem se deixar tomar de surpresa, como eu fiz.

A srta. Peregrine parou a massagem.

— Tomar de surpresa pelo quê? — disse ela.

— Só podiam ser acólitos. Dois deles chegaram à noite, disfarçados de membros do conselho. Não há homens no conselho, é claro, mas aquilo enganou meus vigias sonolentos por tempo bastante para que os acólitos os amarrassem e levassem.

A srta. Peregrine perdeu o fôlego.

— Oh, Esmerelda!

— A senhorita Bunting e eu fomos acordadas por seus gritos de pavor — prosseguiu. — Mas estávamos todos presos dentro de casa. Levou algum tempo para forçar as portas e, quando conseguimos, seguimos o fedor dos acólitos até o exterior da fenda, onde havia um bando de bestas-sombras à nossa espera do outro lado. Elas caíram sobre nós, uivando, cobertas de sangue...

Ela parou, esforçando-se para segurar as lágrimas.

HOL

— E as crianças?

A srta. Avocet sacudiu a cabeça. Toda a luz pareceu fugir de seus olhos.

— As crianças serviram apenas de isca — disse ela.

Emma deslizou a mão até a minha e a apertou, e vi o rosto da srta. Peregrine reluzindo à luz da lareira.

— Eles queriam mesmo era a mim e à senhorita Bunting. Eu consegui fugir, mas a senhorita Bunting não teve a mesma sorte.

— Ela foi morta?

— Não... raptada. Do mesmo modo como a senhorita Cambaxirra e a senhorita Treecreeper há duas semanas, quando suas fendas de tempo foram invadidas. Eles estão capturando as *ymbrynes*, Alma. É algum tipo de esforço coordenado. Eu estremeço só de imaginar o propósito disso.

— Então eles vêm atrás de nós também — disse em voz baixa a srta. Peregrine.

— Se puderem encontrá-la — retrucou a srta. Avocet. — Seu esconderijo é melhor do que o da maioria, mas você deve estar preparada, Alma.

A srta. Peregrine assentiu. A srta. Avocet lançou um olhar desconsolado para as próprias mãos. Elas tremiam em seu colo, e a voz saiu com dificuldade.

— Ah, minhas crianças queridas. Elas agora estão todas sozinhas — disse ela, chorando e virando o rosto para escondê-lo de nós.

A srta. Peregrine puxou o cobertor até o pescoço daquela mulher de idade avançada e se levantou. Saímos atrás dela e deixamos a srta. Avocet com sua tristeza.

***

Quando saímos, vimos todas as crianças encolhidas em torno da porta da sala de estar. Mesmo que não tivessem ouvido tudo o que fora dito pela srta. Avocet, tinham entendido o mais importante, o que ficara evidente pela expressão em seus rostos pálidos e cansados.

— Coitada da senhorita Avocet! — choramingou Claire, os lábios trêmulos.

— Coitadas das crianças da senhorita Avocet! — disse Olive.

— Elas vêm ficar com a gente agora, senhorita Peregrine? — perguntou Horace.

— Vamos precisar de armas! — gritou Millard.

— Machados de guerra! — disse Enoch.

— Bombas! — disse Hugh.

— Parem com isso! — gritou a srta. Peregrine, levantando a mão para pedir silêncio. — Todos devemos permanecer calmos. Sim, o que aconteceu com a senhorita Avocet foi trágico, extremamente trágico, mas foi uma tragédia que não vai necessariamente se repetir aqui. Entretanto, temos de ficar em alerta. A partir de agora, vocês só podem sair da casa com meu consentimento, e sempre em dupla. Se notarem alguém desconhecido, mesmo que pareça peculiar, venham me informar imediatamente. Vamos discutir estas e outras medidas preventivas de manhã. Até lá, vão todos para a cama! Isso não é hora para uma reunião.

— Mas senhorita Pe... — tentou Enoch.

— Para a cama!

As crianças foram correndo para seus quartos.

— E em relação ao senhor, senhor Portman, não gosto muito da ideia de você voltar sozinho. Acho que talvez seja melhor ficar, pelo menos até as coisas se acalmarem um pouco.

— Não posso simplesmente desaparecer assim. Meu pai ia surtar.

— É claro — disse ela. — Nesse caso, insisto que pelo menos passe a noite aqui.

— Eu fico — falei —, se a senhora me contar tudo o que sabe sobre as criaturas que mataram meu avô.

Ela inclinou a cabeça e ficou me observando, com a expressão de quem quase achava graça.

— Está bem, senhor Portman, não vou desprezar essa sua necessidade de saber. Instale-se no divã para dormir e discutimos isso assim que acordarmos.

— Não — retruquei. Ela me lançou um olhar severo, mas eu tinha esperado dez anos para saber a verdade e não podia esperar mais nem um minuto. — Tem de ser agora.

— Às vezes, meu jovem, você anda numa linha muito tênue entre ser um rapaz interessante de personalidade forte e um cabeça-dura terrível. — Ela se virou para Emma. — Senhorita Bloom, poderia buscar minha garrafa de vinho de coca? Parece que não vou dormir esta noite, então terei de me permitir isso, já que tenho de me manter acordada.

***

A biblioteca era perto demais do quarto das crianças para uma conversa na madrugada, então eu e a srta. Peregrine fomos para uma estufa que ficava no limiar da floresta. Sentamos sobre vasos virados de cabeça para baixo em meio a rosas em crescimento, com um lampião a querosene entre nós, antes de o amanhecer romper através das paredes de vidro. A srta. Peregrine pegou um cachimbo do bolso e se inclinou para acendê-lo na chama do lampião. Deu algumas baforadas pensativas, soltando espirais de fumaça azul, e depois começou:

— Em épocas remotas, as pessoas nos tomavam por deuses — começou ela —, mas nós, peculiares, não somos menos mortais que as pessoas comuns. As fendas de tempo apenas retardam o inevitável, e o preço que pagamos por usá-las é considerável: um divórcio irrevogável do presente real. Como você sabe, pessoas que passam muitos anos dentro das fendas podem ficar pouquíssimo tempo no presente, senão murcham e morrem. Essa tem sido a ordem das coisas desde eras imemoriais.

Deu outra baforada e continuou.

— Há alguns anos, por volta da virada do último século, surgiu uma facção dissidente entre nosso povo, um grupo de peculiares descontentes e com ideias perigosas. Eles acreditavam ter descoberto um método pelo qual a função das fendas de tempo podia ser corrompida para conferir ao usuário uma espécie de imortalidade, não apenas a suspensão do envelhecimento, mas sua reversão. Eles falavam de juventude eterna, que seria desfrutada fora dos limites das fendas, de viajar de um lado para o outro entre o presente e o passado impunemente, sem sofrer qualquer efeito colateral, que sempre impediu tamanha irresponsabilidade. Em outras palavras: dominar o tempo sem ser dominado pela morte. Toda a ideia era loucura, um completo absurdo, uma refutação das leis empíricas que tudo governam!

Ela fez uma pausa para se recompor.

— De qualquer modo, meus dois irmãos, tecnicamente brilhantes, mas um pouco sem juízo, foram arrebatados por essa ideia. Tiveram até a coragem de me pedir que os ajudasse a torná-la realidade. "Vocês estão falando em se transformarem em deuses", eu disse. "Isso não pode ser feito. E, mesmo que pudesse, não deveria ser feito." Mas nada conseguiria detê-los. Criados entre as *ymbrynes* em treinamento da senhorita Avocet, eles sabiam um pouco mais sobre nossa arte única do que a maioria dos machos peculiares, mas o suficiente, eu temia, para serem perigosos. Apesar dos avisos e até das ameaças do conselho, no verão de 1908 meus irmãos e centenas de outros membros dessa facção renegada, entre eles muitas *ymbrynes* poderosas, todos traidores, viajaram para a tundra siberiana para levar a cabo seu experimento odioso. Escolheram uma velha fenda sem nome, que estava havia séculos sem uso. Esperávamos que eles voltassem em menos de uma semana, com o rabo entre as pernas, humilhados pela condição imutável da natureza. Em vez disso, o resultado foi muito mais dramático: houve uma explosão catastrófica que fez estremecer janelas em lugares tão distantes quanto os Açores. Qualquer pessoa num raio de quinhentos quilômetros deve ter pensado que era o fim do mundo. Achamos que todos tinham morrido e que aquele estrondo obsceno, de dimensão planetária, tinha sido seu último discurso coletivo.

— Mas eles sobreviveram — arrisquei.

— De certa forma. Outros podem chamar o estado que eles assumiram em seguida de uma espécie de maldição vivente. Semanas depois começou uma série de ataques a peculiares efetuados por criaturas horrorosas que, exceto por suas sombras, não podiam ser vistas, a não ser por peculiares como você. Foram nossos primeiros conflitos contra os etéreos. Demorou um tempo até percebermos que aquelas abominações com tentáculos na boca eram, na verdade, nossos irmãos rebeldes, que tinham escapado se arrastando da cratera fumegante deixada por seu experimento. Em vez de se tornarem deuses, eles se transformaram em demônios.

— O que deu errado?

— Isso ainda é tema de discussões. Uma teoria é que eles reverteram seu processo de envelhecimento até uma época anterior à própria concepção de suas almas, e por isso eles chamam a si mesmo de *etéreos*, porque seus corações, suas almas, são vazios. Numa ironia cruel, eles alcançaram a imortalidade que buscavam, no fim das contas: acredita-se que os etéreos podem viver milhares de anos, mas é uma vida de tormentos físicos constantes e fome insaciável pela carne de seus antigos semelhantes, porque nosso sangue é sua única esperança de salvação. Se um etéreo devora um número suficiente de peculiares, ele se torna um acólito.

— Essa palavra de novo. Quando nos conhecemos, Emma me acusou de ser um deles.

— Talvez eu suspeitasse da mesma coisa, se não o tivesse observado antes.

— O que são eles?

— Se ser um etéreo é viver um inferno, e quase certamente é mesmo, ser um acólito seria o correspondente a viver num purgatório. Acólitos são quase comuns. Eles não têm habilidades peculiares, mas, como podem passar por humanos, vivem para servir a seus irmãos etéreos, atuando como batedores, espiões e caçadores de carne. É uma hierarquia de malditos que almeja um dia transformar todos os etéreos em acólitos e todos os peculiares em cadáveres.

— Mas o que os impede de fazer isso? Se eles eram peculiares, eles não conhecem todos os seus esconderijos?

— Eles não parecem guardar nenhuma memória de sua vida passada. E, apesar de os acólitos não serem tão fortes nem terem aparência tão assustadora, eles costumam ser igualmente perigosos. Diferentemente dos etéreos, eles agem mais por instinto e costumam ser capazes de se misturar à população em geral. Pode ser difícil identificá-los entre pessoas comuns, apesar de haver alguns indicadores. Os olhos, por exemplo... Curiosamente, os acólitos não têm pupilas.

Fiquei arrepiado ao lembrar do vizinho de olhos brancos que vi regando a grama alta do jardim, na noite em que meu avô foi morto.

— Eu vi um deles. Tenho quase certeza. Mas pensei que fosse um velho cego — disse eu.

A srta. Peregrine assentiu e tomou um gole de sua garrafinha.

— Os acólitos são adeptos de andar por aí sem ser percebidos. Costumam adotar identidades invisíveis para a sociedade: o homem de terno cinza no metrô; o indigente que mendiga moedas; apenas rostos na multidão, apesar de alguns terem sido conhecidos por se arriscarem à exposição ao se colocar em posições de maior destaque, como médicos, políticos, clérigos, e assim interagir com um número maior de pessoas, ou ter algum poder, para conseguir descobrir com mais facilidade peculiares que possam estar escondidos entre as pessoas comuns, como Abe estava.

A srta. Peregrine pegou um álbum de fotos que trouxera da casa. Enquanto o folheava, ela disse:

— Essas fotos foram reproduzidas e distribuídas a peculiares por toda parte, como cartazes de pessoas procuradas. Veja aqui. Este acólito foi descoberto trabalhando em uma loja de departamentos norte-americana no Natal. Ele foi capaz de interagir com muitas crianças em um período excepcionalmente curto. Tocou-as e interrogou-as em busca de sinais de peculiaridade.

Ela apontou a foto de duas meninas montadas sobre uma rena falsa, com um Papai Noel assustador, de olhos vazios, observando por detrás de seus chifres. E virou a página para revelar a foto de um dentista de aparência sádica.

— Este acólito trabalhava como cirurgião-dentista. Não seria surpresa para mim descobrir que o crânio que aparece na foto pertencia a uma de suas vítimas peculiares.

Ela tornou a virar a página, dessa vez até a foto de uma garotinha toda encolhida diante de uma sombra enorme que se projetava em sua direção.

— Esta é Marcie — disse a srta. Peregrine. — Ela nos deixou há trinta anos para viver com uma família comum no campo. Implorei que ficasse, mas ela estava totalmente decidida. Não muito tempo depois, foi levada por um acólito enquanto esperava pelo ônibus escolar. Encontraram no local uma câmera com filme, que, revelado, mostrou essa foto.

— Quem a tirou?

— O próprio acólito. Eles adoram gestos teatrais e invariavelmente deixam para trás alguma provocação de lembrança.

Estudei as fotos enquanto um temor pequeno e familiar se revirava dentro de mim.

Quando não suportei mais olhar para elas, fechei o álbum.

— Estou contando isso tudo a você porque saber é um direito seu de nascença — disse a srta. Peregrine —, mas também porque preciso de sua ajuda. Você é o único entre nós que pode sair da fenda sem levantar suspeitas. Enquanto estiver conosco e insistir em viajar de um lado para o outro, preciso que observe a chegada de qualquer pessoa na ilha e venha aqui me contar.

— Outro dia chegou alguém — disse eu, pensando no ornitólogo que tinha chateado meu pai.

— Você conseguiu ver os olhos dele? — perguntou ela.

3068

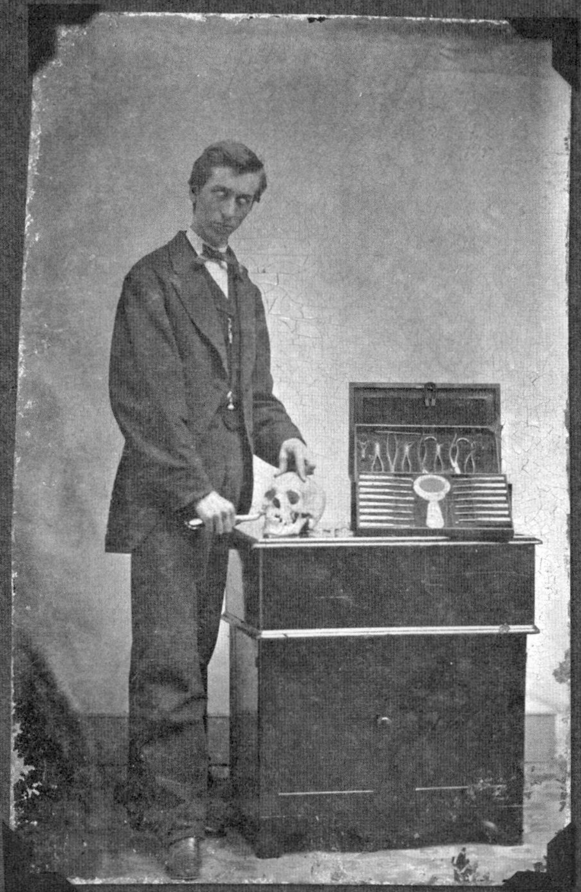

— Na verdade, não — respondi. — Ele estava de óculos escuros.

Com o cenho franzido, a srta. Peregrine mastigou de leve a pele que cobria o nó do dedo.

— Por quê? Acha que poderia ser um deles?

— É impossível ter certeza sem ver os olhos — disse ela —, mas a possibilidade de que você tenha sido seguido até a ilha me preocupa muito.

— O que a senhora quer dizer? Por um acólito? — perguntei.

— Talvez o mesmo que você descreveu ter visto na noite da morte de seu avô. Isso explicaria por que eles resolveram poupar sua vida — para que pudesse conduzi-los a um prêmio muito maior: este lugar.

— Mas como eles sabiam que eu era peculiar? Nem *eu* sabia!

— Se eles sabiam sobre seu avô, pode ter certeza de que sabiam sobre você também.

Eu me lembrei de todas as vezes que os senti perto de mim nas semanas após aqueles acontecimentos, certo de que havia algo me observando por uma janela escura ou do outro lado de uma rua movimentada. Quantas vezes eles tiveram a oportunidade de me matar? A que distância será que fiquei da morte?

Eu me senti fraco e afundei a cabeça entre os joelhos, estupefato.

— Suponho que não me daria um gole daquele vinho — disse.

— Absolutamente não.

De repente senti meu peito se apertar.

— Eu nunca estarei em segurança, não é verdade?

A srta. Peregrine tocou meu ombro.

— Aqui você está em segurança — disse ela. — E pode viver aqui pelo tempo que quiser.

Tentei falar, mas gaguejei.

— Mas eu não... não... não posso... meus pais...

— Eles podem amá-lo — sussurrou ela —, mas nunca vão entender.

***

Quando voltei para a cidade, o sol da manhã projetava as primeiras sombras sobre o telhado das casinhas; os homens que tinham virado a noite bebendo paravam para tomar fôlego em bancos a caminho de casa, algo que faziam com dificuldade; os pescadores desciam para a baía com grandes botas pretas; e meu pai começava a se mexer saindo de um sono profundo. Quando ele rolou para fora da cama, eu estava me deitando na minha. Puxei as cobertas sobre minhas roupas sujas de areia apenas segundos antes que ele abrisse a porta do quarto para ver se estava tudo certo.

— Está se sentindo bem?

Soltei um gemido e virei de costas para ele, que foi embora. Acordei só à tarde e encontrei um bilhete simpático e uma caixa de remédios para gripe na mesinha da sala que dividíamos. Então comecei a me preocupar com ele, andando lá fora por pontais rochosos com seus binóculos e um caderninho, bem possivelmente na companhia de um louco matador de ovelhas.

Esfreguei os olhos para espantar o sono, vesti rapidamente uma capa de chuva, dei a volta por trás da cidade e caminhei por penhascos e praias próximos, na esperança de ver meu pai ou o estranho ornitólogo — e observar seus olhos com atenção —, mas não encontrei nenhum dos dois. Estava quase anoitecendo quando finalmente desisti de procurar e voltei para o Buraco do Padre, onde encontrei meu pai no bar, bebendo uma cerveja com os frequentadores de sempre. A julgar pelo número de garrafas vazias em torno dele, fazia tempo que estava ali.

Eu me sentei ao seu lado e perguntei se ele tinha visto o ornitólogo em algum lugar. Ele disse que não.

— Bem, se o vir, me faça o favor de ficar longe dele, está bem?

Meu pai me olhou de um modo estranho.

— Por quê?

— Eu não fui com a cara dele. E se for um maluco? E se foi *ele* quem matou aquelas ovelhas, e não Verme?

— De onde tirou essas ideias bizarras?

Eu quis contar a ele. Quis explicar tudo, para que ele dissesse que entendia e me oferecesse um pouquinho de conselho paterno. Quis, naquele momento, que tudo voltasse a ser do jeito que era antes que viéssemos para cá; antes que eu tivesse encontrado aquela carta da srta. Peregrine, quando eu era apenas um tipo normal e bagunceiro de menino rico do subúrbio. Em vez disso, sentei perto do meu pai por algum tempo e falei sobre amenidades, e tentei lembrar da minha vida naquela época incomensuravelmente distante que era quatro semanas, ou imaginar como poderia ser daqui a quatro semanas — mas não consegui. Depois de algum tempo, ficamos sem ter sobre o que falar, pedi licença e subi para ficar sozinho.

CAPÍTULO DEZ

Na terça-feira à noite, a maior parte do que eu acreditava saber sobre mim mesmo se revelou estar errada. Na manhã de domingo, meu pai e eu deveríamos fazer as malas e voltar para casa. Só restavam quatro dias para resolver o meu futuro. Como seria possível que eu ficasse aqui? Por outro lado, como poderia ir para casa?

Não tinha ideia do que fazer. Para piorar, não havia ninguém com quem eu pudesse conversar sobre o assunto. Meu pai estava fora de questão. Emma expunha apaixonadamente e com muita frequência argumentos a favor de que eu ficasse, nenhum dos quais fazia referência à vida que eu estaria abandonando se o fizesse — por pior que ela pudesse parecer —, ou como o súbito e inexplicável desaparecimento de seu filho único poderia afetar meus pais, ou a pressão sufocante que a própria Emma tinha admitido sentir dentro da fenda. Ela diria apenas:

— Com você aqui vai melhorar.

A srta. Peregrine ajudava ainda menos. Sua única resposta era que não podia tomar uma decisão como aquela por mim, apesar de eu apenas querer conversar sobre o assunto. Mas era óbvio que ela queria que eu ficasse. Além e acima de minha segurança, minha presença ali deixaria todos os outros na fenda mais seguros. Porém não simpatizava com a ideia de passar a vida como cão de guarda deles. Começava a suspeitar de que meu avô tinha achado o mesmo e que essa era parte da razão de sua recusa em voltar depois da guerra.

Juntar-me às crianças peculiares também significava não terminar o ensino médio nem ir para a faculdade ou fazer coisas normais que as pessoas fazem enquanto crescem. Mesmo assim, precisava me lembrar sempre de que eu *não era* normal e que, enquanto os etéreos estivessem à minha caça, qualquer vida fora da fenda de tempo provavelmente seria, de qualquer modo, eliminada antes que eu chegasse à faculdade. Eu passaria o resto dos meus dias com medo, olhando para trás, atormentado por pesadelos, à espera do dia em que eles voltariam para finalmente acabar comigo. Isso parecia bem pior do que não ir para a faculdade.

Então pensei: *Será que não há uma terceira opção? Será que eu não poderia ser como meu avô Portman, que por cinco décadas viveu, trabalhou e combateu os etéreos fora da fenda?* Era aí que a voz autodepreciativa em minha cabeça começava a falar: *Ele teve treinamento militar, seu idiota. Era um cara frio e durão. E tinha um armário cheio de escopetas de cano serrado. O homem era um Rambo em comparação a você.*

Minha parte otimista dizia que eu devia me inscrever em aulas de tiro. Aprender caratê. Malhar.

Está brincando? Você não conseguia se proteger nem no colégio! Tinha de subornar aquele caipira para fazer isso em seu lugar. E você molharia as calças só de apontar um revólver para alguém.

Não, eu não.

Você é fraco. É um fracassado. É por isso que ele nunca lhe contou quem realmente era. Ele sabia que você não ia segurar a onda.

Cale a boca! Cale a boca!

Durante dias meus pensamentos iam e voltavam desse jeito. Ficar ou partir? Estava constantemente obcecado sem chegar a uma conclusão. Enquanto isso, meu pai perdeu completamente a empolgação com seu livro. Quanto menos trabalhava, mais desanimado ficava e, quanto mais desanimado, mais tempo passava no bar. Nunca o tinha visto beber daquele jeito — seis, sete cervejas por noite — e não gostava de estar por perto quando ele fazia isso. Ele ficava taciturno e, quando não ficava quieto e pensativo, me contava coisas que eu não queria saber.

— Um dia desses sua mãe vai me deixar — disse certa noite. — Se eu não fizer algo acontecer em breve, acho que ela vai mesmo.

Comecei a evitá-lo. Não tenho certeza de se ele percebeu. Tornou-se fácil, de um modo deprimente, mentir sobre minhas idas e vindas.

Na casa, a srta. Peregrine instituiu um isolamento praticamente completo. Era como se houvesse sido declarada lei marcial: as crianças menores não podiam ir a lugar nenhum sem companhia, os mais velhos andavam em duplas e a srta. Peregrine tinha de saber onde todos estavam o tempo inteiro. Só conseguir permissão para sair da fenda já era um sacrifício.

Sentinelas eram convocadas e postas para trabalhar em turnos para vigiar a frente e os fundos da casa. Durante todo o dia e na maior parte da noite, era possível ver rostos entediados espiando das janelas. Se as crianças viam alguém chegando, tinham de puxar uma corrente que tocava um sino no quarto da srta. Peregrine, o que significa que sempre que eu chegava ela estaria à espera na porta para me interrogar. O que estava acontecendo fora da fenda? Eu tinha visto algo estranho? Tinha certeza de que não havia sido seguido?

Não foi surpresa as crianças terem ficado meio piradas. Os menores ficaram barulhentos, os mais velhos tornaram-se meio insensíveis, reclamando das novas regras em voz alta o bastante apenas para serem ouvidos por quem estava perto. Suspiros altos irrompiam no ar, normalmente a única pista de que Millard tinha entrado no aposento. Os insetos de Hugh voavam soltos e picaram várias pessoas até serem banidos da casa, depois do que Hugh começou a passar todo o tempo na janela, apenas vendo suas abelhas do outro lado do vidro.

Olive, alegando ter perdido seus sapatos de chumbo, começou a se arrastar pelo teto como uma mosca, pregando peças nas pessoas, deixando cair grãos de arroz em suas cabeças até que olhassem para cima, quando então ela dava uma gargalhada tão forte que sua levitação vacilava e ela tinha de se agarrar a um lustre ou trilho de cortina para evitar cair. O mais estranho de todos era Enoch, que desapareceu em seu laboratório no porão para experimentar em seus soldadinhos de barro cirurgias que fariam corar o doutor Frankenstein — amputar os membros de dois para fazer um homem-aranha assustador, por exemplo, ou juntar o coração de quatro galinhas em uma única cavidade torácica numa tentativa de fazer um super-homem de barro que nunca ficasse sem energia — até que, um a um, seus pequenos corpos cinzentos sucumbiram ao esforço e o porão ficou parecido com um hospital de guerra.

De sua parte, a srta. Peregrine permanecia em um estado de movimento constante, fumando seu cachimbo sem parar enquanto claudicava de quarto em quarto para ver como estavam as crianças, como se elas pudessem desaparecer no instante que sumissem de seu campo de visão.

A srta. Avocet continuou por lá, saindo de seu torpor de vez em quando para perambular sem rumo pelos corredores, chamando com voz triste o nome de seus tutelados abandonados e depois desmoronando nos braços de alguém para ser novamente levada para a cama. Seguiu-se grande quantidade de especulação paranoica sobre a experiência trágica da srta. Avocet e por que os etéreos iam querer raptar *ymbrynes*, com teorias que iam do bizarro (para criar a maior fenda de tempo da história, grande o bastante para engolir todo o planeta) ao ridiculamente otimista (para fazer companhia aos etéreos — ser um monstro horrível devorador de almas pode ser bem solitário depois de algum tempo).

Por fim, um silêncio mórbido se abateu sobre a casa. Dois dias de confinamento deixaram todos letárgicos. Acreditando que a rotina era a melhor defesa contra a depressão, a srta. Peregrine tentava manter as crianças interessadas nas lições diárias que ela dava, na preparação das refeições cotidianas e também na limpeza e arrumação da casa, mas, sempre que não estavam sob ordens diretas para fazer alguma coisa, as crianças se afundavam pesadamente nas poltronas e ficavam olhando pela janela para o vazio, folheavam livros velhos sem realmente lê-los ou apenas dormiam.

Eu não tinha visto o talento peculiar de Horace em ação até que, certa noite, ele começou a gritar. Um grupo correu até o sótão, onde ele estava de sentinela, para encontrá-lo rígido em uma cadeira, em meio ao que parecia ser um pesadelo terrível, tentando agredir o ar com olhos aterrorizados e vazios. No início, seus gritos eram apenas isso: gritos; mas de repente ele começou a articular palavras, berrando sobre mares fervilhantes e cinzas chovendo do céu, e uma cortina de fumaça sem fim cobrindo a Terra. Após alguns minutos desses pronunciamentos apocalípticos, ele pareceu se esgotar e caiu num sono inquieto.

Os outros já tinham visto isso acontecer antes — o bastante para haver fotos de seus ataques no álbum da srta. Peregrine — e sabiam o que fazer. Sob as ordens da diretora, eles o carregaram pelos braços e pelas pernas até a cama e, quando despertou algumas horas depois, afirmou que não se lembrava do sonho, e os sonhos de que não se lembrava raramente se tornavam realidade. Os outros aceitaram isso porque já havia muita coisa com que se preocupar. Senti que ele estava escondendo algo.

Quando alguém desaparece em uma cidade tão pequena como Cairnholm, as pessoas percebem. Por isso, quando Martin não apareceu para

abrir seu museu na manhã de quarta, nem passou no Buraco do Padre para seu drinque noturno habitual, as pessoas começaram a se perguntar se ele estaria doente — e, quando a mulher de Kev foi procurá-lo e encontrou a porta de sua casa escancarada e sua carteira e seus óculos sobre a pia da cozinha, mas não o encontrou, as pessoas começaram a imaginar que ele pudesse estar morto. No dia seguinte, como ele também não apareceu, um grupo de homens foi enviado para abrir velhos barracões de pesca e investigar embaixo de barcos virados, procurando em qualquer lugar onde um homem solteiro e apreciador de uísque poderia pensar em dormir para curar um porre, mas as buscas mal tinham começado quando receberam uma chamada pelo rádio de ondas curtas: o corpo de Martin havia sido pescado no oceano.

Eu estava no bar com meu pai quando o pescador que o encontrou entrou. Ainda não passara do meio-dia, mas ele pediu uma cerveja antes de mais nada e depois de alguns minutos estava nos contando sua história.

— Eu estava lá em Gannet's Point puxando minhas redes — começou o pescador. — Elas estavam muito pesadas, o que era estranho, já que tudo o que costumo pegar por lá são peixinhos pequenos, camarões e coisas assim. Achei que elas tinham ficado presas em alguma armadilha para caranguejos, então peguei o arpão e enfiei por baixo do barco até que ele se prendeu a algo.

Todos nos aproximamos dele sem sair de nossos bancos, como se fosse a hora da historinha em um jardim de infância incrivelmente mórbido.

— Era o Martin, sim. Parece que caiu de um precipício e foi atacado por tubarões. Deus sabe o que ele estava fazendo no alto dos penhascos tarde da noite só de roupão e cuecas.

— Ele não estava vestido? — perguntou Kev.

— Talvez vestido para dormir — disse o pescador. — Não para andar no molhado.

Preces breves pela alma de Martin foram murmuradas, e as pessoas começaram a trocar teorias. Em minutos, o lugar tinha se transformado no gabinete enfumaçado de Sherlockes Holmes bêbados.

— Ele podia estar bêbado — arriscou um sujeito.

— Ou, se estava perto dos precipícios, talvez tenha visto o matador de ovelhas e estivesse atrás dele — disse outro.

— E esse cara novo? — disse o pescador. — O que está acampado?

Meu pai se aprumou em seu banco.

— Eu esbarrei nele há duas noites — disse.

Eu me virei para ele, surpreso.

— Você não me contou.

— Eu estava correndo, tentando chegar à farmácia antes que fechasse, e esse cara seguia no outro sentido, para fora da cidade. Ele estava muito apressado. Esbarrei em seu ombro quando passou, só para irritá-lo. É, eu tinha bebido algumas. Ele parou e me encarou. Não disse nada. Falei que queria saber sobre seu trabalho, sabe, o que ele estava fazendo aqui, qual sua especialidade, porque as pessoas aqui falam sobre si mesmas, eu quis dizer.

— E o que ele respondeu? — perguntou Kev. O lugar estava em silêncio, todos os olhos em meu pai.

— Nada, absolutamente nada. Parecia prestes a me dar um soco, mas depois saiu andando. Acho que estava com medo de briga.

Vários homens tinham perguntas a fazer — sobre o que faz um ornitólogo e por que o sujeito estaria acampando, e outras coisas que eu já sabia. Eu só tinha uma pergunta, que estava louco para fazer a meu pai desde que ele começou a contar a história.

— Você viu os olhos dele?

Meu pai pensou por um segundo.

— Não — respondeu. — Ele estava de óculos escuros.

— *À noite?*

— Que coisa mais estranha...

Fui tomado por um mal-estar súbito e me perguntei quanto meu pai passara perto de algo muito pior do que uma troca de socos. Será que o cara podia ser um acólito? Eu não tinha certeza, mas sabia que tinha de contar sobre ele à srta. Peregrine... e logo.

— Ah, droga! — disse Kev. — Não temos um assassinato em Cairnholm há cem anos. E, além disso, por que alguém ia querer matar o velho Martin? Não faz sentido. Aposto uma rodada com todos vocês que quando sair sua autópsia vai constar que ele foi comido até morrer de prazer.

— Podem ter sido as primeiras ondas da tormenta — disse o pescador de modo grave e sombrio. — Tem uma tempestade se aproximando agora. A Capitania dos Portos diz que vai ser das fortes. A pior deste ano.

— A Capitania dos Portos... — zombou Kev. — A Capitania não sabe nem se está chovendo *agora*!

***

Os ilhéus costumavam fazer pronunciamentos sombrios sobre o que a Mãe Natureza tinha reservado para Cairnholm — afinal de contas, estavam todos à mercê do clima, e eram naturalmente pessimistas —, mas desta vez seus piores temores se confirmaram. O vento e a chuva que tinham fustigado a ilha durante toda a semana ficaram mais fortes naquela noite e se transformaram em um bando sinistro de nuvens de tempestade que se aproximavam, negras, no céu e transformavam em espuma as águas do mar. Em meio a rumores sobre Martin ter sido assassinado e sobre o clima, a cidade se fechou de modo mais ou menos semelhante à casa onde viviam as crianças. As pessoas ficaram confinadas em suas residências. As janelas foram fechadas e as portas, bem trancadas e bloqueadas. Os barcos batiam contra seus atracadouros com as ondas pesadas, mas nenhum deixou a baía; sair para o mar naquele clima seria suicídio. E, como a polícia do continente não podia recolher o corpo de Martin até que o mar se acalmasse, ele foi guardado no gelo, nos fundos da peixaria.

Eu estava sob ordens estritas de meu pai para não deixar o Buraco do Padre, mas também tinha instruções de contar qualquer acontecimento estranho à srta. Peregrine, e, se uma morte suspeita não fosse um acontecimento estranho, nada mais seria. Por isso naquela noite fingi que estava meio gripado e me tranquei no quarto, então saí pela janela e desci pela calha até o chão. Ninguém mais seria idiota o bastante para estar fora de casa, por isso saí correndo pela trilha principal sem medo de ser visto, com o capuz da capa de chuva bem preso em torno do rosto para me proteger da chuva de vento.

Quando cheguei à casa, a srta. Peregrine olhou para mim e logo soube que havia algo errado.

— O que aconteceu? — perguntou, com os olhos injetados fixos em mim.

Contei tudo a ela, um resumo de todos os fatos e rumores que escutara, e seu rosto empalideceu. Ela apressou-se a me levar para a sala de estar, onde, em pânico, reuniu todas as crianças que pôde encontrar e, em seguida, saiu andando a passos largos para procurar as poucas que, aparentemente, ignoraram seus gritos. O restante foi deixado ali, sem saber o que estava acontecendo.

Emma e Millard me deram uma prensa.

— Por que ela está tão nervosa assim? — perguntou Millard.

Contei a eles sobre Martin em voz baixa e cautelosa. Millard inspirou fundo e Emma cruzou os braços, preocupada.

— É mesmo tão ruim assim? — perguntei. — Quero dizer, não podem ter sido etéreos; eles só caçam peculiares, certo?

— Você conta a ele ou quer que eu faça isso? — resmungou Emma.

— Os etéreos preferem peculiares a pessoas comuns — explicou Millard —, mas eles comem praticamente qualquer coisa para se sustentar, desde que seja fresco e tenha carne.

— É uma das maneiras de saber se há etéreos por perto — disse Emma. — Os corpos vão se amontoando. É por isso que eles são essencialmente nômades. Se eles não mudassem sempre de lugar, seria simples rastreá-los.

— Com que frequência — perguntei, com um frio subindo pela espinha — eles precisam comer?

— Com muita frequência — disse Millard. — Arranjar as refeições dos etéreos toma a maior parte do tempo dos acólitos. Eles procuram peculiares quando podem, mas uma enorme porção de sua energia e trabalho é gasta em busca de vítimas comuns para os etéreos, tanto animais quanto humanos, e depois para esconder a sujeira. — O tom de Millard era acadêmico, como se discutisse os padrões reprodutivos de uma espécie ligeiramente interessante de roedor.

— Mas os acólitos nunca são pegos? — perguntei. — Quero dizer, se eles ajudam a *assassinar* pessoas, é de esperar que...

— Às vezes são — disse Emma. — Aposto que você já ouviu falar de alguns deles, se acompanha o noticiário. Um sujeito foi encontrado com cabeças humanas guardadas na geladeira e pedaços de tripas e entranhas em uma panela sobre fogo baixo, como se estivesse preparando uma ceia de Natal. Na sua época, não deve ter sido há muito tempo.

Eu me lembrava vagamente de um especial de TV sensacionalista que passou numa madrugada sobre um assassino canibal em série, de Milwaukee, que tinha sido preso em circunstâncias parecidas.

— Você deve estar falando de... Jeffrey Dahmer?

— Acho que era esse, sim, o nome do cavalheiro — disse Millard. — Um caso fascinante. Mas parece que ele nunca perdeu o gosto por comida fresca, apesar de não ser mais um etéreo havia muitos anos.

— Pensei que não deviam saber sobre o futuro — disse eu.

Emma abriu um sorriso astuto.

— A Ave só esconde de nós as coisas *boas* do futuro, mas pode apostar que soubemos de todas as histórias ruins.

Então a srta. Peregrine voltou, arrastando consigo Enoch e Horace pela manga da camisa. Todos pararam para prestar atenção.

— Acabamos de ser informados de uma nova ameaça — anunciou ela, que me cumprimentou com um aceno de cabeça em agradecimento. — Um homem fora da fenda morreu sob circunstâncias muito suspeitas. Não temos certeza da causa nem se isso representa uma ameaça real à nossa segurança, mas devemos agir como se representasse. Até segunda ordem, ninguém pode deixar a casa, nem para colher verduras ou trazer ganso para o jantar.

Um gemido coletivo foi ouvido, acima do qual a srta. Peregrine levantou a voz.

— Estes últimos dias têm sido muito desafiadores para todos nós. Eu imploro a vocês que tenham paciência.

Mãos se ergueram por toda a sala, mas ela rejeitou todas as perguntas e saiu para ver se as portas estavam bem trancadas. Corri atrás dela em pânico. Se havia mesmo algo perigoso na ilha, podia me matar no instante em que eu pusesse os pés fora da fenda. Mas, se eu ficasse ali, deixaria meu pai indefeso, sem mencionar que estaria morto de preocupação por minha causa. De algum modo, isso parecia ainda pior.

— Preciso ir — disse, quando alcançava a srta. Peregrine.

Ela me puxou para um quarto vazio e fechou a porta.

— Não levante a voz — ordenou. — E você vai obedecer às minhas regras. O que eu disse também se aplica a você. Ninguém sai desta casa.

— Mas senhorita...

— Até agora eu permiti a você um grau de autonomia sem precedentes para ir e vir à vontade, em respeito a sua situação singular, mas você já pode ter sido seguido até aqui, e isso coloca em risco a vida de meus protegidos. Não vou mais permitir que ponha a eles, além de você, em perigo.

— Mas a senhora não entende? — praguejei. — Os barcos não estão saindo. As pessoas na cidade estão presas. Meu *pai* está preso. Se realmente há um acólito, e se ele é quem penso que é, ele e meu pai já quase começaram a brigar uma vez. Se ele acabou de dar um estranho de comida aos etéreos, imaginem atrás de quem ele vai agora?

O rosto dela estava como pedra.

— Não vou pôr em risco os meus protegidos. Por ninguém.

— Não são apenas os habitantes da cidade, é meu *pai*! Acha mesmo que algumas portas vão me impedir de ir?

— Talvez não, mas se insistir em sair daqui vou insistir para que nunca mais retorne.

Fiquei tão chocado que tive de rir.

— Mas vocês *precisam* de mim! — disse eu.

— É, precisamos — respondeu ela. — Precisamos muito.

***

Subi correndo as escadas e fui até o quarto de Emma. O interior era uma imagem de frustração que podia muito bem ter saído de uma obra de Norman Rockwell, se Norman Rockwell retratasse pessoas cumprindo pena na cadeia. Bronwyn, inerte, olhava pela janela. Enoch estava sentado no chão, mexendo num pedaço de argila endurecida. Emma, empoleirada na beira de sua cama, rasgava folhas de papel de um caderno e as incendiava entre os dedos.

— Você voltou! — disse Emma quando entrei.

— Nem cheguei a ir — respondi. — A senhorita Peregrine não ia deixar. — Todos escutaram enquanto eu me sentei e expliquei meu dilema. E a ameaça da srta. Peregrine.

— Serei banido se tentar sair — contei a eles.

O caderno inteiro de Emma pegou fogo.

— Ela não pode fazer isso! — gritou, alheia às chamas que lambiam sua mão.

— Ela pode fazer o que quiser — disse Bronwyn. — Ela é a Ave.

Emma jogou o caderno no chão e o pisoteou para apagar o fogo.

Eu me levantei.

— Só vim aqui dizer a vocês que eu vou, quer ela queira ou não. Não serei mantido como prisioneiro e não vou enterrar a cabeça na areia enquanto meu pai pode estar correndo perigo de verdade.

— Então eu vou com você — disse Emma.

— Você não está falando sério! — retrucou Bronwyn.

— Estou — disse ela.

— Você é burra, é? — disse Enoch. — Vai virar uma ameixa seca velha... e por quê? Por ele?

— Não vou — disse Emma. — É preciso ficar fora da fenda de tempo por horas e horas antes que isso aconteça, e não vai demorar tanto assim, vai, Jacob?

— É uma má ideia.

— O *que* é uma má ideia? — disse Enoch. — Ela não sabe nem para que estará arriscando a vida.

— A diretora não vai gostar — disse Bronwyn, afirmando, para variar, o óbvio. — Ela vai nos *matar*!

Emma se levantou e fechou a porta.

— *Ela* não vai nos matar — disse. — Essas *coisas* é que vão. E, se não matarem, viver desse jeito por muito mais tempo pode ser pior que a morte. A Ave nos mantém numa rédea tão curta que a gente mal pode respirar, e tudo porque ela não tem disposição para encarar seja lá o que estiver lá fora.

— Ou o que não está lá fora — disse Millard, que eu não havia notado estar na sala com a gente.

— Mas ela não vai gostar disso — repetiu Bronwyn.

Emma deu um passo belicoso na direção da amiga.

— Por quanto tempo você ainda vai se esconder debaixo da barra da saia dessa mulher?

— Já esqueceu o que aconteceu com a senhorita Avocet? — disse Millard. — Só quando os protegidos dela saíram da fenda eles foram mortos e a senhorita Buntin, raptada. Se eles tivessem ficado no lugar, nada de mau teria acontecido.

— Nada de mau? — disse Emma, desconfiada. — É verdade que os etéreos não conseguem entrar nas fendas de tempo, mas os acólitos conseguem, e foi por isso que os garotos foram enganados e convencidos a sair. Será que a gente deve ficar com a bunda sentada aqui esperando que eles entrem pela porta da frente? E se, desta vez, em vez de um disfarce inteligente, eles trouxerem armas?

— Era isso o que eu faria — disse Enoch. — Esperaria que todos dormissem, então desceria pela chaminé como o Papai Noel e *BAM*! — Ele disparou um revólver imaginário no travesseiro de Emma. — Miolos na parede!

— Obrigado por essa — suspirou Millard.

— Temos de atacá-los antes que eles descubram que sabemos que estão aqui — disse Emma. — Enquanto temos o elemento surpresa.

— Mas *não* sabemos se eles estão aqui! — disse Millard.

— Vamos descobrir.

— E como sugere fazer isso? Andando por aí até encontrar um? E aí? *Desculpe, nós queríamos saber quais seriam suas intenções em relação a nos devorar.*

— Nós temos Jacob — disse Bronwyn. — Ele pode ver os etéreos.

Senti um nó na garganta, consciente de que, se essa expedição de caça se formasse, de algum modo eu seria responsável pela segurança de todos.

— Até hoje eu só vi *um* — alertei-os. — Por isso não diria que sou um especialista.

— E se ele não vir nenhum? — disse Millard. — Isso pode significar que não há nenhum para ser visto, ou que eles estão escondidos. Você continuaria na mesma situação em que está agora.

O quarto encheu-se de expressões sérias e pensativas. O que Millard disse fazia sentido.

— Bem, parece que a lógica venceu mais uma vez — disse ele. — Vou lá fora buscar mingau para jantarmos, se algum de vocês, amotinados, quiser se juntar a mim. Ao contrário de vocês, eu bem que gosto de mingau.

As molas das camas rangeram quando Millard se levantou e se dirigiu à porta. Mas, antes que ele saísse, Enoch se levantou com um pulo e berrou:

— Descobri!

Millard parou.

— Descobriu o quê?

Enoch se virou para mim.

— O sujeito que pode ou não ter sido devorado por um etéreo. Você sabe onde o puseram?

— Acho que na peixaria.

Ele esfregou as mãos.

— Então eu sei como podemos ter certeza.

— E o que faremos? — Millard indagou.

— Vamos perguntar a ele.

***

Uma equipe expedicionária foi montada. Iriam se juntar a mim Emma, que se recusou terminantemente a me deixar ir sozinho, Bronwyn, que estava contrariada porque ia deixar a srta. Peregrine com raiva, mas insistiu que precisávamos de sua proteção, e Enoch, cujo plano nós íamos executar. Millard, cuja invisibilidade podia ajudar bastante, não quis tomar parte naquilo e teve de ser subornado só para que não nos entregasse.

— Se todos formos — raciocinou Emma —, a Ave não poderá banir apenas Jacob. Terá de banir todos nós.

— Mas eu não quero ser banida! — disse Bronwyn.

— Ela nunca faria isso, Wyn, essa é a questão. E, se conseguirmos voltar para casa antes da hora de dormir, talvez ela nem perceba que saímos.

Eu tinha minhas dúvidas quanto a isso, mas todos concordamos que valia a pena arriscar.

Tudo ocorreu como uma fuga de prisão. Depois do jantar, quando a casa estava mais caótica e a srta. Peregrine mais distraída, Emma fingiu que ia para a sala de estar, eu, para a biblioteca, e alguns minutos depois nos encontramos no fim do corredor do segundo andar, onde um pedaço do teto tinha sido puxado para revelar uma escada. Emma subiu e eu a segui, fechando a escada atrás de mim. Estávamos no espaço pequeno e escuro do sótão. De um lado, havia uma saída de ventilação — cujos parafusos foram retirados com facilidade —, que dava para uma área plana do telhado.

Saímos para o ar da noite e vimos que os outros já estavam à nossa espera. Bronwyn deu um abraço esmagador em cada um de nós e nos entregou capas de chuva pretas que pegara num armário. Sugeri que as vestíssemos como medida de proteção contra a forte tempestade do outro lado da fenda. Estava prestes a perguntar como desceríamos até o chão quando Olive surgiu flutuando na beira do telhado.

— Quem quer brincar de paraquedas? — disse ela, com um largo sorriso. Estava descalça: deixara os sapatos de chumbo em algum outro lugar, e havia uma corda amarrada em torno de sua cintura que estava presa em algo lá embaixo. Curioso para saber a que ela estava presa, debrucei-me para fora do telhado e vi Fiona acenando para mim de uma janela, com a corda na outra mão.

— Você primeiro — disse Enoch.

— Eu? — retruquei, afastando-me nervoso da beirada. — Eu primeiro o quê?

— Abrace Olive e pule — disse Emma.

— Não lembrava que o plano incluía essa parte em que eu estraçalho a espinha.

— Não vai acontecer nada, bobinho, se você não largar Olive. É muito divertido. Já fizemos isso um monte de vezes. — Então ela parou e pensou por um instante. — Bem, uma vez.

Não parecia haver alternativa, por isso tomei coragem e me aproximei da beira do telhado.

— Não tenha medo! — disse Olive.

— É fácil para você dizer, já que não cai — respondi.

Ela esticou os braços e me abraçou; eu a abracei também, e ela sussurrou:

— Tudo bem, vamos!

Fechei os olhos e saltei para o vazio. Em vez de cair como eu temia, descemos flutuando lentamente até o chão, como um balão que vazasse hélio.

— Foi divertido — disse Olive. — Agora me solte!

Eu a soltei e ela subiu como um foguete até o telhado, gritando *Uhuuuuuu!* pelo caminho. Os outros quase enlouqueceram para fazê-la ficar quieta, e um depois do outro a abraçaram e pairaram até o chão para se juntar a mim. Quando estávamos todos reunidos, saímos furtivamente na direção da floresta, enquanto Fiona e Olive acenavam para nós. Pode ter sido minha imaginação, mas, com a brisa, as criaturas esculpidas em arbustos no jardim pareciam acenar também, e o próprio Adam fazia um sombrio gesto de despedida.

***

Quando paramos na beira da charneca para tomar fôlego antes da travessia, Enoch tirou de seu grosso casaco pacotes embalados em gaze de algodão.

— Aqui, peguem — disse ele. — Não vou ficar carregando todos.

— O que é isso? — disse Bronwyn, desdobrando o tecido para revelar um pedaço de carne amarronzada, com pequenos tubos se projetando dela. — Eca, que *fedor*! — exclamou, afastando aquilo do rosto.

— Calma, é só um coração de ovelha — disse ele, e enfiou algo mais ou menos das mesmas dimensões em minhas mãos. Aquilo fedia a formol, e mesmo através do tecido era possível sentir uma umidade nojenta.

— Vou vomitar até as tripas se tiver de carregar isso — alertou-o Bronwyn.

— Eu ia gostar de ver isso — disse Enoch, parecendo ofendido, como se ela ameaçasse derramar uma taça de vinho que ele tivesse acabado de lhe servir.

— Enfie na capa de chuva e vamos embora.

Seguimos a faixa oculta de solo bom através do terreno alagadiço. Eu já passara por ali tantas vezes que tinha quase me esquecido de como podia ser perigoso. Quantas vidas o lamaçal engolira ao longo dos séculos? Quando subimos a elevação do túmulo de pedra, disse a todos que abotoassem bem as capas.

— E se virmos alguém? — perguntou Enoch.

— Apenas aja naturalmente — disse eu. — Vou dizer que vocês são meus amigos dos Estados Unidos.

— E se virmos um acólito? — perguntou Bronwyn.

— Corra.

— E se Jacob vir um etéreo?

— Nesse caso — disse Emma —, corra como se o diabo estivesse atrás de você.

Um a um, entramos agachados no *cairn* e desaparecemos completamente daquela calma noite de verão, como se nunca tivéssemos estado ali. Tudo estava quieto até que chegamos à câmara final, e então, num instante, a pressão do ar e a temperatura caíram e a tempestade rugia alto, com todas as suas forças. Viramos na direção do som, estremecemos e por um instante ficamos ali parados apenas, ouvindo a tempestade fervilhar e uivar na boca do túnel. Parecia o som de um animal enjaulado ao qual tinham acabado de mostrar seu jantar. Não havia nada a fazer além de nos oferecermos a ela.

Nós nos ajoelhamos e entramos engatinhando no que parecia ser um buraco negro. As estrelas estavam perdidas atrás de uma montanha de nuvens carregadas, um temporal e um vento congelante que penetrava em nossos agasalhos. Raios riscavam o céu e nos iluminavam, deixando-nos brancos como ossos e fazendo com que a escuridão que vinha depois parecesse ainda mais escura. Emma tentou fazer uma chama, mas ela parecia um isqueiro no fim da vida útil. Toda faísca que saía de suas mãos se extinguia antes de virar chama, e nos enrolamos nas capas de chuva e corremos encurvados contra a ventania e o terreno pantanoso encharcado que sugava nossas pernas, orientando-nos pela memória e pela visão.

Na cidade, a chuva batia em todas as portas e janelas, mas ninguém aparecia. Todos permaneciam trancados e protegidos em suas casinhas enquanto corríamos despercebidos pelas ruas que se enchiam de água, passávamos por telhas arrancadas e espalhadas pelo vento, por uma ovelha solitária, cega pela chuva, perdida e balindo, e por um banheiro externo derrubado, que transbordava na estrada, até chegar à peixaria.

A porta estava trancada, mas com dois poderosos chutes de Bronwyn ela se abriu. Emma secou a mão no interior do agasalho e finalmente conseguiu produzir uma chama. Enquanto esturjões de olhos esbugalhados nos encaravam de dentro do balcão frigorífico, eu os conduzi pela loja até o outro lado da bancada, onde Dylan passava seus dias praguejando e escamando peixes, e por uma porta cheia de marcas de ferrugem. Lá dentro havia um pequeno frigorífico antigo, apenas um barraco de madeira, chão de terra e telhado de zinco, com paredes feitas de tábuas mal cortadas que lembravam dentes podres e deixavam passar a chuva pelos espaços entre elas. O lugar estava tomado por uma dúzia de grandes tinas retangulares, apoiadas em cavaletes e cheias de gelo.

— Ele está em qual?

— Não sei — respondi —, mas, se não se importar, prefiro não perguntar ao peixeiro.

Emma iluminou o caminho enquanto andávamos em meio às tinas, tentando adivinhar qual poderia guardar mais que cadáveres de peixes, mas todas pareciam iguais à primeira vista, apenas caixões de gelo sem tampa. Teríamos de procurar em todas até achar.

— Eu não — disse Bronwyn. — Não quero vê-lo. Não gosto de coisas mortas.

— Nem eu, mas temos de fazer isso — disse Emma. — Estamos nessa juntos.

Cada um escolheu uma tina e começou a escavá-la como um cão em um canteiro de flores premiadas, nossas mãos jogando montes de gelo no chão. Eu tinha esvaziado metade de uma e começava a perder a sensibilidade nos dedos quando ouvi Bronwyn soltar um grito do outro lado do barracão, e me virei para vê-la se afastar de sua tina aos tropeções, com as mãos na boca.

Nós nos aglomeramos em torno para ver o que ela tinha descoberto. Projetando-se do gelo no local onde ela escavara, via-se uma mão congelada e com os nós dos dedos cobertos de pelos.

— Arriscaria dizer que você encontrou nosso homem — disse Enoch, e através de frestas entre os dedos o resto de nós observou enquanto ele tirava mais gelo, aos poucos revelando um braço, depois um tronco e finalmente todo o corpo destroçado de Martin.

Era uma visão horrível. Seus membros estavam retorcidos em posições improváveis. O tronco tinha sido cortado ao meio e esvaziado, e o gelo enchia a cavidade onde antes ficavam suas entranhas. Quando seu rosto surgiu, todos levaram um susto. Metade eram faixas de uma contusão arroxeada que parecia uma máscara rasgada. A outra estava limpa o bastante apenas para reconhecê-lo: um queixo coberto por barba, parte de uma bochecha e da testa, e um olho verde, aberto e encarando fixamente o vazio. Ele vestia apenas cuecas samba-canção e trapos rasgados de um roupão atoalhado. Era impossível que ele tivesse andado até os penhascos, à noite, vestido daquele jeito. Alguém, ou alguma coisa, o arrastara até lá.

— Ele já está morto há muito tempo — disse Enoch, enquanto avaliava Martin como um cirurgião faria com um paciente desenganado. — Tenho que dizer: isso pode não funcionar.

— Temos que tentar — disse Bronwyn, unindo-se a nosso amontoado de gente. — Já que viemos até aqui, pelo menos temos que tentar.

Enoch abriu a capa e pegou num bolso interno um dos corações embrulhados. Parecia uma luva de beisebol marrom dobrada em volta de si mesma.

— Se ele acordar — disse Enoch —, não vai estar satisfeito. Então se afastem e não digam que não avisei.

Todos nós demos um passo generoso para trás, exceto Enoch, que se debruçou sobre a tina, enfiou o braço no gelo que enchia o peito de Martin e revirou a mão lá dentro como se estivesse procurando uma lata de refrigerante num isopor. Pareceu encontrar algo e, com a outra mão, ergueu o coração de ovelha acima da cabeça.

Uma convulsão repentina atravessou todo o corpo de Enoch, e o coração de ovelha começou a bater, borrifando uma névoa fina de sangrenta solução de conservação. A respiração de Enoch se acelerou. Ele estava canalizando algo. Estudei o corpo de Martin em busca de um sinal de movimento — as partes dele que eu conseguia olhar —, mas ele permanecia imóvel.

Aos poucos, a pulsação do coração nas mãos de Enoch foi perdendo força e sua cor foi esmaecendo e transformando-se em um cinza-escuro como o de carne deixada por tempo demais no *freezer*. Enoch o jogou no chão e esticou a mão vazia em minha direção, e eu peguei o coração que estava guardado no meu bolso e o entreguei a ele, que repetiu o mesmo procedimento. O coração palpitou e pulsou por algum tempo antes de parar como o anterior. Ele repetiu aquilo pela terceira vez com o coração que dera a Emma.

O coração de Bronwyn era o último, portanto a derradeira chance de Enoch. Seu rosto assumiu nova intensidade quando ele o ergueu acima do caixão grosseiro de Martin, apertando-o como se quisesse atravessá-lo com o dedo. Quando o coração começou a se mover e a tremer como um motor afogado, Enoch gritou para Martin como um pregador religioso de tempos antigos:

— Levante-se, morto, levante-se!

Percebi um vislumbre de movimento. Algo se movera sob o gelo. Inclinei-me o mais perto do corpo que ousava chegar, em busca de qualquer sinal de vida. Por um longo momento não aconteceu nada, mas então o corpo se retorceu com tanta força e tão repentinamente, como se tivesse recebido um choque de um desfibrilador, e todos pulamos para trás e gritamos de susto. Quando baixei os braços para ver de novo, a cabeça dele tinha virado em minha direção, com um olho vazado girando loucamente ao redor até se fixar, aparentemente, em mim.

— Ele está vendo você! — disse Enoch. — Chegue perto, ele quer falar!

Eu me inclinei sobre ele. O morto fedia a terra revirada, sal e coisa pior. Caía gelo de sua mão, que se ergueu trêmula no ar por um instante, atormentada e azulada, antes de descansar em meu braço. Lutei muito contra o impulso de tirá-la dali.

Seus lábios se separaram e o maxilar se abriu lentamente, mas não havia nada a ouvir. *Claro que não há; seus pulmões foram destruídos!* Foi o que pensei, mas então ele emitiu um som baixinho e eu me aproximei, minha orelha quase tocando seus lábios congelados. Pensei, estranhamente, na chuva correndo na calha da minha casa, onde, se você encosta a cabeça nos canos e espera uma pausa no tráfego, prestando atenção, percebe um sussurro de uma corrente subterrânea, enterrada quando a cidade foi construída, ainda correndo, mas presa em um mundo de noite eterna.

Os outros se juntaram ao redor da tina, mas eu era o único que podia ouvi-lo. A primeira coisa que o morto disse foi meu nome.

— Jacob.

Fiquei gelado de medo.

— Sim — respondi.

— Eu estava morto. — As palavras saíam lentamente, escorrendo como melado. Ele se corrigiu. — Estou morto.

— Conte o que aconteceu — disse eu. — Você se lembra?

Houve uma pausa. O vento assobiou pelas frestas na parede e ele disse algo que eu não entendi.

— Diga de novo. Por favor, Martin.

— Ele me matou — sussurrou o morto.

— Quem?

— O meu Velho.

— Está falando de Oggie, seu tio?

— Meu Velho — repetiu. — Ele cresceu. E ficou grande, muito grande.

— Quem fez isso, Martin?

Os olhos dele se fecharam e temi que ele tivesse partido de vez. Olhei para Enoch, que assentiu com a cabeça. O coração em sua mão ainda pulsava.

O olho de Martin estremeceu sob a pálpebra. Ele recomeçou a falar, lenta mas firmemente, como se recitasse algo.

— Através de seus tecidos e peles, os sumos do inverno o digeriram. As raízes iletradas refletiram e morreram no vazio de seu estômago. Jazia à espera no fundo de cascalho, o cérebro escurecendo, uma enorme ninhada fermentando sob a terra, e se ergueu das trevas, ossos partidos, os pontos soltos, pequenos brilhos na margem.

Martin fez uma pausa. Seus lábios tremiam, e no breve silêncio Emma olhou para mim e murmurou:

— O que ele está dizendo?

— Não sei — respondi —, mas acho que é um poema.

Ele voltou a falar, a voz agora aguda e vacilante, alta o bastante para que todos ouvissem.

— Como se vertesse alcatrão, ele parece chorar o rio negro de si mesmo. A textura de seus pulsos é igual ao carvalho das charnecas, seu calcanhar, um ovo de basalto. Os quadris parecem a concha de um marisco, a espinha, uma enguia presa sob uma camada de lama reluzente.

Enquanto falava, eu me lembrei de onde tinha ouvido aquilo antes. Ele recitara o poema para mim em seu museu, diante da vitrine onde o Garoto do Pântano estava em exposição.

— Oh, Jacob. Eu cuidei tanto dele! Limpei-o, removi toda a sua sujeira e criei um lar para ele, como se fosse meu próprio bebezão ferido. Eu cuidei tão bem dele, mas...

— Está falando do Garoto do Pântano? Do Velho?

— Me mande de volta! — ele implorou. — Isso dói. — Sua mão fria acariciou meu ombro e sua voz começou a desaparecer outra vez.

Olhei para Enoch em busca de ajuda e ele apertou mais o coração, mas sacudiu a cabeça.

— Rápido agora, parceiro — disse ele.

Então me dei conta de que ele descrevia o Garoto do Pântano, mas não fora o Garoto do Pântano quem o matara. *Eles só ficam visíveis para nós quando estão comendo*, dissera-me a srta. Peregrine, *o que significa: quando é tarde demais*. Martin tinha visto um ser etéreo — à noite, embaixo de chuva e enquanto o monstro o rasgava em pedaços — e o confundira com a peça mais preciosa de seu museu.

O velho medo voltou a pulsar, envolvendo minhas entranhas com um calor amargo. Eu me virei para os outros.

— Foi um etéreo que fez isso com ele — afirmei. — Ele está em algum lugar da ilha.

— Pergunte a ele onde — disse Enoch.

— Martin, onde? Preciso saber onde você o viu.

— Por favor, isso dói.

— Onde você o viu?

— Ele veio até minha porta.

— O Velho?

Então sua respiração ficou difícil, de um modo estranho. Era terrível olhar para ele, mas me forcei a fazê-lo e segui o movimento de seus olhos, que pareceram se focar em algo às minhas costas.

— Não — disse. — Foi *ele*.

Então um facho de luz projetou-se sobre nós e uma voz alta berrou:

— *Quem está aí?*

Emma fechou a mão e a chama se apagou, e todos nos viramos para ver um homem parado à porta com uma lanterna apontada em nossa direção, na outra mão trazendo uma pistola.

Enoch rapidamente puxou seu braço do gelo enquanto Emma e Bronwyn se juntaram no meio da aglomeração para encobrir a visão de Martin.

— Não queríamos invadir — disse Bronwyn. — Já estávamos saindo, é sério.

— Fiquem onde estão! — gritou o homem. A voz dele era dura, sem sotaque. Não conseguia ver seu rosto por trás do facho de luz, mas os muitos casacos que usava em camada o identificavam no ato: era o ornitólogo.

— Moço, a gente não comeu nada o dia inteiro — gemeu Enoch, pela primeira vez parecendo um garoto de doze anos. — Só viemos ver se pegávamos um ou dois peixinhos.

— É isso mesmo? — disse o homem. — Parece que vocês já escolheram um. Vamos ver de que espécie. — Ele agitou a lanterna de um lado para o outro como se quisesse nos separar com seu facho de luz. — Afastem-se!

Jogou a luz sobre o corpo de Martin, uma extravagante paisagem devastada.

— Meu Deus, que peixe esquisito, hein? — disse ele, sem qualquer emoção. — Deve ser fresco, ainda está se mexendo! — A luz da lanterna se deteve sobre o rosto de Martin. Seus olhos viraram para trás e seus lábios se moveram sem som em uma paródia medonha de fala, apenas um vislumbre, enquanto a vida que Enoch lhe dera se esvaía.

— Quem é você? — perguntou Bronwyn.

— Isso depende de para quem você está perguntando — retrucou o homem. — E não é nem de perto tão importante quanto o fato de que eu sei quem são *vocês*. — Ele apontou a lanterna para cada um de nós e falou como se citasse um dossiê secreto. — Emma Bloom, uma centelha, abandonada num circo quando seus pais não conseguiram vendê-la para um. Bronwyn Bruntley, uma fúria, bebedora de sangue, não conhecia a própria força até a noite em que quebrou o pescoço de seu padrasto canalha. Enoch O'Connor, nascido em uma família de agentes funerários que não conseguiam entender por que seus clientes insistiam em fugir. — Vi cada um deles empalidecer um pouco. Depois ele jogou a luz sobre mim. — E Jacob. Em que companhia peculiar você tem andado esses dias!

— Como sabe meu nome?

Ele pigarreou e, quando tornou a falar, sua voz tinha mudado tão radicalmente que parecia a de outra pessoa.

— Já me esqueceu tão rápido assim? — disse ele com sotaque da Nova Inglaterra. — Só um pobre motorista de ônibus, acho que não se lembra.

Parecia impossível, mas de algum modo aquele homem estava fazendo uma imitação muito boa do motorista do meu ônibus escolar, o sr. Barron, um homem tão desprezível, tão mal-humorado, tão roboticamente inflexível que no último dia de aula da oitava série nós arrancamos seu retrato no livro do ano da escola e o prendemos com grampos, como uma efígie, no encosto de sua cadeira. Estava me lembrando do que ele costumava falar sempre que eu descia do ônibus à tarde, quando o homem diante de mim disse o que eu pensava:

— Fim da linha, Portman!

— Senhor Barron? — disse eu, desconfiado, esforçando-me para conseguir ver seu rosto por trás da luz da lanterna.

O homem riu, então pigarreou e tornou a mudar de sotaque.

— Ou ele ou o jardineiro — disse com um forte sotaque da Flórida. — Suas árvores precisam de uma poda. Cobro baratinho!

Era a voz, idêntica em cada sílaba, do homem que cuidou do jardim e da piscina da minha família por anos.

— Como você faz isso? — questionei. — Como conhece todas essas pessoas?

— Porque eu *sou* essas pessoas! — retrucou ele, agora sem qualquer sotaque. Ele riu, desfrutando do horror esmagador que desabava sobre mim.

Algo me ocorreu. Será que alguma vez eu vira os olhos do sr. Barron? Na verdade, não, ele estava sempre usando aqueles óculos escuros enormes e grosseiros na cara. O jardineiro também usava óculos escuros e um chapéu de aba larga. Será que alguma vez cheguei a olhar para eles com atenção? Quantos outros papéis em minha vida esse camaleão tinha interpretado?

— O que está acontecendo? — disse Emma. — Quem é esse homem?

— Cale a boca! — ele interrompeu. — Vai chegar a sua vez.

— Você estava me observando — disse eu. — Matou aquelas ovelhas. Matou Martin.

— Quem, eu? — disse com ar inocente. — *Eu* não matei ninguém.

— Mas você é um acólito, não é?

— Essa é uma palavra criada por *eles* — disse com desprezo.

Eu não conseguia entender. Eu não via o jardineiro desde que minha mãe o substituíra três anos atrás, e o sr. Barron sumira da minha vida após a oitava série. Será que eles, quero dizer, *ele* realmente estivera me seguindo?

— Como sabia onde me encontrar?

— Ora, Jacob! — respondeu, com a voz mudando pela terceira vez. — Você mesmo me contou. Em sigilo, é claro. — Era um sotaque americano padrão, suave e culto. Ele baixou a lanterna para que a luz iluminasse seu rosto. A barba que eu o vira usar no outro dia tinha sumido. Agora não havia como confundi-lo.

— Doutor Golan! — exclamei, minha voz sendo um sussurro engolido pelo barulho da chuva forte. — Ah, meu Deus!

Pensei na conversa que tivéramos ao telefone alguns dias antes. Aquele ruído no fundo... ele disse que estava no aeroporto. Mas não tinha ido buscar a irmã. Estava vindo atrás de mim.

Recuei e me encostei na tina onde estava Martin. Um torpor tomava conta de meu corpo.

— O vizinho — falei. — O velho que regava o jardim na noite em que meu avô morreu. Também era você.

Ele apenas sorriu.

— Mas seus olhos... — disse eu. — Eles são...

— Lentes de contato — respondeu, e tirou uma delas com o polegar, revelando uma órbita vazia. — É impressionante o que eles fabricam hoje em dia. E deixe-me antecipar mais algumas de suas perguntas estupefatas: sim, sou um psiquiatra de verdade. A mente das pessoas comuns sempre me fascinou. E não, apesar do fato de nossas sessões terem uma mentira como base, não acho que foram uma completa perda de tempo. Na verdade, talvez eu consiga continuar a ajudá-lo, ou melhor, talvez consigamos ajudar um ao outro.

— Por favor, Jacob — disse Emma —, não dê ouvidos a ele!

— Não se preocupe — respondi. — Confiei nele uma vez. Não vou cometer o mesmo erro de novo.

Golan agia como se não estivesse me escutando.

— Posso lhe oferecer segurança, dinheiro. Posso lhe devolver sua vida. Só o que precisa fazer é trabalhar com a gente.

— A gente?

— Malthus e eu — ele falou, então se virou e chamou alguém que estava às suas costas. — Venha dar um alô, Malthus.

Uma sombra surgiu à porta atrás dele, e no instante seguinte fomos tomados por um bafo fétido. Bronwyn gaguejou e eu dei um passo para trás, vendo os punhos de Emma se fecharem, como se ela estivesse pensando em atacar. Toquei seu braço e falei com os lábios: *Espere.*

— Isto é o que eu estou lhe propondo — prosseguiu Golan, tentando parecer sensato. — Ajude-nos a encontrar mais gente como você. Em troca, não terá o que temer de Malthus ou outros como ele. Pode viver em casa. Em seu tempo livre, pode vir comigo conhecer o mundo, e vamos pagá-lo muito bem. Podemos dizer a seus pais que você é meu pesquisador-assistente.

— Se eu concordar, o que acontece com meus amigos?

Ele fez um gesto de desprezo com a arma.

— Eles fizeram sua escolha muito tempo atrás. O importante é que há um grande plano em ação, Jacob, e você será parte dele.

Será que eu realmente considerei a possibilidade? Acho que sim, nem que por apenas um instante. Dr. Golan estava me oferecendo exatamente o que eu procurava, uma terceira opção, um futuro que não era nem *ficar para sempre aqui* nem *ir embora e morrer*. Mas apenas uma olhada em meus amigos bastou para eliminar qualquer tentação que pudesse ter me balançado.

— Bem? — disse Golan. — Qual é a sua resposta?

— Prefiro morrer a fazer qualquer coisa para ajudá-lo.

— Ah — disse ele —, mas você já me ajudou. — Ele saiu andando rumo à porta. — É uma pena que não vamos ter mais nenhuma sessão juntos, Jacob, apesar de isso não ser um desperdício total, eu acho. Vocês quatro juntos podem ser o bastante para finalmente tirar o velho Malthus da forma degradante em que ele está preso há tanto tempo.

— Meu Deus! — choramingou Enoch. — Não quero ser devorado!

— Não chore, é humilhante! — disparou Bronwyn. — Nós só temos de matá-los; é tudo.

— Eu gostaria de ficar para ver — disse Golan da porta. — Adoro observar!

Então ele foi embora e ficamos sozinhos com aquilo. Eu podia ouvir a respiração da criatura no escuro, um chiado impertinente que lembrava encanamento com defeito.

— Preciso de luz — sussurrei para Emma, que estava tão apavorada que tinha se esquecido de seus próprios poderes.

A mão dela se acendeu, e em meio às sombras tremeluzentes que ela projetou eu o vi, escondido em meio às tinas de gelo: meu pesadelo. Ele estava ali, agachado, sem pelos e nu, com a pele pintada de cinza e preto pendurada no esqueleto em pregas soltas como um terno muito grande, os olhos envoltos em putrefação aquosa, as pernas arqueadas, os pés tortos e as mãos retorcidas em garras inúteis — cada parte dele enrugada e envelhecida como a de um homem inacreditavelmente velho, com a exceção de um detalhe. As mandíbulas desproporcionais eram a principal característica de seu rosto: uma arcada dentária protuberante, com dentes tão grandes e afiados que lembravam pequenas facas de cortar carne, algo que sua boca não tinha condições de conter, por isso seus lábios estavam permanentemente escancarados em um sorriso pervertido.

Os dentes horrorosos se separaram. As mandíbulas se abriram e exibiram três línguas compridas no ar, cada uma delas da grossura do meu pulso. Elas se projetaram até o meio do barracão, uns três metros ou mais, e ficaram assim, serpenteando no ar, enquanto a criatura respirava ruidosamente através de um par de orifícios repugnantes na cara, como se provasse nosso cheiro, pensando no melhor modo de nos devorar. O fato de sermos tão fáceis de matar era a única razão por que ainda não tínhamos sido mortos. Como um *gourmand* diante de uma refeição sofisticada, não havia motivo para apressar as coisas.

Os outros não podiam vê-lo como eu, mas reconheceram sua sombra na parede, e as sombras iguais a cordas de suas línguas. Emma flexionou o braço e observou atenta enquanto sua chama brilhava com mais força.

— O que ele está fazendo? — sussurrou ela. — Por que ainda não veio para cima da gente?

— Ele está brincando. Sabe que não temos saída — respondi.

— Não é verdade — murmurou Bronwyn. — Só preciso de uma chance para acertar a cara dele. Vou quebrar todos os seus dentes.

— Se eu fosse você, não chegava perto desses dentes de jeito nenhum — disse eu.

O etéreo deu alguns passos trôpegos à frente para compensar os que déramos para trás. As línguas se projetaram um pouco mais e se separaram. Uma veio em minha direção, outra, na de Enoch, e a terceira, na de Emma.

— Saia da frente! — berrou Emma, atacando com a mão como se fosse uma tocha. A língua se retorceu e fugiu da chama, depois voltou a avançar lentamente, como uma cobra se preparando para o bote.

— Precisamos tentar alcançar a porta! — gritei. — O etéreo está ao lado da terceira tina à esquerda, então mantenham a direita.

— Nunca vamos conseguir! — gritou Enoch; então uma das línguas tocou seu rosto, e ele berrou.

— A gente corre no três! — berrou Emma. — Um...

Nesse momento, Bronwyn se lançou contra a criatura, gritando como um *banshee*. A criatura soltou um guincho e recuou, com toda a pele pregueada do corpo esticada. Quando estava prestes a lançar seu tridente de línguas na direção dela, Bronwyn se jogou contra a tina de gelo de Martin com todo o peso do corpo, enfiou os braços por baixo dela, ergueu-a e a arremessou, e a coisa toda, cheia de gelo, peixes e Martin, voou pelo ar e caiu em cima do etéreo com um estrondo incrível.

Bronwyn girou o corpo e veio em nossa direção.

— ANDEM! — berrou ela, jogando-se contra a parede do meu lado. Tive de me afastar, e ela, com um chute, abriu um buraco nas tábuas apodrecidas. Enoch, o menor de nós, foi o primeiro a sair por ali, depois Emma o seguiu. Bronwyn gritou comigo e, antes que eu pudesse protestar, ela me jogou lá fora no meio da noite chuvosa. Caí de cara em uma poça d'água. O frio foi um choque, mas eu estava feliz e aliviado por sentir qualquer coisa que não fosse a língua do etéreo em volta do pescoço.

Emma e Enoch me ajudaram a ficar de pé e nós saímos correndo. Logo em seguida, Emma chamou o nome de Bronwyn e parou, e nos viramos e vimos que ela não tinha vindo atrás de nós.

Gritamos por ela e a procuramos pela escuridão tempestuosa, sem coragem suficiente para voltar. Enoch gritou:

— Ali! — Olhamos e vimos Bronwyn apoiada contra o canto do barracão frigorífico.

— O que ela está fazendo?! — disse Emma. — BRONWYN! CORRA!

Parecia que ela abraçava o barracão. Então ela deu um passo para trás, saiu correndo e golpeou a viga de sustentação com o ombro, e, como uma casa feita de palitos de fósforo, tudo desmoronou no chão, levantando uma nuvem de gelo pulverizado e lascas de madeira, lançando na rua uma lufada de ar.

Todos vibramos e comemoramos enquanto Bronwyn corria em nossa direção com um sorriso quase pervertido no rosto. Sob a chuva forte, nós a cercamos e a abraçamos, rindo. Não demorou muito, porém, para nosso humor ficar novamente sombrio, como se o choque do que acabara de acontecer começasse a fazer efeito. Emma olhou para mim e fez a pergunta que todos devíamos ter em mente.

— Jacob, como esse acólito sabia tanto sobre você? E sobre nós?

— Você o chamou de doutor — disse Enoch.

— Ele era meu psiquiatra.

— Psiquiatra! — exclamou Enoch. — Só faltava essa! Não bastou nos trair com um acólito. Além disso, ele é louco de pedra!

— Não fale uma bobagem dessas! — berrou Emma. Ela o empurrou, e ele estava prestes a empurrá-la também quando eu me enfiei entre eles.

— Parem com isso! — disse eu, empurrando os dois. Virei-me para Enoch. — Você está errado — disse para ele. — Não sou maluco. Ele me fez acreditar que estava louco, apesar de, provavelmente, durante todo o tempo saber que eu era um peculiar. Mas você tem razão em um ponto. Eu realmente os traí. Contei os segredos de meu avô para um estranho.

— Não é culpa sua — disse Emma. — Você não tinha como saber que nós éramos reais.

— Claro que tinha! — gritou Enoch. — Abe contou tudo a ele, chegou até a mostrar nossos retratos!

— Golan sabia de tudo, menos como encontrá-los — falei —, e eu o trouxe direto para cá.

— Mas ele o enganou — disse Bronwyn.

— Só quero que saibam que sinto muito.

Emma me abraçou.

— Está tudo bem. Estamos vivos — disse ela.

— Por enquanto — disse Enoch. — Mas aquele maníaco ainda está solto por aí e, considerando como ele estava ansioso para nos transformar em comida de etéreo, há uma grande possibilidade de que ele tenha descoberto por conta própria como penetrar na fenda de tempo.

— Meu Deus, tem razão! — exclamou Emma.

— Bem, então é melhor a gente chegar lá antes dele.

— E antes *dele* também — acrescentou Emma. Nós nos viramos e a vimos apontar para os destroços do barracão, onde tábuas partidas se moviam na pilha de entulho. — Acho que ele vem direto atrás da gente. E acabaram as casas para jogar em cima dele.

Alguém gritou: *Corram!* Mas já estávamos numa carreira desabalada pela trilha, rumo ao único lugar em que o etéreo não podia nos alcançar: a fenda de tempo. Saímos correndo da cidade e adentramos a escuridão de breu da noite, e as silhuetas azuladas indistintas de casinhas aos poucos davam lugar aos campos no pé da colina. Subimos na direção do cume, com muita água descendo e correndo entre nossos pés, tornando a trilha perigosa.

Enoch escorregou e caiu. Nós o levantamos e continuamos a correr. Quando estávamos quase no topo, os pés de Bronwyn também vacilaram e ela caiu, deslizando mais de cinco metros até conseguir parar. Emma e eu corremos para ajudá-la, e quando seguramos seus braços eu me virei na esperança de conseguir vislumbrar o etéreo, mas não havia nada além da chuva forte e negra. Meu talento para localizar etéreos não adiantava muito quando não havia luz para vê-los.

Logo chegamos ao topo, quase sem fôlego. Houve, então, um relâmpago súbito, e eu me virei e o vi. Ainda estava lá embaixo, a boa distância, mas subia rápido, as línguas ágeis se enfiando na lama para ajudá-lo na escalada, como se fosse uma aranha.

— *Andem!* — gritei, e todos nós descemos correndo pelo outro lado da colina, os quatro aos tropeções, escorregando e deslizando sentados na lama até chegar ao sopé, onde o terreno era plano e podíamos correr normalmente.

Houve outro relâmpago. Ele estava atrás de nós, ainda mais perto do que antes. Naquele ritmo, não havia chance de vencê-lo na corrida. Em vez disso, tínhamos de despistá-lo.

— Se nos alcançar, vai matar todos nós! — gritei. — Mas, se nos separarmos, ele terá de escolher. Vou ver se consigo atraí-lo pelo caminho mais longo, que faz a volta, para tentar despistá-lo na charneca. Enquanto isso, corram para a fenda o mais rápido possível!

— Você está louco! — berrou Emma. — Se alguém vai ficar para trás, devo ser eu. Posso lutar com meu fogo.

— Não com essa chuva — disse eu. — E não sem conseguir vê-lo.

— Não vou deixar que faça isso! — ela exclamou.

Mas não havia tempo para discussão, então Bronwyn e Enoch saíram correndo na frente enquanto Emma e eu saímos da trilha torcendo para que a criatura nos seguisse, o que ela de fato fez. Agora estava tão perto que eu não precisava de um relâmpago para saber onde estava. O nó em meu estômago bastava.

Corremos de braços dados, tropeçando por um descampado repleto de valas e buracos, caindo e segurando um ao outro numa dança epilética. Eu estava examinando o solo encharcado à procura de pedras para enfrentar a criatura quando, a nossa frente, saída da escuridão, surgiu uma estrutura, um pequeno barraco em ruínas com janelas quebradas e sem portas que, em pânico, não reconheci.

— Precisamos nos esconder! — disse, ofegante.

Por favor, que essa criatura seja burra!, rezei enquanto acelerávamos para o casebre. *Por favor, por favor, que ela seja burra!* Fizemos uma grande volta na esperança de conseguirmos entrar sem ser vistos e assim despistar o monstro.

— Espere! — disse Emma enquanto dávamos a volta pelos fundos. Ela pegou, dentro da capa de chuva, um pedaço da gaze de algodão que envolvia o coração de ovelha, amarrou-o rapidamente em volta de uma pedra e o arremessou longe da gente. Ele aterrissou a boa distância, no meio da charneca, e reluzia de leve no escuro.

— Para despistá-lo — Emma explicou, então viramos e seguimos para nos esconder nas sombras do casebre.

***

Passamos por uma porta pendurada nas dobradiças e entramos em um mar de podridão escura e fedorenta. Quando pisamos no chão, nossos pés afundaram naquela imundície nojenta, e aí me dei conta de onde estávamos.

— O que *é* isso? — murmurou Emma, e foi quando o som da respiração de um animal nos deu um grande susto. O lugar estava cheio de ovelhas, que, como nós, buscavam abrigo naquela noite pouco amistosa. Conforme nossa vista se acostumou com a escuridão, vimos o brilho baço nos olhos delas, que nos miravam. Dúzias e dúzias delas.

— Isto é o que acho que é? — perguntou Emma, levantando um pé cuidadosamente.

— Não pense nisso — retruquei. — Vamos, precisamos nos afastar da porta.

Tomei-a pela mão e entramos na casa, serpenteando em meio a um labirinto de animais nervosos que se esquivavam ao nosso toque. Seguimos por um corredor estreito e chegamos a uma sala com uma janela alta e uma porta ainda presa ao batente e fechada contra a noite, que era melhor do que todos os outros aposentos. Fomos até o canto mais distante e nos agachamos para esperar e escutar, escondidos atrás de um muro de ovelhas inquietas.

Tentamos não afundar demais na sujeira do chão, mas na verdade não havia como evitá-la. Após um minuto sem conseguir ver nada, comecei a distinguir algumas formas ali dentro. Havia caixas e caixotes empilhados num canto e ferramentas enferrujadas apoiadas contra a parede às nossas costas. Procurei algo afiado o bastante para servir de arma. Vi algo parecido com uma tesoura gigante e me levantei para apanhá-lo.

— Está pensando em tosquiar alguma ovelha? — disse Emma.

— É melhor que nada.

Quando eu pegava a tesoura da parede, ouvi um barulho do outro lado da janela. As ovelhas recuaram assustadas e, nervosas, não paravam de balir. Então uma língua negra e comprida penetrou pela moldura sem vidro. Agachei-me no maior silêncio possível. Emma pôs a mão na boca para silenciar sua respiração.

A língua examinou o aposento como se fosse um periscópio. As ovelhas se encolhiam para longe dela. A língua parecia provar o ar à nossa procura. Por sorte, tínhamos nos escondido no aposento mais fedorento da ilha. Todo o odor das ovelhas deve ter mascarado o nosso cheiro, porque, após um minuto, a língua pareceu desistir, enrolou-se para fora da janela outra vez, e ouvimos os passos da criatura se afastando.

Nós dois soltamos a respiração ao mesmo tempo.

— Quero que saiba uma coisa — disse eu. — Se escaparmos desta, vou ficar aqui.

Ela apertou minha mão.

— Está falando sério?

— Não posso voltar para casa, não depois do que aconteceu. E depois, eu devo a vocês toda a ajuda possível e muito mais. Vocês estavam perfeitamente seguros até eu chegar aqui.

— Se passarmos por isso — disse ela, inclinando-se para mim —, eu não me arrependerei de nada.

Então algum ímã estranho fez com que nossos rostos se atraíssem e começamos a nos beijar. Por um momento tudo pareceu parar e me esqueci de onde estávamos agachados e da criatura que estava em nosso encalço. Podíamos estar em qualquer lugar, ela e eu, duas pessoas já não distantes, com os lábios grudados, até que nosso momento foi estilhaçado por balidos agudos e aterrorizados vindos do outro aposento. Nós nos afastamos no momento em que o barulho apavorante agitou as ovelhas ao nosso redor, fazendo-as se chocar umas contra as outras e nos imprensar contra a parede.

Com certeza a fera não era tão burra quanto eu esperava.

Podíamos ouvi-la atravessando a casa em nossa direção. Se havia tempo para correr, esse momento tinha passado. Nós nos enfiamos na lama fétida para nos esconder e torcemos para que a sombra da morte não nos percebesse.

Então senti seu cheiro, ainda mais forte que os outros fedores da casa, e percebi que ela estava na entrada do nosso aposento. Todas as ovelhas se afastaram da porta num átimo, movendo-se juntas como um cardume e nos imprensando contra a parede com tamanha força que ficamos sem ar. Agarramo-nos um ao outro com força, mas não ousamos falar, e por um momento insuportavelmente tenso não se ouviu nenhum som além do balido das ovelhas e o ruído de cascos no chão. Então escutamos um berro mais alto, repentino e desesperado, que foi silenciado de modo igualmente brusco. Em seguida ouvimos o ruído pavoroso de carne se rasgando e ossos se partindo. Sabia, sem precisar ver, que uma ovelha tinha sido dilacerada.

O caos tomou conta do lugar. Animais em pânico ricocheteavam uns nos outros, jogando-nos contra a parede tantas vezes que fiquei tonto. O etéreo soltou um grito agudo de arrebentar os tímpanos e começou a levar uma ovelha atrás da outra até suas mandíbulas salivantes. Dava uma mordida sangrenta em cada uma delas e em seguida as jogava de lado, como se fosse um rei glutão se empanturrando em um banquete medieval. Fez isso repetidas vezes, matando tudo o que o estivesse impedindo de nos alcançar. Estávamos paralisados de medo.

Não sei explicar direito o que aconteceu em seguida. Todos os meus instintos gritavam para que eu ficasse escondido, para me afundar ainda mais na lama imunda, mas aí uma nítida ideia veio à minha mente e se fez ouvir acima de toda a estática: *Não vou permitir que a gente morra nesta casa cheia de merda!* Empurrei Emma para trás da maior ovelha que achei e saí correndo para a porta.

Ela estava fechada e a uns três metros de distância, e havia muitos animais entre mim e ela, mas abri espaço entre as ovelhas como um jogador de futebol americano e, quando atingi a porta, eu a golpeei com o ombro e ela se abriu.

Caí do lado de fora no meio da chuva.

— Venha me pegar, seu filho da mãe horrendo como o cão! — gritei, e soube que tinha atraído sua atenção, porque a criatura soltou um uivo aterrorizante, e as ovelhas começaram a sair aos montes pela porta e passaram por mim. Consegui ficar de pé, e quando tive certeza de que ela estava atrás de mim e não de Emma, saí correndo na direção da charneca.

Podia sentir o monstro atrás de mim. Eu conseguiria correr mais rápido, mas ainda carregava a tesoura de tosquia — não sei por que não conseguia deixá-la para trás —, o que significava que tinha de correr mantendo-a longe do corpo para não me empalar. Quando o chão sob meus pés ficou mole, soube que tinha chegado à charneca alagadiça, então ergui a tesoura acima da cabeça e segui em frente com passadas altas como se fosse um fuzileiro atravessando um fosso de lama.

Enquanto corria pela charneca, duas vezes o etéreo se aproximou o bastante para que suas línguas atingissem minhas costas. Mas nas duas vezes, quando eu tinha certeza de que uma delas estava na iminência de me laçar pelo pescoço e apertá-lo até arrancar minha cabeça, ele tropeçou num buraco no lamaçal e caiu de costas. Só consegui chegar ao *cairn* com a cabeça ainda presa ao pescoço por um único motivo: eu sabia exatamente onde pôr os pés. Tinha seguido Emma tantas vezes que podia correr pelo caminho certo mesmo numa noite sem lua e em meio a um furacão.

Enquanto subia a elevação do *cairn*, fiz a volta até a entrada de pedra e mergulhei em seu interior. Lá dentro, estava escuro como breu, mas isso não importava. Eu só precisava chegar à câmara para alcançar a segurança. Engatinhei em frente porque não podia perder tempo, coisa que eu não tinha de sobra, sequer para me levantar. Quando estava na metade do caminho, começando a me sentir cautelosamente otimista em relação às minhas chances de sobrevivência, de repente não consegui mais avançar. Uma das línguas me agarrara pelo tornozelo.

O etéreo usara duas de suas línguas para se agarrar às pedras da entrada do túnel e usá-las como apoio para evitar a lama, e cobrira a entrada com o corpo como se fosse a tampa de um vidro. A terceira língua me puxava em sua direção. Eu era um peixe fisgado por um anzol.

Tentei me agarrar ao chão, mas só havia cascalho e meus dedos passavam através dele. Eu me virei de costas e tentei agarrar as pedras do túnel com a mão livre, mas deslizava depressa demais e não conseguia me segurar. Então ataquei a língua com a tesoura, mas ela era forte e resistente, um cabo de músculos sinuosos, e a tesoura estava totalmente cega. Apertei bem os olhos porque não queria que mandíbulas abertas fossem a última coisa que eu veria na vida, e segurei a tesoura com as duas mãos, apontada para a frente, o tempo parecendo se estender, como me disseram que acontece em batidas de carro, acidentes de trem e durante a queda livre de aviões. A primeira coisa que senti em seguida foi uma colisão de partir os ossos quando me choquei contra o etéreo.

Fiquei completamente sem ar e ouvi a criatura gritar. Voamos juntos túnel afora e descemos rolando a elevação do túmulo de pedra até cair no terreno enlameado da charneca, e quando tornei a abrir os olhos vi que a tesoura estava enterrada no globo ocular da fera, que berrava como dez porcos sendo castrados, retorcendo-se e se debatendo na lama amolecida pela chuva, enquanto expelia um rio negro de si mesma, um fluido viscoso que escorria pelo cabo enferrujado da tesoura.

Eu podia sentir que ela estava morrendo, que sua vida se esvaía, e a língua em torno de meu tornozelo se afrouxava. Também sentia uma diferença em mim. O nó de medo no estômago começava a se desfazer enquanto a vida deixava meu inimigo. Finalmente ele ficou imóvel e sumiu de vista. A lama começou a se fechar sobre sua cabeça e o sangue negro e espesso que jorrava na superfície era o único sinal de que ele um dia estivera ali.

Senti que o terreno pantanoso me sugava junto. Quanto mais eu lutava contra ele, mais ele parecia me querer. Que descoberta estranha nós seríamos daqui a dois mil anos, preservados juntos na turfa.

Tentei remar na direção do terreno sólido do *cairn*, mas só consegui me afundar ainda mais. A lama parecia subir por cima de mim. Escalou meus braços, meu peito e envolveu meu pescoço como se fosse um laço.

Gritei por ajuda e milagrosamente ela chegou, em uma forma que, de início, pensei ser de uma libélula, um brilho veloz voando em minha direção. Então a ouvi me chamar e respondi.

Um galho de árvore pousou na água. Eu o agarrei e Emma puxou. Quando finalmente saí do lamaçal, tremia tanto que não conseguia me manter de pé. Emma se agachou ao meu lado e caí em seus braços.

Eu o matei. Eu o matei mesmo. E eu tinha passado tanto tempo com medo! Meu Deus, nunca sonhei que realmente pudesse *matar* um deles!

Aquilo fez com que me sentisse poderoso. Agora eu podia me defender. Sabia que nunca seria tão forte quanto meu avô, mas tampouco era um fracote covarde. Eu podia *matá-los.*

Testei as palavras.

— Está morto. Eu o *matei*!

Gargalhei. Emma me abraçou, pressionando sua bochecha contra a minha.

— Sei que ele teria orgulho de você — disse ela.

Nós nos beijamos, e foi um beijo terno e gostoso, com a chuva pingando do nariz e escorrendo quente para dentro de nossas bocas entreabertas. Mas cedo demais ela se afastou e sussurrou:

— O que você disse antes... estava falando sério?

— Eu vou ficar — respondi. — Quero dizer, se a senhorita Peregrine deixar.

— Sei que ela vai. Eu vou me assegurar disso.

— Antes de nos preocuparmos com esse assunto, temos de encontrar nosso psiquiatra e pegar a arma dele.

— Certo — disse ela, assumindo um ar compenetrado. — Então não temos tempo a perder.

***

Deixamos a chuva para trás e ressurgimos em uma paisagem de fumaça e barulho. A fenda de tempo ainda não tinha sido reiniciada. A charneca estava salpicada de buracos de bomba, aviões zuniam no céu e muros de chamas laranja avançavam rumo às árvores. Estava prestes a sugerir que esperássemos até que hoje virasse ontem e tudo aquilo desaparecesse antes de prosseguirmos, quando dois braços morenos me agarraram.

— Vocês estão vivos! — gritou Bronwyn. Enoch e Hugh também estavam lá, e, quando ela me largou, eles vieram apertar minha mão e ver como eu estava.

— Me desculpe por chamá-lo de traidor — disse Enoch. — Fico feliz em ver que você não morreu.

— Eu também — respondi.

— Está inteiro? — perguntou Hugh.

— Dois braços e duas pernas — falei, dando chutes no ar para mostrar que estavam inteiras. — E vocês não têm mais que se preocupar com o etéreo, nós o matamos.

— Ah, não seja modesto! — disse Emma cheia de orgulho. — *Você* o matou!

— Isso é brilhante — disse Hugh, mas nem ele nem os outros dois conseguiam abrir um sorriso.

— Qual é o problema? — perguntei. — Espere, por que vocês não estão em casa? Onde está a senhorita Peregrine?

— Desapareceu — disse Bronwyn, com os lábios trêmulos. — A senhorita Avocet também. Ele levou as duas.

— Ah, meu Deus! — disse Emma. — Chegamos tarde demais!

— Ele apareceu com uma arma — disse Hugh, enquanto examinava meu estado de imundície. — Tentou tomar Claire como refém, mas ela o mordeu com a boca da nuca, então ele me pegou em seu lugar. Tentei lutar, mas ele me bateu na cabeça com a arma. — Ele tocou a nuca e seus dedos ficaram sujos de sangue. — Trancou todo mundo no porão e disse que, se a diretora e a senhorita Avocet não se transformassem em aves, ele iria fazer um buraco a mais em minha cabeça, então elas obedeceram e ele meteu as duas numa gaiola.

— Ele tinha uma gaiola? — disse Emma.

Hugh assentiu.

— Pequena, também, para que não pudessem fazer nada, como se transformarem de volta ou saírem voando. Eu achava que ia morrer, mas ele me jogou no porão com os outros e fugiu com as aves.

— Foi assim que os encontramos quando chegamos — disse Enoch com amargura. — Escondidos lá embaixo como um bando de covardes.

— Nós não estávamos nos escondendo! — exclamou Hugh. — Ele nos trancou lá! Ia nos matar!

— Esqueça isso — interrompeu Emma. — Para onde ele poderia fugir? Por que não foram atrás dele?

— Não sabemos onde ele foi — Bronwyn disse. — Esperávamos que o tivessem visto.

— Não, não o vimos — disse Emma, chutando uma pedra do *cairn* em frustração. Então Hugh sacou algo da camisa. Era uma fotografia pequena.

— Ele meteu isso no meu bolso antes de ir embora. Disse que se tentássemos ir atrás dele era isso o que ia acontecer.

Bronwyn tomou a foto das mãos de Hugh.

— Ah, meu Deus! — surpreendeu-se. — É a senhorita Raven?

— Acho que é a senhorita Crow* — disse Hugh, esfregando o rosto com as mãos para não chorar.

— É isso. Elas vão morrer mesmo — lamentou Enoch. — Eu sabia que um dia isso ia acontecer.

— Nunca devíamos ter saído da casa — disse Emma, cheia de tristeza. — Millard tinha razão.

Uma bomba caiu do outro lado da charneca e uma explosão muda foi seguida por uma chuva distante de lama revirada.

— Esperem aí — disse eu. — Antes de tudo, não sabemos se essa é a senhorita Crow ou a senhorita Raven. Pode muito bem ser a foto de um corvo comum. E, se Golan queria matar a senhorita Peregrine e a senhorita Avocet, por que se daria ao trabalho de raptá-las? Se ele as quisesse mortas, elas já estariam mortas. — Virei-me para Emma. — E, se nós não

* *Crow*: gralha; *Raven*: corvo. (N. T.)

Gli Gli Gli

tivéssemos saído daqui, teríamos sido trancados no porão como todos os outros, e ainda haveria um etéreo andando por aí.

— Não tente fazer com que eu me sinta melhor! — disse ela. — Isso está acontecendo por *sua* culpa!

— Há dez minutos você estava me agradecendo! — exclamei.

— Há dez minutos a senhorita Peregrine não tinha sido raptada! — respondeu ela aos berros.

— Parem com isso! — interveio Hugh. — O que importa agora é que a Ave sumiu e precisamos trazê-la de volta.

— Isso mesmo — disse eu. — Então vamos pensar. Se vocês fossem acólitos, para onde levariam duas *ymbrynes* raptadas?

— Depende do que eu quisesse fazer com elas — respondeu Enoch —, e isso nós não sabemos.

— Antes de tudo, seria preciso tirá-las da ilha — disse Emma. — Nesse caso, eu precisaria de um barco.

— Mas *que* ilha? — perguntou Hugh. — Dentro ou fora da fenda?

— Lá fora a ilha está embaixo de uma tempestade — falei. — Ninguém consegue ir longe de barco por lá.

— Então ele deve estar deste lado — disse Emma, começando a parecer esperançosa. — O que estamos fazendo aqui parados? Vamos até as docas!

— *Talvez* ele esteja nas docas — resmungou Enoch —, se é que ainda não foi embora. E, mesmo que não tenha ido e a gente consiga encontrá-lo no meio dessa escuridão toda, sem sermos esburacados por estilhaços de bombas no caminho, ainda temos de nos preocupar com a arma dele. Vocês enlouqueceram? Preferem que a Ave seja sequestrada ou morta a tiros na nossa frente?

— Está bem! — exclamou Hugh. — Vamos desistir e voltar para casa, combinado? Quem quer uma xícara quentinha de chá antes de dormir? Droga, já que a Ave não está em casa, podemos preparar um drinque! — Ele chorava, e enxugou os olhos num gesto enfurecido. — Como vocês podem deixar de sequer *tentar*, depois de tudo o que ela fez por nós?

Antes que Enoch pudesse responder, ouvimos alguém na trilha gritando por nós. Hugh se adiantou, tentando ver o que era, e depois de um instante sua expressão ficou estranha.

— É Fiona — disse ele.

Até aquele momento, eu não tinha ouvido Fiona dar nem um pio. Era, porém, impossível entender o que ela dizia em meio ao barulho de aviões e explosões distantes, por isso fomos correndo pelo lamaçal até ela.

Quando chegamos à trilha, estávamos ofegantes, e Fiona, rouca de tanto gritar, seus olhos tão estranhos quanto seu cabelo. Ela imediatamente começou a nos puxar, a nos arrastar na direção da trilha para a cidade, gritando em tamanho frenesi com seu sotaque irlandês que nenhum de nós conseguia entender o que dizia. Hugh a segurou pelos ombros e lhe disse para ir mais devagar.

Ela respirou fundo, tremendo como vara verde, e apontou para trás.

— Millard o seguiu! — disse ela. — Ele estava escondido quando o homem trancou todos nós no porão, e, quando foi embora, Millard foi atrás dele.

— Para onde? — perguntei.

— Ele pegou um barco.

— Viram?! As docas! — exclamou Emma.

— Não — disse Fiona. — Era o *seu* barco, Emma, que você achava ser um segredo, o que você esconde naquela sua prainha.

— Oh — disse ela baixinho.

— Ele partiu no barco com a gaiola, mas começou a remar em círculos. E, quando a correnteza ficou forte demais, ele desembarcou na rocha do farol, e é lá que ainda está.

Corremos o mais rápido possível até o farol. Quando chegamos aos penhascos de onde podíamos vê-lo, descobrimos o resto das crianças perto da beirada, atrás de um capinzal.

— Abaixem-se! — sussurrou Millard. — Querem que ele nos veja?

Nós nos agachamos e engatinhamos até eles. Estavam todos encolhidos juntos atrás do capim alto, revezando-se para espiar o farol. Eles pareciam desnorteados, principalmente os mais novos, como se ainda não tivessem compreendido toda a extensão do pesadelo que se desenrolava. Nem tinham registrado que nós havíamos acabado de sobreviver a um pesadelo.

Eu me arrastei pelo capim até a beira do penhasco para observar. Além do local do navio naufragado, vi um bote a remo amarrado às rochas do farol. Golan não estava à vista.

— O que ele está fazendo lá? — perguntei.

— Não sabemos — disse Millard. — Ou está esperando que alguém vá buscá-lo, ou que o mar se acalme para ir embora remando.

— No meu barquinho? — disse Emma, desconfiada.

— Como já disse, não sabemos.

Ouvimos três estrondos ensurdecedores seguidos, e todos nos abaixamos enquanto o céu brilhava, alaranjado.

— Há bombas caindo por aqui, Millard? — Emma perguntou.

— Minha pesquisa concentra-se apenas no comportamento de humanos e animais — respondeu ele. — Não em bombas.

— Que grande ajuda vai ser para a gente agora — disse Enoch.

— Vocês têm outros barcos escondidos por aqui? — perguntei a Emma.

— Infelizmente não — respondeu ela. — Acho que teremos de ir até lá a nado.

— Nadar até lá e depois o quê? — disse Millard. — Levar um tiro?

— Vamos pensar em alguma coisa — respondeu ela.

Millard deu um suspiro.

— Ah, querida. Suicídio improvisado.

— Então? — Emma encarou cada um de nós. — Alguém tem alguma ideia melhor?

— Se eu estivesse com meus soldados... — começou Enoch.

— Eles iam se desfazer na água — disse Millard.

Enoch baixou a cabeça. Os outros silenciaram.

— Bom, está resolvido — disse Emma. — Quem vai nessa?

Eu levantei a mão. Bronwyn também.

— Vocês vão precisar de alguém que o acólito não consiga ver — disse Millard. — Se quiserem, vou com vocês.

— Quatro bastam — disse Emma. — Espero que todos vocês sejam bons nadadores.

Não havia tempo para pensar duas vezes, nem para despedidas demoradas. Os outros nos desejaram sorte, e nós partimos.

Tiramos as capas negras e fomos correndo em meio ao capim, agachados como soldados de uma tropa de elite, até chegar à trilha que descia rumo à praia. Escorregamos sentados, com pequenas avalanches de areia deslizando juntamente com nossos pés e entrando pelas calças.

Então ouvimos o barulho de cinquenta motosserras no céu e nos agachamos quando um avião passou roncando, criando uma ventania que agitou nossos cabelos e levantou uma tempestade de areia. Apertei os dentes à espera do estrondo de uma bomba que iria nos destruir, mas ela não veio.

Continuamos andando. Quando alcançamos a praia, Emma nos reuniu em um grupo compacto.

— Há um navio naufragado entre onde estamos e o farol — disse ela. — Sigam-me até lá. Fiquem abaixados na água. Não deixe que ele veja vocês. Quando chegarmos ao navio, procuraremos nosso homem e decidiremos o que fazer depois.

— Vamos resgatar nossas *ymbrynes*! — disse Bronwyn.

Rastejamos até a água e entramos de bruços no mar gelado. No início foi fácil, mas, quanto mais nos afastávamos da praia, mais a corrente tentava nos empurrar de volta. Outro avião zuniu acima de nós e levantou uma cortina de água gelada.

Finalmente chegamos ao navio naufragado e descansamos sobre os restos de seu casco até que nossa respiração voltasse ao normal. Estávamos apenas com a cabeça para fora d'água. Olhamos para o farol e a ilhota inóspita onde se erguia, mas não vimos sinal de meu terapeuta malvado. Uma lua cheia pairava baixa no céu, semioculta por camadas de fumaça de bombas, mas surgindo de vez em quando para brilhar como uma imitação fantasmagórica da luz do farol.

Avançamos pelo casco como se rastejássemos sobre ele. Quando chegamos ao seu fim, tínhamos de nadar menos de cinquenta metros em mar aberto para chegar às rochas do farol. Emma parou e nos reunimos em volta dela.

— Acho que devemos fazer o seguinte — disse ela. — Ele já conhece a força de Wyn, por isso é ela quem corre o maior risco. Jacob e eu vamos encontrar Golan e atrair sua atenção enquanto Wyn tenta surpreendê-lo pelas costas e derrubá-lo com uma pancada na cabeça. Enquanto isso, Millard tenta pegar a gaiola. Alguma objeção?

Como se fosse uma resposta, ouvimos um tiro. Não percebemos de imediato o que era; não parecia com os tiros que estávamos acostumados a ouvir, distantes e poderosos. Esse era de pequeno calibre, um *tac* mais do que um *bum*. E só quando ouvimos o segundo, que levantou água pertinho de nós, percebemos que Golan atirava.

— Cuidado! — gritou Emma, e nós nos levantamos e voltamos correndo pelo casco.

Ouvíamos os tiros às nossas costas. Corremos até o casco faltar sob nossos pés, e então mergulhamos e emergimos juntos um momento depois, já quase sem ar.

— E nós que achávamos que íamos pegá-lo de surpresa! — disse Millard.

Golan tinha parado de atirar, mas podíamos vê-lo de guarda ao lado da porta do farol, a arma na mão.

— Ele pode ser um filho da mãe do mal, mas não é burro — disse Bronwyn. — Sabia que vínhamos atrás dele.

— Agora não temos mais como fazer isso! — disse Emma, batendo na água com frustração. — Ele vai matar a gente a tiros!

Millard ficou de pé sobre o casco.

— Ele não pode atirar no que não consegue ver. Eu vou lá.

— Você não é invisível na água, bobo! — disse Emma, e era verdade. Quando nadava, abria-se na água um buraco na forma de seu tronco.

— Mais do que você — respondeu ele. — De qualquer modo, eu o segui pela ilha e ele não foi o mais sábio dos homens. Acho que posso conseguir por mais alguns metros.

Era difícil discutir, já que as únicas opções que nos restavam eram desistir ou correr sob uma saraivada de tiros.

— Tudo bem — disse Emma. — Se você realmente acha que pode fazer isso...

— Alguém tem que ser o herói — ele replicou, e saiu pelo outro lado do casco.

— Famosas últimas palavras — murmurei.

Na distância enevoada, vi Golan, na porta do farol, se ajoelhar e mirar, apoiando o braço no corrimão.

— Cuidado! — gritei, mas era tarde demais.

Um tiro ecoou e ouvimos o grito de Millard.

Todos subimos pelos destroços e corremos na direção dele. Eu tinha certeza absoluta de que ia levar um tiro a qualquer momento, e por um instante achei que o barulho de nossos pés na água era uma saraivada de balas sobre nós. Mas os tiros pararam — *recarregando*, eu pensei —, e tínhamos uma breve janela de tempo.

Quando alcançamos Millard, ele estava no mesmo lugar em que tinha sido baleado, atônito, enquanto o sangue escorria por seu corpo. Pela primeira vez vi a verdadeira forma do corpo dele, que estava tingido de vermelho.

Emma o segurou pelo braço.

— Millard! Você está bem? Diga alguma coisa!

— Preciso me desculpar — disse ele. — Parece que arranjei um jeito de levar um tiro. — Ele cambaleou e caiu de joelhos na água.

— Precisamos estancar o sangue! — disse Emma. — Temos de levá-lo de volta para a margem!

— Não podem fazer isso — disse Millard. — O sujeito nunca mais vai deixar que cheguemos tão perto dele como estamos agora. Se a gente recuar, com certeza a senhorita Peregrine estará perdida.

Mais tiros soaram. Senti uma bala passando zunindo perto do meu ouvido.

— Por aqui! — gritou Emma. — Mergulhem!

No início, não sabia o que ela queria. Estávamos a uns trinta metros da extremidade do navio. Mas então vi para onde ela estava correndo. Era o buraco negro no casco, a porta para o compartimento de carga.

Bronwyn e eu pegamos Millard e fomos atrás de Emma. Ouvíamos o barulho das balas acertando o casco em nossa volta. Parecia o barulho de alguém chutando uma lata de lixo.

— Prenda a respiração — disse para Millard; chegamos ao buraco e mergulhamos de pé.

Descemos alguns degraus pela escada e ficamos ali. Tentei manter os olhos abertos, mas a água salgada ardia demais. Sentia o gosto do sangue de Millard na água.

Emma me entregou o tubo de ar e nós o passamos um para o outro. Eu estava cansado e sem fôlego depois de correr, e uma única inspiração com intervalo de alguns segundos não era o bastante. Meus pulmões doíam e comecei a ficar zonzo.

Senti um puxão em minha camisa. *Suba!* Subi lentamente pela escada e em pouco tempo Bronwyn, Emma e eu surgimos na superfície por tempo suficiente apenas para respirar e trocar algumas palavras enquanto Millard estava em segurança alguns metros abaixo, com o tubo só para ele.

Falamos aos sussurros, sem perder o farol de vista.

— Não podemos ficar aqui — disse Emma. — Millard vai sangrar até morrer.

— Pode demorar uns vinte minutos para levá-lo de volta para a margem — falei. — Ele pode muito bem morrer no meio do caminho.

— Não sei o que mais podemos fazer!

— O farol está perto — disse Bronwyn. — Vamos levá-lo para lá.

— Aí Golan vai fazer *todos* nós sangrarmos até morrer.

— Não vai não — retrucou Bronwyn.

— Por que não? Você é à prova de bala?

— Talvez — respondeu ela de modo misterioso, depois respirou fundo e sumiu escada abaixo.

— Do que ela está falando? — perguntei.

Emma parecia preocupada.

— Não tenho ideia. Mas, seja lá o que for, é melhor que ela se apresse.

Olhei para baixo para tentar ver o que Bronwyn estava fazendo. Em vez disso, percebi Millard na escada embaixo de nós, cercado por peixes-lanterna curiosos. Então senti o casco vibrar sob meus pés e no instante seguinte Bronwyn reapareceu na superfície segurando uma placa retangular de metal de aproximadamente um metro e meio por um metro, com um furo de rebite no alto. Ela tinha arrancado a porta do compartimento de carga das dobradiças.

— E o que vai fazer com isso? — perguntou Emma.

— Vou até o farol — respondeu Bronwyn. Levantou-se e ergueu a porta à sua frente como se fosse um escudo.

— Wyn, ele vai atirar em você! — exclamou Emma, e então ouvimos um tiro, que ricocheteou na porta.

— Isso é incrível! — disse eu. — É um escudo!

Emma riu.

— Wyn, você é um gênio!

— Millard pode montar em minhas costas! — disse ela. — Vocês vêm atrás.

Emma tirou Millard da água e pôs seus braços em torno do pescoço de Bronwyn.

— Lá embaixo é magnífico! — disse ele. — Emma, por que você nunca me contou sobre os anjos?

— Que anjos?

— Os lindos anjos verdes que vivem aí embaixo. — Ele tremia demais, a voz parecia distante e oca. — Eles tiveram a gentileza de se oferecer para me levar para o céu.

Emma ficou preocupada.

— Ninguém vai para o céu agora — disse ela. — Você se segure firme em Bronwyn, está bem?

— Tudo bem — respondeu ele sem convicção.

Emma estava atrás de Millard e o segurava contra as costas de Bronwyn, para que ele não escorregasse e caísse, e eu seguia atrás de Emma, no fim do nosso bizarro trenzinho. Assim, começamos a avançar por cima do naufrágio rumo ao farol.

Éramos um alvo grande, e Golan imediatamente esvaziou seu revólver em nós. O barulho dos tiros ricocheteando na porta era ensurdecedor, mas de algum modo reconfortante, e, depois de tentar umas dez vezes mais ou menos, ele parou. Mas eu não estava otimista o bastante para acreditar que tivesse ficado sem balas.

Quando chegamos ao fim do navio, Bronwyn nos guiou com cuidado para as águas profundas, com a preocupação de manter a enorme porta erguida à nossa frente. Nosso trenzinho virou uma fila de gente nadando estilo cachorrinho, um grupo estranho que seguia atrás dela, enquanto Emma conversava com Millard e o fazia responder a perguntas para que não perdesse a consciência.

— Millard, quem é o primeiro-ministro?

— Winston Churchill — respondeu. — Você ficou doida?

— Qual é a capital da Birmânia?

— Sei lá, não tenho a menor ideia. Rangum?

— Isso! Quando é o seu aniversário?

— Você podia parar de gritar e me deixar sangrar em paz?

Não demorou muito para cobrirmos a distância entre o naufrágio e o farol. Enquanto Bronwyn subia pelas pedras mantendo o escudo à nossa frente, Golan disparou mais algumas vezes, e o impacto bastou para que ela perdesse o equilíbrio. Enquanto nos agachávamos atrás dela, Bronwyn tropeçou, perdeu o equilíbrio nas pedras escorregadias e quase caiu para trás, o que, somando-se o peso dela ao da porta, teria nos esmagado. Mas Emma firmou as mãos no alto das costas dela, empurrou-a e finalmente Bronwyn e a porta cambalearam até a terra seca. Subimos nos arrastando atrás dela e fomos nos agachando, tremendo no ar frio da noite.

Com largura máxima de cinquenta metros, aquilo era tecnicamente uma ilha, mas mal merecia esse nome. Na base enferrujada do farol havia um lance de escadas que levava a uma porta aberta, de onde Golan apontava a pistola em nossa direção.

Arrisquei dar uma espiada nele pelo buraco na porta. Ele tinha uma gaiola pequena na mão. Dentro dela, havia duas aves se debatendo, tão apertadas que eu mal conseguia diferenciar uma da outra.

Uma bala passou zunindo e eu me abaixei.

— Cheguem mais perto e eu mato as duas! — gritou Golan, sacudindo a gaiola.

— É mentira — disse eu. — Ele precisa delas.

— Você não tem certeza — disse Emma. — Afinal de contas, ele é louco.

— Bem, não podemos ficar parados sem fazer *nada*.

— Vamos atacá-lo! — disse Bronwyn. — Ele não vai saber o que fazer. Mas, para funcionar, só se a gente for AGORA!

E, antes que tivéssemos a chance de fazer qualquer comentário, Bronwyn saiu correndo na direção do farol. Não tínhamos alternativa exceto segui-la, afinal de contas, nossa proteção estava com ela, e no instante seguinte ouvimos o barulho metálico de balas batendo na porta e também o ruído de rochas lascando em torno de nossos pés.

Era como se pendurar na traseira de um trem em alta velocidade. Bronwyn gritava como um bárbaro; as veias em sua cabeça estavam inchadas e havia sangue de Millard espalhado por todo o seu pescoço, braços e costas. Naquele instante, fiquei bem satisfeito por não estar do outro lado da porta.

Quando estávamos perto do farol, Bronwyn berrou:

— Fiquem atrás do muro!

Emma e eu agarramos Millard e viramos à esquerda para nos proteger atrás da extremidade mais distante do farol. Enquanto corríamos, vi Bronwyn levantar a porta sobre sua cabeça e jogá-la em direção a Golan.

Houve um estrondo muito forte, logo seguido por um grito, e num instante Bronwyn se juntou a nós atrás do muro.

— Acho que o acertei! — disse ela empolgada.

— E as aves? — disse Emma. — Você por acaso pensou nelas?

— Ele as derrubou, elas estão bem.

— Bem, você podia ter nos perguntado antes de surtar e botar em risco nossa vida! — reclamou Emma.

— Silêncio — sussurrei. Os outros pararam de falar. Aos poucos, notamos um leve rangido metálico. — O que *é* isso?

— As escadas — respondeu Emma. — Ele está subindo.

— É melhor vocês irem atrás dele — resmungou Millard. Surpresos, olhamos para ele, que estava apoiado contra o muro.

— Não antes de cuidar de você — disse eu. — Quem sabe fazer um torniquete?

Bronwyn se agachou e arrancou o pano da perna de sua calça comprida.

— Eu sei — disse ela. — Vou estancar esse sangramento, vocês pegam o acólito. Eu o acertei com força, mas não acabei com ele. Não lhe deem chance de recuperar o fôlego.

Eu me virei para Emma.

— Está pronta?

— Se isso significa que vou derreter a cara desse acólito — disse ela, com pequenos arcos de fogo pulsando entre as mãos —, então com certeza estou.

***

Emma e eu subimos pela porta do navio, que estava empenada e jogada em cima da escada onde aterrissara, e adentramos o farol. Ele consistia principalmente de um aposento estreito, escuro e extremamente vertical, basicamente apenas um vão de escada, dominado pelos degraus esqueléticos que subiam em espiral do chão até uma plataforma no alto, a mais de trinta metros de altura, onde ficavam abrigadas as lentes giratórias do farol. Podíamos ouvir os passos de Golan subindo a escada, mas estava escuro demais para dizer a que distância do topo ele estava.

— Pode vê-lo? — perguntei, olhando para cima, observando a altura vertiginosa da escadaria.

A resposta foi um tiro que ricocheteou numa parede próxima, rapidamente seguido por outro que acertou o chão aos meus pés. Pulei para trás, o coração batendo forte.

— Aqui! — gritou Emma, que segurou meu braço e me puxou ainda mais para o interior do farol, para o único lugar onde Golan não poderia atirar em nós: exatamente sob a escada.

Subimos alguns degraus, que já estavam balançando como um barco em um mar tempestuoso.

— Essa escada é assustadora! — exclamou Emma, apertando com força o corrimão. — E, mesmo que a gente consiga chegar lá no alto sem cair, ele vai atirar!

— O que mais a gente pode fazer? Temos de segui-lo.

Estiquei o pescoço para fora da proteção dos degraus para procurar Golan, na esperança de que meus olhos já estivessem ajustados o bastante para captar um vislumbre dele. Em vez disso, percebi uma série de suportes finos de metal que prendiam a escada na parede. Eram a única coisa que a mantinha no lugar.

— Se não conseguimos subir, talvez possamos derrubá-lo — disse eu, e comecei a balançar de um lado para o outro onde estava, puxando o corrimão com força e batendo os pés, enviando ondas de choque escada acima. Emma logo captou a ideia e começou a se sacudir comigo, e em pouco tempo a escada balançava como louca, estremecendo tanto que deu início a uma chuva de porcas e parafusos.

— E se a coisa toda despencar de uma vez? — gritou Emma.

— Vamos torcer para que isso não aconteça!

Encolhemos a cabeça para nos proteger da chuva de pedaços de metal e balançamos com ainda mais força. Eu mal conseguia continuar a segurar o corrimão, que sacudia de um lado para o outro com muita violência. Nesse momento ouvi Golan gritar uma série espetacular de palavrões, depois algo caiu pelas escadas com um estrondo, batendo nos degraus até despencar no chão perto de onde estávamos.

Corri depressa até lá para procurar o que quer que Golan tivesse deixado cair. Temia achar uma gaiola de passarinho despedaçada.

— O que está fazendo?! — berrou Emma. — Ele vai atirar em você!

— Não vai, não! — disse eu, a arma de Golan erguida em triunfo.

Ela pesava em minha mão e estava quente devido a todos os tiros disparados por Golan. Eu não tinha ideia de se ainda estava carregada ou de como, naquela penumbra, conferir esse detalhe. Tentei sem sucesso me lembrar de algo útil das aulas de tiro que meu avô tivera a permissão de me dar, mas por fim apenas subi correndo os degraus de volta até onde estava Emma.

— Ele está preso lá no alto — disse eu. — Vamos mais devagar, tentar negociar, ou quem sabe o que ele pode fazer com as aves.

— Vou é "negociar" com ele lá de cima até o chão! — falou Emma entre os dentes.

Começamos a subir. A escada era tão estreita que só podíamos avançar em fila indiana, agachados para que nossas cabeças não batessem nos degraus de cima. Eles balançavam demais. Era como escalar uma mola. Rezei para que nenhum dos parafusos ou porcas que tínhamos soltado fosse responsável por sustentar alguma parte importante.

Quando nos aproximávamos do topo, reduzimos o ritmo. Eu não ousava olhar para baixo. Havia apenas meus pés nos degraus, a mão que deslizava pelo corrimão bambo e outra segurando a arma. Não havia nada mais.

Eu me preparei para receber um ataque surpresa, mas nada aconteceu. A escada acabava em uma porta acima de nossas cabeças, na plataforma de concreto onde os degraus terminavam, e através dela eu sentia o frio gelado do ar noturno e ouvia o silvo do vento. Enfiei o revólver pelo vão e em seguida a cabeça, tenso e pronto para lutar, mas não vi Golan. De um lado, a gigantesca luz girava — e era cegante àquela proximidade, por isso tinha de fechar os olhos quando ela passava por mim —, abrigada atrás de vidro muito grosso; do outro, havia uma fina grade de proteção. Além dela, o vazio: dez andares de ar e depois rochas e o branco do mar encapelado. Eu não podia olhar sem ser inteiramente tomado por surtos de eletricidade apavorante.

Parei na plataforma entre a parede e a grade, e me virei para dar a mão a Emma. Ficamos parados ali, encostados no vidro quente que protegia a lâmpada, de frente para o vento frio.

— A Ave está por perto. Eu posso senti-la — sussurrou Emma.

Ela girou o pulso e uma bola de fogo surgiu acima de sua mão. Quase se apagou com o vento, mas Emma flexionou o braço e o fogo retornou com ainda mais força. Algo em sua cor e intensidade deixava claro que desta vez ela não invocara uma luz, mas uma arma.

— Vamos nos separar — disse eu. — Você vai por um lado e eu vou pelo outro. Assim ele não vai conseguir passar por nós.

— Estou com medo, Jacob.

— Eu também, mas ele está ferido e estamos com seu revólver.

Ela assentiu e tocou meu braço, depois virou as costas para mim e lentamente começamos a nos afastar um do outro. Dei a volta na lâmpada bem devagar, com o revólver talvez carregado na mão, e aos poucos a vista do outro lado começou a se revelar.

Encontrei Golan de cócoras, com a cabeça baixa, as costas apoiadas na grade de proteção e a gaiola entre os joelhos. Sangrava muito por um corte no alto do nariz, e os fios de sangue que desciam por seu rosto quase pareciam lágrimas.

Havia uma luzinha vermelha presa às barras da gaiola. Ela piscava com um intervalo de poucos segundos.

Avancei mais um passo e ele levantou a cabeça para me observar. Seu rosto estava coberto de sangue seco; o olho branco, vermelho e injetado; e havia saliva nos cantos da boca.

Ele se levantou de modo oscilante, a gaiola em uma das mãos.

— Ponha a gaiola no chão — disse eu, avançando mais um passo em sua direção.

Ele ficou de pé, cambaleante, a gaiola na mão.

— Eu disse para pôr no chão.

Ele se abaixou como se fosse fazê-lo, então tentou me dar um drible de corpo e saiu correndo. Gritei e fui atrás, mas, assim que ele desapareceu do outro lado do farol, vi o brilho da chama de Emma reluzir através do concreto, e Golan gritou e voltou, trôpego, em minha direção, os cabelos fumegantes e um braço sobre o rosto.

— Pare! — gritei, e ele viu que não tinha saída; estava encurralado. Então levantou a gaiola para se proteger e balançou-a com um ar de maldade. As aves piavam alto e tentavam bicar a mão dele, apesar de não conseguirem alcançá-lo através das barras.

— É isso que você quer? — berrou Golan. — Vá em frente, atire! As aves vão morrer também! Mate-me e eu jogo as duas lá embaixo!

— Não se eu acertar a sua cabeça!

Ele riu.

— Você não conseguiria atirar nem que quisesse. Esqueceu? Sou intimamente familiar com a sua pobre e frágil psique. Isso lhe provocaria pesadelos.

Tentei imaginar aquilo: envolver o gatilho com o dedo e apertá-lo; o recuo e o resultado terrível. O que havia de tão difícil nisso? Por que minha mão tremia só de pensar nesse ato? Quantos acólitos será que meu avô tinha matado? Dúzias? Centenas? Se fosse ele aqui em meu lugar, Golan já estaria morto, abatido no primeiro instante, enquanto eu estava atordoado, apoiado contra o gradil. Era uma oportunidade que eu já havia desperdiçado; uma fração de segundo de indecisão covarde que poderia custar a vida das *ymbrynes*.

A lâmpada gigante passou por nós e nos iluminou, transformando-nos por um instante em silhuetas brancas e reluzentes. Golan, que estava de frente para ela, fez uma careta e teve de desviar o rosto. *Acabei de desperdiçar outra oportunidade.*

— Ponha a gaiola no chão e venha com a gente — disse eu. — Ninguém mais precisa se machucar.

— Não sei — disse Emma. — Se Millard não sobreviver, eu posso não concordar com isso.

— Quer me matar? — disse Golan. — Tudo bem, acabe logo com isso, mas vai apenas adiar o inevitável, sem falar em tornar as coisas piores para vocês mesmos. Agora sabemos como encontrá-los. Outros como eu virão, e posso garantir que o efeito colateral que vão desencadear fará com que o que provoquei a seu amigo pareça um ato de bondade.

— Acabar logo com isso? — disse Emma, a chama em sua mão emitindo fagulhas pulsantes para cima. — Quem disse que seria rápido?

— Eu já falei que vou matá-las — disse ele, levando a gaiola até a altura do peito.

Ela deu um passo em sua direção.

— Tenho 88 anos — disse ela. — Acha que eu preciso de duas babás? — A expressão dela estava muito séria e indecifrável. — Não sei como dizer a você há quanto tempo estamos loucos para sair de sob as asas dessa mulher. Juro, isso seria um grande favor.

Golan, nervoso, balançava a cabeça para a frente e para trás, estudando-nos. *Será que ela está falando sério?* Por um momento ele pareceu realmente apavorado, depois soltou uma risada.

— Isso é mentira! — ele exclamou.

Emma esfregou as mãos e depois as afastou lentamente, criando um laço de chamas.

— Vamos descobrir — ela retrucou.

Eu não sabia até onde Emma iria com aquilo, ou se ela tinha perdido completamente o controle, mas eu tinha de intervir antes que as aves ou fossem incineradas ou caíssem lá embaixo.

— Conte-nos o que quer fazer com essas *ymbrynes* e talvez ela alivie sua situação — falei, com expressão séria.

— Só queremos terminar o que começamos — disse ele. — É só o que sempre quisemos.

— Está falando do experimento? — disse Emma. — Vocês já tentaram uma vez, e veja o que aconteceu: transformaram-se todos em monstros!

— É, mas como a vida seria sem graça se nós sempre conseguíssemos as coisas na primeira tentativa. — Ele sorriu, e as aves começaram a entrar em pânico e a piar. Golan berrou mais alto do que elas. — Desta vez vamos reunir os talentos de todos os melhores manipuladores de tempo do mundo, como estas duas senhoras aqui! Não vamos fracassar uma segunda vez! Tivemos um século para descobrir o que deu errado! Tudo de que precisávamos era uma reação maior!

— Uma reação *maior*? — exclamei. — Da última vez vocês explodiram metade da Sibéria!

— Se é para fracassar, que seja um fracasso espetacular! — disse ele.

De repente, eu me lembrei do sonho de Horace com nuvens de cinzas e terra arrasada, e me dei conta do que ele tinha visto. Se os acólitos e etéreos fracassassem de novo, iam destruir bem mais que mil quilômetros de florestas desertas. Se obtivessem sucesso, por outro lado, e se tornassem os semideuses imortais que sempre sonharam ser, isso era algo que me fazia tremer só de pensar. Viver sob o jugo deles seria um verdadeiro inferno.

A luz fez a volta e cegou Golan por um instante. Fiquei tenso, pronto para pular em cima dele, mas o momento passou rápido demais.

— Não importa — disse Emma. — Pode raptar todas as *ymbrynes* que quiser, elas nunca vão ajudá-los.

— Vão, sim. Farão isso ou vamos matá-las uma a uma. E, se isso não funcionar, vamos matar *vocês* um a um, diante dos olhos delas.

— Você é louco — disse eu.

Os pássaros começaram a entrar em pânico e a guinchar. Golan gritou mais alto que eles.

— Não! — disse ele, voltando a sacudir a gaiola. — O que é *realmente* loucura é como vocês peculiares se escondem do mundo quando poderiam governá-lo, e deixam o lixo genético da raça humana empurrá-los para a clandestinidade quando poderiam tão facilmente transformar todos em seus escravos, como deveria ser. — Ele pronunciava cada frase com uma sacudidela na gaiola. — *Isso* sim é loucura.

— Pare! — gritou Emma.

— Então você se importa! — Ele sacudiu a gaiola com mais força ainda. De repente, a luz vermelha presa às suas barras começou a brilhar duas vezes mais forte, e Golan girou a cabeça de um lado para o outro examinando a escuridão. Depois voltou a encarar Emma. — Você quer isto? Pegue! — Ele balançou a gaiola na direção do rosto dela.

Emma gritou e se abaixou, e, como um arremessador de disco, ele continuou a girar a gaiola até rodá-la bem alto, e depois a soltou. Ela voou de suas mãos por cima do gradil e mergulhou de cabeça na noite.

Eu praguejei, e Emma gritou e se jogou contra a grade, agarrando o vazio enquanto a gaiola caía na direção do mar. Naquele momento de confusão, Golan pulou em cima de mim e me derrubou no chão. Ele me deu um soco no estômago e depois outro no queixo.

Fiquei zonzo e não conseguia respirar. Ele tentou agarrar o revólver e precisei de todas as minhas forças para evitar que o pegasse, e então eu soube, por ele querer tanto a arma, que ela devia estar carregada. Eu a teria jogado por cima da grade, mas agora ele estava quase conseguindo arrancá-la e eu não podia soltá-la. Emma começou a gritar *Filho da mãe!*

Seu filho da mãe!, e as mãos delas, com luvas de chamas, vieram por trás e o agarraram pelo pescoço.

A carne dele chiou como um bife frio jogado numa chapa quente. Golan gritou e rolou para longe de mim, os cabelos ralos pegando fogo como a cabeça de um palito de fósforo. Então ele agarrou Emma pelo pescoço, como se não se importasse em se queimar, desde que conseguisse tirar sua vida. Levantei com um pulo, segurei o revólver com as duas mãos e mirei.

Tinha, por um instante, a chance de acertá-lo. De dar um bom tiro. Tentei esvaziar a mente e me concentrar em firmar os braços, criando uma linha imaginária que se estendia de meu ombro, passava pela alça de mira e ia até o meu alvo: a cabeça dele. A cabeça de um homem. Não, de um homem, não, mas da imitação corrompida de um. Uma coisa. Uma força que preparara a morte de meu avô e explodira tudo o que eu humildemente chamava de vida, por mais mal aproveitada que pudesse ser. Uma força que me trouxera até este lugar e este momento, de um modo muito parecido com o que forças menos malignas e violentas faziam com minha vida e decidiam por mim desde que eu tinha idade o bastante para decidir qualquer coisa. *Relaxe as mãos, inspire e prenda a respiração.* Agora eu tinha uma chance, uma chance mínima que eu já sentia começar a me escapar, de responder à altura.

Agora aperte.

A pistola deu um coice em minhas mãos e seu barulho soou como se o mundo estivesse se partindo ao meio, tão estrondoso e repentino que fechei os olhos. Quando tornei a abri-los, tudo parecia estranhamente congelado no lugar. Golan estava por trás de Emma segurando-a com uma chave de braço, forçando-a na direção do gradil, mas era como se eles tivessem sido fundidos em bronze. Até o vento parara. Será que uma das *ymbrynes* tinha virado humana outra vez e estava fazendo alguma magia com a gente? Mas então Emma deu um safanão, livrou-se dele, e Golan começou a cambalear para trás, sem forças, tropeçando e caindo sentado pesadamente sobre a grade. Encarando-me com ar de surpresa, ele abriu a boca para falar algo, mas percebeu que não podia. Pôs a mão sobre o buraco do tamanho de uma moedinha que eu fizera em sua garganta. Sangue escorria entre seus dedos e descia pelos braços. E sua força se esvaiu. Ele caiu de costas e morreu.

No momento em que Golan desapareceu de vista, foi esquecido. Emma apontou para o mar e gritou:

— Ali, ali!

Segui seu dedo e esforcei-me para ver no escuro até vislumbrar o brilho de um *LED* vermelho pulsando nas ondas a distância. Nós dois corremos até a porta e descemos apressados a escada bamba que parecia não ter fim, sem esperanças de alcançar a gaiola antes que ela afundasse, mas de qualquer modo histéricos na tentativa de fazê-lo.

Saímos do farol e vimos Millard com um torniquete e Bronwyn ao seu lado, e Millard gritou algo que eu não entendi direito, mas foi o suficiente para me assegurar de que estava vivo. Agarrei o ombro de Emma e disse:

— O barco! — E apontei para onde o barco a remo roubado tinha sido amarrado a uma rocha, mas ele estava longe demais, do lado errado do farol, e não havia tempo. Em vez disso, Emma me puxou na direção do mar aberto, e saímos correndo, mergulhando.

Mal sentia o frio. Tudo em que pensava era alcançar a gaiola antes que desaparecesse sob as águas. Rasgamos a água com braçadas, batendo as pernas, cuspindo e engasgando quando as ondas negras batiam no rosto. Era difícil dizer a que distância estava o sinal luminoso, apenas um pontinho de luz em um oceano agitado de escuridão. Ele balançava, subia, descia, ia e vinha, e duas vezes o perdemos de vista e tivemos de parar e olhar em volta freneticamente até localizá-lo outra vez.

A forte corrente arrastava a gaiola para o oceano e nos levava junto. Se não a alcançássemos logo, nossos músculos não iam aguentar e nos afogaríamos. Guardei para mim esse pensamento mórbido o máximo que pude, mas, quando o sinal luminoso desapareceu pela terceira vez, e nós procuramos por ele durante tanto tempo que já não tínhamos certeza nem da área do mar negro e agitado em que ele desaparecera, berrei:

— Temos de voltar!

Emma não me deu atenção. Seguiu nadando à minha frente, cada vez mais para dentro do oceano. Agarrei seus pés, e ela me chutou para se livrar.

— Já era! Não vamos conseguir achá-las!

— Cale a boca, cale a boca! — gritou, e senti por sua respiração difícil que ela estava tão exausta quanto eu. — Só cale a boca e procure!

Eu a agarrei e gritei com ela, e ela me deu um chute. Quando não conseguiu se soltar, começou a balbuciar e a chorar, apenas uivos de desespero sem formar palavras completas.

Tentei arrastá-la de volta para o farol. Ela parecia uma pedra na água, puxando-me para o fundo.

— Você precisa nadar! — gritei. — Nade ou vamos nos afogar!

Então eu vi o mais leve tremeluzir de uma luz vermelha. Estava perto e logo abaixo da superfície. No início eu não disse nada, temendo ter imaginado aquilo, mas ela surgiu uma segunda vez.

Emma gritou de alegria. Parecia que a gaiola aterrissara sobre outro escombro de naufrágio, mas como ela poderia ter parado num lugar tão raso? Mas, como a gaiola tinha acabado de afundar, disse a mim mesmo que era possível que as aves ainda estivessem vivas.

Nadamos em sua direção, preparando-nos para mergulhar atrás da gaiola, apesar de eu não saber de onde viria o fôlego, já que nos restava muito pouco ar, mas, estranhamente, a gaiola parecia subir em nossa direção.

— O que está acontecendo? — gritei. — É um naufrágio?

— Não pode ser. Aqui não tem nenhum!

— Então que diabos é *aquilo*?

Parecia uma baleia prestes a emergir, comprida, enorme e cinza, ou algum navio fantasma vindo do além em nossa direção. De repente, formou-se uma onda poderosa que se ergueu do fundo e nos empurrou para longe. Tentamos nadar em sentido contrário, mas não tivemos mais sucesso do que um destroço de naufrágio levado pela maré, e aquilo se chocou contra nossos pés e nos levantou, montados em suas costas.

Ele saiu da água, de baixo de nós, chiando e emitindo ruídos metálicos como um monstro mecânico gigante. Fomos pegos por uma repentina onda de espuma que corria em todas as direções e jogados sobre uma superfície de grades metálicas. Enganchamos os dedos nas grades para não ser varridos para o mar. Esforcei-me para enxergar através dos borrifos salgados e vi que a gaiola estava parada entre o que pareciam ser duas barbatanas que se projetavam do dorso do monstro, uma pequena e a outra grande. E então a luz do farol passou por nós, e com seu brilho me dei conta de que não eram de jeito nenhum barbatanas, mas uma torre de comando e um canhão gigante fixo. Não estávamos montados em um monstro, ou em um navio, ou em uma baleia...

— É um submarino! — gritei. E não era coincidência que ele tivesse emergido bem debaixo de nossos pés. Era ele que Golan esperava encontrar.

Emma já estava de pé e correndo pelo convés em movimento na direção da gaiola. Lutei para ficar de pé e, quando comecei a correr, uma onda varreu o convés e nos derrubou de novo.

Então ouvi um grito, não de Emma, mas de outra pessoa. Quando levantei os olhos, vi um homem de uniforme cinza surgir de uma escotilha na torre de comando e apontar uma arma para nós.

Choveram balas, que acertaram o convés. A gaiola estava longe demais e seríamos cortados em pedaços antes mesmo de conseguir alcançá-la. Mas percebi que Emma ia tentar de qualquer jeito.

Eu corri e a derrubei, e nós dois caímos na água pela lateral do submarino. O mar negro fechou-se sobre nós, e eu, mesmo embaixo d'água, pude ver balas passando pela gente, deixando uma trilha de bolhas.

Quando voltamos à superfície novamente, ela me agarrou e gritou:

— Por que fez aquilo? Eu quase consegui!

— Ele estava prestes a matar você! — disse, lutando para me afastar. E então me ocorreu que ela não o havia visto, que estivera concentrada na gaiola. Apontei para o convés, por onde o atirador caminhava.

Ele pegou a gaiola e a sacudiu. A porta dela parecia aberta, e pensei ter visto um movimento lá dentro, alguma razão para ter esperança. Então a luz do farol iluminou tudo e vi por inteiro o rosto do homem, que tinha a boca retorcida em um sorriso atravessado, os olhos opacos e vazios. Ele era um acólito.

O acólito enfiou a mão na gaiola, puxou uma única ave encharcada e jogou o objeto de grades fora. Da torre de comando, outro soldado fez um sinal para o acólito, que voltou para a escotilha com a ave que se debatia.

O submarino começou a chiar e a fazer ruídos metálicos. A água ao nosso redor borbulhou como se fervesse.

— Nade, ou ele vai nos sugar para o fundo com ele! — gritei para Emma. Mas ela não ouviu. Seus olhos estavam fixos em outro lugar, numa faixa de água escura perto da popa do submarino.

Ela nadou em sua direção. Tentei detê-la, mas ela conseguiu se soltar de mim, e então, acima do barulho do submarino, ouvi um pio alto e agudo: a srta. Peregrine.

Nós a encontramos boiando nas ondas, lutando para manter a cabeça fora d'água, uma asa batendo, a outra aparentemente quebrada. Emma a puxou. Gritei que tínhamos de ir.

Nadamos para longe com o restinho de forças que ainda tínhamos. Atrás de nós, abria-se um rodamoinho, toda a água deslocada pelo submarino correndo de volta para preencher o vazio deixado enquanto ele afundava. O mar estava se consumindo e tentando nos consumir também, mas agora tínhamos um símbolo de vitória alado e piante, o que era pelo menos meia vitória, e ela nos deu forças para lutar contra a corrente artificial até que ouvimos Bronwyn chamar por nós. Nossa forte amiga veio correndo através das ondas para nos puxar de volta rumo à segurança.

***

Ficamos deitados nas rochas sob o céu que começava a clarear, recuperando o fôlego e tentando superar a exaustão. Millard e Bronwyn tinham perguntas. Não tínhamos, porém, fôlego para respondê-las. Mas eles haviam visto o corpo de Golan cair e o submarino emergir e afundar, e a srta. Peregrine sair da água, mas não a srta. Avocet; entenderam o que era preciso. Eles nos abraçaram até pararmos de tremer, e Bronwyn também colocou a diretora embaixo de sua camisa, para aquecê-la contra a barriga. Quando tínhamos nos recuperado um pouco, entramos no barco a remo de Emma e fomos para a praia.

Quando chegamos lá, todas as crianças entraram na água para nos receber.

— Nós ouvimos tiros!

— O que era aquele barco estranho?

— Onde está a senhorita Peregrine?

Descemos do barco e Bronwyn levantou a camisa para revelar a Ave escondida ali. Todas as crianças se aglomeraram em volta dela, e a srta. Peregrine levantou o bico e piou para elas, para mostrar que estava cansada mas bem. Todos comemoraram aos gritos.

— Vocês conseguiram! — berrou Hugh.

Olive fez uma dancinha e cantarolou:

— A Ave, a Ave, a Ave! Emma e Jacob salvaram a Ave!

Mas a celebração foi curta. A ausência da srta. Avocet foi logo percebida, assim como a condição alarmante de Millard. Seu torniquete estava apertado, mas ele perdera muito sangue e estava fraco. Enoch lhe deu seu casaco, Fiona, seu chapéu de lã.

— Vamos levar você para ver o médico na cidade — disse Emma a ele.

— Bobagem — retrucou Millard. — O homem nunca botou os olhos num garoto invisível e não saberia o que fazer se visse um. Ou ia esterilizar o membro errado ou sairia correndo aos gritos.

— Não importa que ele saia correndo aos gritos — disse ela. — Depois que a fenda de tempo for reiniciada, ele não vai se lembrar de nada.

— Olhem ao redor de vocês. A fenda devia ter sido reiniciada há uma hora.

Millard tinha razão. O céu estava calmo, a batalha havia terminado, mas colunas de fumaça de bombas subiam e se misturavam com as nuvens.

— Isso não é nada bom — Enoch disse, e todos ficaram em silêncio.

— De qualquer forma — prosseguiu Millard —, todo o material de que preciso está em casa. Apenas me deem um pouco de láudano e limpem a ferida com álcool. Só acertou a carne do meu braço. Em três dias estarei bem de novo.

— Mas ele ainda está sangrando — disse Bronwyn, apontando gotas vermelhas que pontilhavam a areia embaixo de Millard.

— Então aperte mais esse maldito torniquete!

Foi o que ela fez, e Millard engasgou de um jeito que fez todo mundo se encolher de medo, depois desmaiou nos braços dela.

— Ele está bem? — perguntou Claire.

— Só desmaiou, mais nada — disse Enoch. — Ele não está tão bem quanto quer parecer.

— O que devemos fazer?

— Pergunte à senhorita Peregrine! — disse Olive.

— Isso. Ponham-na no chão para que ela possa se transformar — disse Enoch. — Ela não pode dizer para a gente o que fazer enquanto é uma ave.

Então Bronwyn a colocou numa faixa seca de areia e nós nos afastamos e esperamos. A srta. Peregrine pulou para cima e para baixo algumas vezes e bateu a asa boa, depois girou a cabeça emplumada e piscou para nós. Mas foi tudo. Ela continuou uma ave.

— Talvez ela queira um pouco de privacidade — sugeriu Emma. — Vamos todos virar de costas.

Foi o que fizemos, formando um círculo ao redor dela com todos olhando para o outro lado.

— Agora está em segurança senhorita Peregrine. — disse Olive. — Ninguém está olhando!

Depois de um minuto, Hugh deu uma espiadela e disse:

— Nada, ainda é uma ave.

— Talvez ela esteja cansada e com frio demais — sugeriu Claire, e, como a maioria concordou que isso parecia plausível, o grupo decidiu voltar para casa, cuidar de Millard com os remédios que tivessem e torcer para que, com algum tempo de repouso, a diretora e sua fenda de tempo voltassem ao normal.

CAPÍTULO ONZE

Marchamos pela trilha íngreme e descemos a encosta do outro lado da colina como uma companhia de veteranos de guerra exaustos, em fila indiana e com a cabeça baixa. Bronwyn carregava Millard nos braços e a srta. Peregrine se acomodara na coroa que lembrava um ninho nos cabelos de Fiona. A paisagem estava marcada por crateras fumegantes e terra revirada espalhada por todo lado, como se um cachorro gigante tivesse passado por ali e cavado loucamente. Todos nós nos perguntávamos o que nos aguardava na casa, mas ninguém ousava falar nada.

Tivemos nossa resposta antes mesmo de sair da floresta. Enoch chutou algo e se abaixou para ver o que era: um tijolo meio chamuscado.

O pânico foi imediato, e as crianças saíram correndo pela trilha. Quando chegaram ao jardim, seus piores temores se confirmaram: a bomba não tinha parado sobre o dedo de Adam como costumava fazer. Ela continuou a cair, cortou-o ao meio e explodiu. Um dos cantos da parte de trás da casa estava reduzido a ruínas, uma pilha fumegante de destroços. Pequenos focos de incêndio queimavam na casca chamuscada que restara de dois quartos. Onde ficava Adam, havia uma grosseira cratera profunda o bastante para enterrar uma pessoa de pé em seu interior. Agora era fácil visualizar em que esse lugar ia se transformar um dia: a paisagem decrépita que eu descobrira algumas semanas antes. A casa do pesadelo.

A srta. Peregrine saltou dos cabelos de Fiona e começou a correr sem rumo pela grama queimada, piando e gritando alarmada.

— Diretora, o que foi? — disse Olive. — Por que a transformação não aconteceu?

A srta. Peregrine só conseguia piar em resposta. Ela parecia tão perdida e assustada quanto o resto de nós.

— Por favor, volte ao que era antes! — implorou Claire, ajoelhando-se diante dela. — Por favor, ajude-nos!

A srta. Peregrine agitou as asas, pulou e pareceu estar fazendo esforço, mas ainda permanecia uma ave. As crianças se reuniram ao seu redor, preocupadas.

— Tem alguma coisa errada — disse Emma. — Se ela pudesse virar humana, já teria feito isso a essa hora.

— Talvez seja essa a razão da falha na fenda de tempo — sugeriu Enoch. — Lembram daquela história antiga sobre a senhorita Kestrel,* de quando andava de bicicleta e foi atropelada? Ela bateu com a cabeça e permaneceu na forma de ave por uma semana inteira. Foi quando a fenda de tempo dela falhou.

— O que isso tem a ver com a senhorita Peregrine?

Enoch deu um suspiro.

— Talvez ela tenha só machucado a cabeça e temos apenas que esperar uma semana até ela recuperar os sentidos.

— Um caminhão correndo é uma coisa — disse Emma. — Sofrer na mão de acólitos é completamente diferente. Não temos como saber o que o filho da mãe fez com a senhorita Peregrine antes que a gente chegasse lá.

— Acólitos? No plural?

— Foram acólitos que levaram a senhorita Avocet — disse eu.

— Como sabe disso? — perguntou Enoch.

— Eles estavam trabalhando com Golan, não estavam? Eu vi os olhos de um que atirou em nós. Não há dúvida.

— Ela já era — disse Hugh. — Com certeza vão matá-la.

— Talvez não — retruquei. — Pelo menos não imediatamente.

— Se tem uma coisa que eu sei sobre acólitos — disse Enoch —, é que eles matam peculiares. É a natureza deles. É o que fazem.

— Não, Jacob tem razão — disse Emma. — Antes de morrer, o acólito nos contou por que estavam sequestrando tantas *ymbrynes*. Eles vão obrigá-las a recriar a reação que originalmente criou os etéreos, só que maior. Muito maior.

---

* Espécie de gavião. (N. T.)

Todos ficaram em silêncio quando compreenderam o que aquilo significava. Alguém começou a chorar. Olhei ao redor à procura da srta. Peregrine e a vi empoleirada, triste e desamparada, à beira da cratera de Adam.

— Precisamos detê-los — disse Hugh. — Temos de descobrir para onde estão levando as *ymbrynes*.

— Como? — perguntou Enoch. — Seguindo um submarino?

Alguém atrás de mim pigarreou com força para chamar atenção e nos viramos para ver Horace sentado no chão de pernas cruzadas.

— Eu sei para onde eles estão indo — disse em voz baixa.

— Como assim, você sabe?

— Não interessa como ele sabe, ele *sabe* — disse Emma. — Para onde a estão levando, Horace?

Ele sacudiu a cabeça.

— Não sei o nome — respondeu ele —, mas eu já vi o lugar.

— Então faça um desenho — falei.

Ele pensou por um instante, levantou-se e parou. Com o aspecto de um pastor pobre naquele terno preto em farrapos, ele se arrastou até uma pilha de cinzas que caíra do buraco na casa e se abaixou para apanhar um punhado de fuligem. Então, sob a suave luz da lua, começou a pintar sobre uma parede destruída, com largas pinceladas de cinza.

Nós nos juntamos em volta dele para ver. Ele fez uma fileira de listras encimadas por espirais estreitas, como cercas de arame farpado. De um lado, havia a mancha de uma floresta escura. Havia neve no chão desenhado em negro. E era tudo.

Quando ele terminou, afastou-se e sentou na grama dura com uma expressão vazia e distante nos olhos. Emma o segurou gentilmente pelo ombro e disse:

— Horace, o que mais você sabe sobre esse lugar?

— É um lugar frio.

Bronwyn se aproximou para estudar os traços feitos por Horace. Ela segurava Olive nos braços, e a cabeça da garotinha descansava de modo terno em seu ombro.

— Para mim parece uma prisão — disse Bronwyn.

Olive levantou a cabeça.

— E então? — disse com sua vozinha de criança. — Quando partiremos?

— Para onde? — disse Enoch, jogando os braços para cima. — Isso não passa de um monte de rabiscos!

— É em *algum lugar* — disse Emma, virando-se para encará-lo.

— Não podemos simplesmente ir a um lugar onde tenha neve e procurar uma prisão.

— E também não podemos ficar aqui.

— Por que não?

— Olhe para o estado deste lugar. Olhe para a diretora. Passamos uma época muito boa aqui, mas acabou.

Enoch e Emma ficaram indecisos por um tempo. As pessoas tomaram partido. Enoch argumentava que estavam havia tempo demais fora do mundo, que seriam mortas na guerra ou apanhadas por acólitos, e que era melhor arriscar a sorte ali mesmo, onde pelo menos conheciam o território. Os outros insistiam que a guerra e os etéreos tinham vindo atrás *deles* agora, e que não havia opção: os acólitos e os etéreos iam voltar atrás da srta. Peregrine, em número muito maior. E havia a própria srta. Peregrine para ser levada em conta.

— Vamos encontrar outra *ymbryne* — sugeriu Emma. — Se alguém pode saber como ajudar a diretora, é uma de suas amigas.

— Mas e se todas as outras fendas tiverem sido fechadas também? — disse Hugh. — E se todas as *ymbrynes* já tiverem sido sequestradas?

— A gente não pode pensar assim. Deve ter sobrado *alguma*.

— Emma tem razão — disse Millard, deitado no chão com um pedaço arrancado da parede da casa como travesseiro. — Se a alternativa é ficar sentado e só torcer para que não apareçam mais etéreos e a diretora melhore, eu digo que não temos alternativa.

Os dissidentes finalmente ficaram constrangidos e concordaram. A casa seria abandonada. Íamos empacotar nossos pertences. Precisaríamos requisitar alguns barcos na baía para nos transportar e de manhã todos partiriam.

Perguntei a Emma como eles iam se orientar. Afinal, nenhuma das crianças tinha saído da ilha em quase oitenta anos, e a srta. Peregrine não podia falar, nem mesmo voar.

— Existe um mapa — ela me contou, e virou a cabeça devagar para olhar a casa fumegante. — Quero dizer, se não foi queimado.

Eu me ofereci para ajudá-la a encontrá-lo. Enrolamos roupas molhadas sobre o rosto e nos aventuramos no interior da casa, entrando pela parede demolida. As janelas estavam estilhaçadas, o ar cheio de fumaça, mas com a luz brilhante da chama na mão de Emma conseguimos chegar à biblioteca. Todas as prateleiras tinham caído umas sobre as outras como dominós, mas nós as empurramos para o lado e procuramos entre os livros espalhados pelo chão, bem agachados para evitar o pior da fumaça. Tivemos muita sorte. Foi fácil achar o livro. Era o maior da biblioteca. Emma soltou um grito de alegria e o ergueu no ar.

Na saída, encontramos álcool, láudano e ataduras apropriadas para Millard. Assim que acabamos de limpar e fazer um curativo no ferimento, sentamos para examinar o livro. Era mais um atlas do que um mapa, encadernado em couro forrado e tingido de vinho-escuro, cada página cuidadosamente ilustrada à mão sobre o que parecia pergaminho. Era muito bonito e muito antigo, e grande o suficiente para cobrir as pernas de Emma.

— Chama-se o Mapa dos Dias — disse Emma. — Ele mostra todas as fendas cuja existência é conhecida.

A página à nossa frente parecia ser um mapa da Turquia, apesar de não haver a indicação de estradas nem fronteiras desenhadas. Em vez disso, o mapa tinha pequenas espirais espalhadas por ele, que percebi serem a localização das fendas de tempo. No centro de cada uma havia um símbolo único que correspondia a uma legenda no pé da página, onde os símbolos reapareciam ao lado de uma lista de números separados por travessões. Apontei para um onde se lia *29-3-316/?-?-399* e disse:

— O que é isso, algum tipo de código?

Emma passou o dedo sobre o local da fenda.

— Esta fenda era o dia 29 de março do ano 316 d.C. — explicou. — Ela existiu até algum momento no ano 399, apesar de a data certa ser desconhecida.

— O que aconteceu em 399?

Ela deu de ombros.

— Não diz.

Estiquei o braço por cima do livro e virei a página. Era um mapa da Grécia, ainda mais cheio de espirais e números.

— Mas qual o sentido de registrar todas elas? — perguntei. — Como vocês poderiam chegar a essas fendas antigas?

— Saltando entre as fendas — respondeu Millard. — É uma coisa muito difícil e perigosa de se fazer, mas, quando saltamos de uma fenda para outra, para um dia há cinquenta anos, por exemplo, você vê que tem acesso a todas as fendas extintas nos últimos cinquenta anos, se tiver os meios necessários para fazê-lo. Dentro delas, há outras fendas, e isso segue se multiplicando.

— Isso é viajar no tempo — disse eu, assombrado. — Viajar no tempo *de verdade*.

— Acho que é, sim.

— Então esse lugar... — disse eu, apontando para a pintura feita por Horace com cinzas na parede. — Não basta descobrir *onde* fica, mas também temos de saber *quando*?

— Infelizmente, sim, e se a senhorita Avocet está mesmo nas mãos dos acólitos, que são conhecidos praticantes do salto entre fendas, então é extremamente provável que o lugar para onde ela e as outras *ymbrynes* foram levadas seja em algum ponto do passado. Assim seria muito mais difícil encontrar nossos inimigos, e ainda mais perigoso chegar lá. A localização dessas fendas históricas é bem conhecida deles, que costumam ficar à espreita perto da entrada delas.

— Ora, ainda bem então que vou com vocês — disse eu.

Emma virou-se e olhou para mim.

— Isso é maravilhoso! — ela exclamou, e me abraçou. — Tem certeza?

Disse a ela que sim. Mesmo cansadas como estavam, as crianças assobiaram e aplaudiram. Algumas vieram me abraçar. Até Enoch apertou minha mão. Mas, quando olhei outra vez para Emma, seu sorriso tinha sumido.

— Qual o problema? — perguntei.

Ela mudou de posição, incomodada.

— Há algo que deve saber — disse ela —, e temo que isso o fará desistir de ir consoco.

— Não fará — assegurei.

— Quando sairmos daqui, essa fenda vai se fechar atrás de nós. É possível que você nunca mais consiga voltar à época de onde veio, pelo menos não com facilidade.

— Não tem nada que me prenda lá — respondi rápido. — Mesmo que eu pudesse voltar, não estou certo de se gostaria.

— Você diz isso agora. Preciso que esteja bem seguro disso.

Assenti e me levantei.

— Aonde você vai? — ela perguntou.

— Dar uma caminhada.

Não fui longe, só fiz a volta no perímetro do jardim bem cuidado, a passos arrastados e lentos, observando o céu, que agora estava limpo, com um bilhão de estrelas espalhadas por toda a sua vastidão. As estrelas também eram viajantes do tempo. Quantos daqueles pontos de luz antigos eram ecos de sóis atualmente mortos? Quantas tinham nascido, mas sua luz ainda não chegara tão longe? Se todos os sóis menos o nosso fossem destruídos hoje, quantas gerações se passariam até que percebêssemos estar sozinhos? Sempre soube que o céu era cheio de mistérios, mas só naquela noite eu me dei conta da quantidade deles que havia na Terra também.

Cheguei ao ponto onde a trilha saía da floresta. Em uma direção ficava minha casa e tudo o que eu conhecia, sem mistérios, comum e relativamente seguro.

Só que *não era assim*. Não totalmente, não mais. Os monstros mataram vovô Portman e tinham vindo atrás de mim. Cedo ou tarde, iam voltar. Será que um dia eu ia chegar em casa para encontrar meu pai sangrando até a morte no chão? Minha mãe?

Na outra direção, enquanto isso, as crianças se reuniam em pequenos grupos, tramando e fazendo planos para o futuro, pela primeira vez que qualquer uma delas pudesse se lembrar.

Voltei até onde estava Emma, ainda debruçada sobre o livro. A srta. Peregrine estava pousada ao lado dela, indicando com o bico diferentes pontos no mapa. Emma ergueu os olhos quando me aproximei.

Disse a ela que tinha certeza e ela abriu um sorriso.

— Estou contente.

— Só tenho de fazer uma coisa antes de ir.

***

Cheguei de volta à cidade pouco antes do amanhecer. A chuva tinha finalmente diminuído e o início de um dia de céu azul anunciava-se no horizonte. A trilha principal parecia um braço com as veias arrancadas, com valas compridas onde a enxurrada lavara o cascalho.

Atravessei o bar vazio e subi até nossos quartos. As persianas estavam abaixadas e a porta de meu pai, fechada, o que era um alívio, porque eu ainda não tinha ideia de como contar o que precisava contar para ele em voz alta. Em vez disso, sentei-me com bloco e caneta e lhe escrevi uma carta.

Tentei explicar tudo. Escrevi sobre as crianças peculiares e os etéreos, e como todas as histórias do vovô Portman tinham se revelado ser verdadeiras. Contei a ele o que tinha acontecido com a srta. Peregrine e a srta. Avocet e tentei fazê-lo entender por que eu tinha de ir. Implorei que não se preocupasse.

Então parei, reli o que tinha escrito, amassei o papel e o joguei no lixo. Ele nunca acreditaria. Ia achar que eu tinha enlouquecido de vez como o vovô, ou que eu tinha fugido ou sido sequestrado, ou pulado de algum penhasco. De qualquer jeito, eu estava prestes a acabar com a vida dele.

— Jacob?

Eu me virei na cadeira. Meu pai estava apoiado no batente da porta de seu quarto, com olhos baços, os cabelos despenteados após o sono, vestido com *jeans* e uma camisa suja de lama.

— Oi, pai.

— Vou fazer a você uma pergunta simples e direta, e gostaria de uma resposta simples e direta. Onde você esteve a noite passada?

Eu podia ver que ele estava se esforçando para manter a compostura. Resolvi que não ia mais mentir.

— Com meus amigos — respondi.

Foi como se eu tivesse puxado o pino de uma granada.

— SEUS AMIGOS SÃO IMAGINÁRIOS! — gritou ele. Veio em minha direção, o rosto se encolerizando. — Queria que sua mãe e eu nunca tivéssemos nos deixado convencer por aquele terapeuta maluco a trazer você aqui, porque isso tem sido um completo *desastre*! Você mentiu para mim pela última vez! Agora vá para o seu quarto e comece a fazer as malas. Vamos embora na primeira barca!

— Pai?

— E quando chegarmos você só vai sair de casa quando acharmos um psiquiatra que não seja um *imbecil* completo!

— Pai!

Por um instante pensei que talvez tivesse de fugir dele correndo. Visualizei meu pai me segurando no chão e gritando por ajuda, e, em seguida, me enfiando na barca preso numa camisa de força.

— Eu não vou com você.

Ele apertou os olhos e inclinou a cabeça, como se não tivesse ouvido direito. Eu ia começar a repetir quando alguém bateu à porta.

— Vá embora! — gritou meu pai.

Ouvimos outra batida, dessa vez mais insistente. Ele correu até lá e a abriu, e ali, no alto das escadas, estava Emma, com uma pequena bola de chama azul dançando acima da mão, e Olive.

— Olá — disse Olive. — Viemos aqui falar com Jacob.

Ele ficou atônito, olhando fixamente para as duas.

— O que é isso...

As garotas passaram por ele e entraram.

— O que vocês estão *fazendo* aqui? — chiei com elas.

— Só queríamos nos apresentar — respondeu Emma, abrindo um largo sorriso para meu pai. — Nós conhecemos seu filho e temos nos visto muito ultimamente, por isso achamos que seria apropriado fazer uma visita amigável.

— Tudo bem — disse meu pai, seu olhar movendo-se sem parar entre as duas.

— Ele é mesmo um rapaz e tanto — disse Olive. — Tão corajoso!

— E bonito! — acrescentou Emma, piscando para mim. Ela começou a girar a chama entre as mãos como se fosse um brinquedo. Meu pai não conseguia desviar os olhos, hipnotizado.

— É, s-sim. Ele é mesmo — balbuciou.

— Importa-se que eu tire os sapatos? — perguntou Olive, e sem esperar pela resposta ela os tirou e logo flutuou até o teto, onde se sentou de cabeça para baixo e ficou olhando para a gente. — Obrigada. Assim é muito mais confortável.

— Essas são minhas amigas, pai, de quem eu estava falando. Esta é Emma e essa no teto é Olive.

Ele cambaleou para trás.

— Ainda estou dormindo — disse de modo vago. — Estou tão cansado...

Uma cadeira saiu do chão e flutuou até ele, seguida por uma atadura amarrada com habilidade que oscilava no ar.

— Não quer se sentar? — disse Millard.

— Está bem — respondeu meu pai, e sentou.

— O que veio fazer aqui? — murmurei para Millard. — Você não devia estar descansando?

— Eu estava por perto. — Ele me mostrou um vidro de comprimidos de aparência moderna. — Tenho de reconhecer que fazem pílulas maravilhosas contra a dor no futuro!

— Pai, este é Millard. Você não pode vê-lo porque ele é invisível.

— É um prazer conhecê-lo.

— O prazer é meu — disse Millard.

Fui até meu pai e me ajoelhei ao lado de sua cadeira. A cabeça dele balançava levemente.

— Eu vou embora, pai. Você pode ficar um bom tempo sem me ver.

— Ah é? Para onde você vai?

— Viajar.

— Uma viagem — ele repetiu. — Quando vai voltar?

— Não sei, na verdade.

Ele balançou a cabeça.

— Exatamente como seu avô. — Millard colocou água da torneira em um copo e trouxe para ele. Meu pai estendeu a mão e o pegou, como se copos flutuantes não fossem nada incomuns. Acho que ele realmente pensou que estivesse sonhando.

— Bem, boa-noite. — disse ele, e se levantou, apoiando-se na cadeira, voltando cambaleante para o quarto. Parou na porta, virando-se para me encarar.

— Jake?

— Sim, pai.

— Tome cuidado, está bem?

Assenti. Ele fechou a porta. No momento seguinte eu o ouvi cair na cama.

Eu me sentei e esfreguei o rosto. Não sabia o que sentir.

— Nós ajudamos? — perguntou Olive, ainda empoleirada no teto.

— Não tenho certeza — respondi —, mas acho que não. Ele vai acordar mais tarde achando que sonhou com todos vocês.

— Você podia escrever uma carta — sugeriu Millard. — Diga o que quiser, ele não será capaz de nos seguir.

— Eu cheguei a escrever uma carta, mas isso não é *prova*.

— Ah, sim — retrucou ele —, entendo seu problema.

— Um belo problema para se ter — disse Olive. — Eu queria que *minha* mãe me amasse o bastante para se preocupar quando fui embora de casa.

Emma levantou o braço e apertou a mão dela, depois disse:

— Talvez eu tenha uma prova.

Ela tirou uma carteira pequena da cinta do vestido, e, de seu interior, uma foto, que entregou a mim. Era um retrato de Emma e meu avô quando ele ainda era jovem. Toda a atenção dela se concentrava nele, que parecia estar com a cabeça em outro lugar. Era triste e bonito, e parecia resumir o que eu sabia de sua relação.

— Foi tirada pouco antes de Abe partir para a guerra — disse Emma. — Seu pai vai me reconhecer nela, não vai?

Sorri para ela.

— Você não parece ter envelhecido nem um dia — disse eu.

— Maravilha! — disse Millard. — Aí está sua prova.

— Sempre a leva com você? — perguntei, devolvendo-a.

— Levo, mas não preciso mais dela. — Ela foi até a mesa, pegou minha caneta e começou a escrever no verso da foto. — Como se chama o seu pai?

— Franklin.

Quando terminou de escrever, ela me deu a foto. Olhei nos dois lados, então pesquei minha carta no lixo, desamassei-a e a deixei sobre a mesa embaixo da fotografia.

— Prontos para partir? — perguntei.

Meus amigos estavam na porta à minha espera.

— Só depende de você — respondeu Emma.

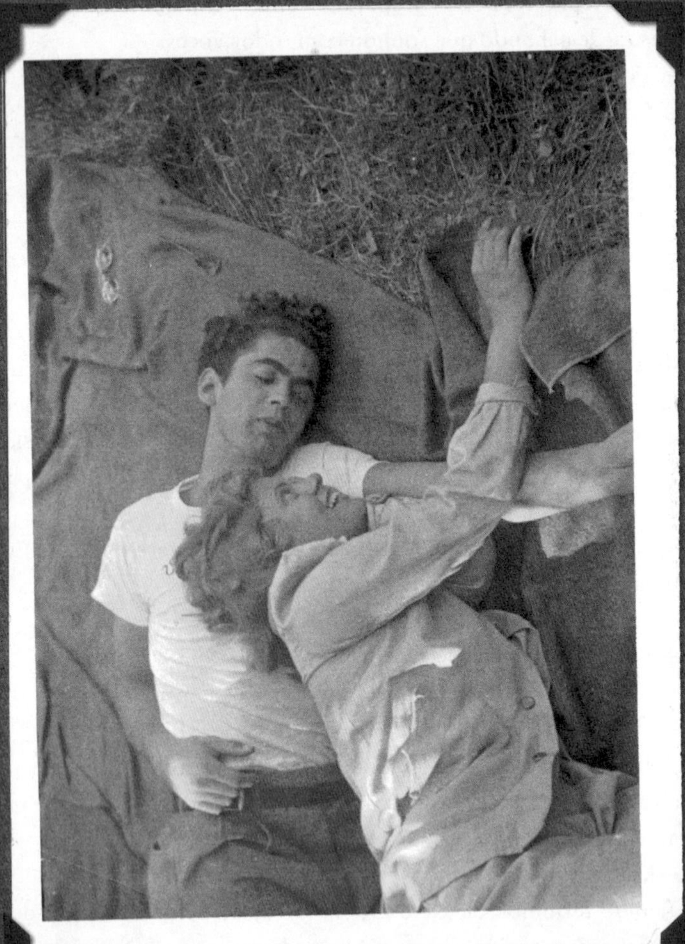

Caro Franklin,

Foi um grande prazer conhecê-lo. Esta é uma foto minha com seu pai, tirada quando ele vivia aqui. Espero que seja o suficiente para convencê-lo de que ainda estou entre os vivos e que as histórias de Jacob não são fantasia.

Jacob vai viajar comigo e com meus amigos durante algum tempo. Vamos tomar conta uns dos outros, para garantir que todos tenham a maior segurança possível. Um dia, quando o perigo tiver passado, ele voltará para você. Dou minha palavra.

Muito cordialmente,

Emma Bloom

P.S. Soube que você pode ter descoberto uma carta que enviei a seu pai há muitos anos. Não foi algo apropriado, e garanto que tampouco foi solicitada, e ele não a respondeu. Seu pai foi um dos homens mais honrados que eu conheci.

Partimos na direção da colina. No ponto perto do cume onde eu sempre parava para olhar para trás e ver a distância já percorrida, dessa vez não parei. Acho que estava com medo de fazê-lo.

Quando chegamos ao *cairn*, Olive deu tapinhas nas pedras como se fossem um bichinho de estimação.

— Adeus, velha fenda — disse ela. — Você foi uma fenda muito boa e vamos sentir muito sua falta.

Emma apertou seu ombro, e as duas se agacharam e entraram.

Na última câmara, Emma aproximou sua chama da parede e me mostrou algo que eu não vira antes. Havia uma longa lista de datas e iniciais riscadas na rocha.

— São todas as outras vezes que as pessoas usaram esta fenda — explicou ela. — Todos os outros dias em que a fenda foi aberta.

Olhei com atenção e identifiquei um *P.M. 3-2-1853* e um *J.R.R. 1-4-1797*, além de um quase ilegível *X.J. 1580*. Perto do chão havia alguns sinais que não consegui decifrar.

— Inscrições rúnicas — disse Emma. — Me disseram que são muito antigas.

Millard tateou o chão de cascalho até encontrar uma pedra pontuda, e usando outra pedra como martelo talhou na pedra sua própria inscrição embaixo das outras. Ela dizia *A.P. 3-9-1940*.

— Quem é A.P.? — perguntou Olive.

— Alma Peregrine — disse Millard, e em seguida deu um suspiro. — Era ela quem devia estar escrevendo isso, não eu.

Olive passou a mão pelas marcas grosseiras.

— Acha que outra *ymbryne* virá aqui um dia criar uma fenda?

— Espero que sim — disse ele. — Espero muito que sim.

***

Enterramos Victor. Bronwyn levantou a cama inteira e a levou para fora com Victor ainda nela, e com todas as crianças reunidas no gramado ela puxou os lençóis e o cobriu, com um último beijo de despedida em sua fronte. Nós, rapazes, pegamos os cantos da cama como se carregássemos um caixão e o levamos até a cratera aberta pela bomba, então todos saímos lá de dentro, menos Enoch, que tirou do bolso um homenzinho de barro e o colocou com cuidado sobre o peito do garoto.

— Este é o meu melhor homenzinho — falou. — Para lhe fazer companhia. — A figura de barro se sentou e Enoch a empurrou com o polegar para que voltasse a se deitar, e o homenzinho virou de lado com um braço sob a cabeça, aparentemente pronto para dormir.

Quando a cratera estava cheia, Fiona jogou alguns arbustos e trepadeiras sobre a terra revirada e começou a fazê-los crescer. Quando o resto de nós tinha terminado de empacotar o que precisaríamos para a viagem, Adam estava de volta em seu lugar de sempre outra vez, só que agora marcava a sepultura de Victor.

Depois que as crianças se despediram da casa, algumas levando lascas de tijolos ou flores do jardim como lembrança, cruzamos a ilha pela última vez. Passamos pela floresta queimada e ainda fumegante e pela charneca plana marcada por buracos de bomba, subimos a colina, descemos do outro lado e atravessamos o vilarejo impregnado de fumaça de turfa, onde os moradores descansavam nas varandas e soleiras, tão cansados e atordoados com o choque que mal pareciam notar o pequeno desfile de crianças de aspecto peculiar que passava.

Estávamos em silêncio, mas animados. As crianças não tinham dormido, mas não dava para perceber só de olhar para elas. Era 4 de setembro, e pela primeira vez em muito tempo os dias estavam avançando de novo. Alguns disseram sentir a diferença; o ar em seus pulmões mais pleno, o fluxo de sangue nas veias mais rápido. Eles se sentiam mais vivos, mais reais.

E eu também.

***

Eu costumava sonhar em fugir da minha vida comum, mas minha vida nunca havia sido comum. Simplesmente não conseguira notar como ela era extraordinária. Da mesma forma, nunca imaginei que minha casa poderia ser algo de que eu sentisse falta, mas, quando estávamos carregando nossos barcos ao amanhecer, à beira de um grande abismo de Antes e Depois, pensei em tudo o que estava prestes a deixar para trás: meus pais, minha cidade, meu antigo, melhor e único amigo. E percebi que partir não seria como eu havia imaginado, como me livrar de um fardo. A lembrança deles era algo tangível e pesado, e eu a levaria sempre comigo.

Mas era impossível voltar para minha antiga vida da mesma forma que para a casa bombardeada dos garotos. A porta de nossas gaiolas havia explodido. Agora estávamos juntos naquele abismo.

Dez crianças peculiares e uma ave peculiar conseguiram se arrumar em apenas três grandes barcos a remo, deixando muita coisa para trás no cais. Quando terminamos, Emma sugeriu que um de nós dissesse algo, que fizesse um discurso para marcar a jornada que tínhamos pela frente, mas, quando ninguém pareceu pronto para essas palavras, Enoch levantou a gaiola da srta. Peregrine, e ela emitiu um piado alto e agudo. Respondemos com nossos próprios gritos, um brado de vitória e, ao mesmo tempo, um lamento, por tudo o que fora perdido e que ainda seria ganho.

Hugh e eu remamos no primeiro barco. Enoch nos observava sentado na proa, pronto para quando chegasse sua vez, enquanto Emma, com um chapéu, estudava a ilha que se afastava, com o Mapa dos Dias pronto no colo. O mar era uma ondulante lâmina de vidro verde que se estendia sem fim à nossa frente. O dia estava quente, mas soprava uma brisa fresca vinda da água, e eu poderia ter remado por horas alegremente. Não entendia como aquela calma sagrada podia existir em um mundo em guerra.

No outro barco vi Bronwyn acenar e levar a câmera da srta. Peregrine aos olhos. Sorri para ela. Não tínhamos trazido nenhum dos velhos álbuns de retratos; talvez essa fosse a primeira foto para um novo. Era estranho pensar que um dia eu talvez tivesse minha própria pilha de fotos amareladas para mostrar a crianças céticas, e minhas próprias histórias fantásticas também.

Então Bronwyn baixou a câmera e levantou o braço, apontando para algo à nossa frente. Eu me virei e vi uma procissão silenciosa de navios de guerra pontilhando o horizonte, negros e fúnebres contra o sol nascente.

Começamos a remar mais rápido.

Todas as imagens deste livro são fotografias antigas autênticas e, com a exceção de algumas que passaram por leve tratamento, não foram alteradas. Elas foram emprestadas de arquivos pessoais de dez colecionadores, pessoas que passaram anos e horas incontáveis revirando caixas gigantes de retratos de todos os tipos em brechós, feiras de antiguidade e vendas de garagem para encontrar umas poucas fotos transcendentes, resgatando imagens de significado histórico e extraindo beleza da obscuridade — e, muito provavelmente, do lixo. Sua obra é um trabalho de amor sem *glamour*, e acho que eles são heróis anônimos do mundo da fotografia.

Página	Título	Da coleção de
14	O menino invisível	Robert Jackson
15	A garota que levita	Yefim Tovbis
16	Menino erguendo rocha	Robert Jackson
17	A cabeça pintada	Robert Jackson
23	Abe cochilando	Robert Jackson
45	A menina na garrafa	Robert Jackson
46	O bebê flutuante	Peter Cohen
47	O menino com cara de cachorro	Robert Jackson
48	A contorcionista	Robert Jackson
49	As bailarinas mascaradas	Robert Jackson
58	Silhueta da srta. Peregrine	Robert Jackson
84	Menino fantasiado de coelho	Robert Jackson
108	Meninas na praia	Arquivo Thanatos
109	O reflexo no lago	Peter Cohen
110	Um menino e suas abelhas	Robert Jackson

Página	Título	Da coleção de
111	Bailarinas comendo	Robert Jackson
114	Emma no escuro	Muriel Moutet
117	O túnel do *cairn*	Martin Isaac
129	Caças	Robert Jackson
138	Srta. Peregrine	do autor
150	Srta. Finch	Roselyn Leibowitz
151	Srta. Avocet e suas crianças	Julia Lauren
152	A fenda de tempo da srta. Finch	Roselyn Leibowitz
157	Os cachinhos dourados de Claire	David Bass
161	Nossa bela exibição	Robert Jackson
175	Bronwyn Bruntley	Robert Jackson
177	Menina com galinha	John Van Noate
179	Jill e o pé de feijão	Robert Jackson
182	Um seguidor da moda	Robert Jackson
198	Srta. Nightjar pega todos os casos difíceis	do autor
202	Os bonecos de Enoch	David Bass
206	Victor	Robert Jackson
212	Meu estouro	Peter Cohen
213	Descascando batatas	Robert Jackson
214	A silhueta de Emma	Robert Jackson
216	É por causa disso	Robert Jackson
239	Uma viagem de caça	do autor
246	Papai Noel de loja de departamentos	do autor
247	Dentista vitoriano	Arquivo Thanatos
248	Marcie e o acólito	Robert Jackson
276	A visão	Peter Cohen
291	Gli, gli, gli	Roselyn Leibowitz
328	Abe e Emma	Robert Jackson
333	Nós remamos mais rápido	Robert Jackson

QUER SABER MAIS SOBRE A LEYA?

Fique por dentro de nossos títulos, autores e lançamentos.

Curta a página da LeYa no Facebook, faça seu cadastro na aba *mailing* e tenha acesso a conteúdo exclusivo de nossos livros, capítulos antecipados, promoções e sorteios.

A LeYa também está presente em:

www.leya.com.br

facebook.com/leyabrasil

@leyabrasil

instagram.com/editoraleya

google.com/+LeYaBrasilSãoPaulo

skoob.com.br/leya

3ª edição	Junho de 2016
papel de miolo	Pólen Soft 70 g/m²
papel de capa	Cartão Supremo 250 g/m²
tipografia	Sabon MT
gráfica	Geográfica

1ª reimpressão agosto 2016